# O PIOR DOS CRIMES

O PIOR DOS CRIMES

# Rogério Pagnan

# O PIOR DOS CRIMES
## A HISTÓRIA DO ASSASSINATO DE ISABELLA NARDONI

3ª edição

EDITORA RECORD
RIO DE JANEIRO • SÃO PAULO
2018

CIP-BRASIL. CATALOGAÇÃO NA PUBLICAÇÃO
SINDICATO NACIONAL DOS EDITORES DE LIVROS, RJ

P156p
3ª ed.

Pagnan, Rogério
 O pior dos crimes: a história do assassinato de Isabella Nardoni / Rogério Pagnan. – 3ª ed. – Rio de Janeiro: Record, 2018.

ISBN 978-85-01-11297-2

1. Jornalismo – Reportagem e investigação. 2. Crime. I. Título.

17-46639

CDD: 070.43
CDU: 070.4

Copyright © Rogério Pagnan, 2018

Todos os direitos reservados. Proibida a reprodução, armazenamento ou transmissão de partes deste livro, através de quaisquer meios, sem prévia autorização por escrito.

Texto revisado segundo o novo Acordo Ortográfico da Língua Portuguesa.

Direitos exclusivos desta edição reservados pela
EDITORA RECORD LTDA.
Rua Argentina, 171 – Rio de Janeiro, RJ – 20921-380 – Tel.: (21) 2585-2000.

Impresso no Brasil

ISBN 978-85-01-11297-2

Seja um leitor preferencial Record.
Cadastre-se em www.record.com.br e receba informações sobre nossos lançamentos e nossas promoções.

Atendimento e venda direta ao leitor:
mdireto@record.com.br ou (21) 2585-2002.

"As convicções são inimigas mais perigosas da verdade do que as mentiras."

Friedrich Nietzsche

Para meu pai, José Crispim, que me ensinou a lutar,
e minha mãe Zilda, a resistir. Para Nelise, minha cúmplice,
e Rogério, Lucas, Lorena e Heitor, minhas alegrias.

# SUMÁRIO

Foram eles(?)    11

## Parte 1: London

1. Edifício London    19
2. Socorro em vão    29
3. Gritos na noite    39

## Parte 2: Origem

4. Pontes de Roma    51
5. Filha da Rosa    61
6. Dois enes    67
7. Bodas de lágrimas    73
8. Um sábado qualquer    83
9. Dia de adeus    91

## Parte 3: Investigação

10. Estranha história    97
11. Quem matou Odete?    111
12. Daquele quintal    117
13. Passa-moleque    125
14. Doutores da rua    133
15. Confissão perdida    139
16. Coelho Gabriel    145

17. Sem liberdade ..... 151
18. Festa surpresa ..... 157
19. Missão cumprida ..... 167
20. Sem honras ..... 175

## Parte 4: Perícia

21. Tamanho da mão ..... 185
22. Não é sangue ..... 193
23. Salada de fruta ..... 205
24. Ficção científica ..... 211
25. Única pergunta ..... 223

## Parte 5: Julgamento

26. Banca rachada ..... 229
27. Só não vê ..... 243
28. Quarto poder ..... 249
29. Assistente da acusação ..... 253
30. Estrela do dia ..... 265
31. Doutora no assunto ..... 273
32. Grandes detalhes ..... 285
33. Bonecas na cama ..... 295

## Parte 6: Condenados

34. Dias de cárcere ..... 305
35. Pior dos crimes ..... 315

Agradecimentos ..... 333

# Foram eles(?)

A dona de casa Lindy Chamberlain, de 32 anos, caminhava em direção à barraca quando viu um dingo sair de dentro do abrigo do camping, balançando a cabeça como se carregasse com dificuldade algo com a boca. Pensou que o animal, uma espécie de pequeno lobo bastante comum naquela região da Austrália, estivesse levando os sapatos do marido que tinham sido colocados logo na entrada da barraca.

— Sai daí! — gritou, correndo em direção ao bicho, na intenção de que ele deixasse cair o calçado, antes que o animal sumisse na noite de 17 de agosto de 1980.

Casada com Michael, pastor da Igreja Adventista do Sétimo Dia e quatro anos mais velho, Lindy tinha ido verificar um grito da filha Azaria, de apenas 9 semanas de vida, que havia sido deixada dormindo na barraca com o irmão Reagan, de 4 anos. O grito da menina fora ouvido primeiro por Aidan, o filho de 6 anos, e confirmado pelo marido quando estavam na área da churrasqueira preparando o jantar — a poucos metros da barraca. A mãe estranhara o aviso, porque a menina estava em um sono bastante profundo quando fora deixada lá havia poucos minutos, antes de surpreender o vulto do dingo saindo do abrigo de lonas brancas.

Já na entrada, a mulher pôde ver as mantas espalhadas pelo chão e, instintivamente, temeu pela vida do bebê. Sabia que a filha estava apenas com o rosto de fora quando foi colocada ali e pensou que, no mínimo, precisaria de primeiros socorros. Mergulhou, então, para o interior do abrigo: apalpou o saco de dormir, passou as mãos pelo chão, pelos cantos, mas não encontrou nada. Ao recuar, em busca de ajuda, viu de relance que Reagan estava bem.

— Oh, Deus! Oh, Deus! O dingo levou meu bebê! — gritou.

Uma grande equipe de buscas foi mobilizada rapidamente pela polícia, com ajuda de outras famílias também acampadas naquele parque nacional e de aborígenes da região da Ayers Rock. Os trabalhos seguiram por toda a madrugada gelada, mas nada foi encontrado além de pegadas do animal e, sete dias depois, o macacãozinho ensanguentado do bebê em um ponto distante do lugar do ataque. Os restos mortais de Azaria jamais foram localizados.

Não demoraram, porém, para surgir as primeiras suspeitas de que os próprios pais teriam assassinado o bebê. Um sacrifício humano, talvez, já que havia rumores de que o nome Azaria significaria "sacrifício no deserto", embora o correto fosse, do hebraico, "aquele a quem Deus ajuda". As pessoas também achavam o casal frio demais ao falar da morte da filha em entrevistas, porque não havia choro desesperado diante de morte tão trágica. Ambos permaneciam serenos ao dizer que aceitavam a tragédia com resignação, por acreditarem nos desígnios de Deus. Os australianos também sabiam que dingos eram inofensivos, incapazes de atacar um humano, a não ser quando provocados. Não havia notícias de mortes causadas por esses animais, de crianças ou adultos, em qualquer parte.

O casal Chamberlain foi condenado em outubro de 1982, dois anos depois da morte de Azaria, após a Suprema Corte anular o primeiro inquérito que considerara não ter havido crime. O caso foi reaberto por conta do clamor popular e passou a ser chamado por jornalistas de "o julgamento do século".

Para conseguir a condenação, a Promotoria valeu-se dos trabalhos da perícia, liderada por um especialista envolto em polêmicas. Entre as principais "evidências" apresentadas por ele, estavam as marcas no macacãozinho da criança que tinham o formato exato dos dedos das mãos de Lindy, inclusive na posição em que ela teria segurado o pescoço da filha para cortá-lo com uma tesoura. Também eram tidas como provas irrefutáveis as manchas encontradas no interior do veículo da família —

O PIOR DOS CRIMES

um Torana amarelo, ano 1977 —, que os peritos diziam ser sangue, o que indicaria onde a menina foi morta.

— A Coroa não se arrisca a sugerir qualquer razão ou motivo da morte. [...] Apenas declaramos que as evidências a serem apresentadas provarão além de qualquer dúvida razoável que, por algum motivo, a criança foi assassinada pela mãe. Pouco depois do evento a mãe assegurou... e depois continuou a assegurar... que a criança morta fora levada da barraca por um dingo. A Coroa diz que a história é uma mentira fantasiosa e calculista para ocultar a verdade, que é a de que a criança Azaria morreu pelas mãos da mãe — disse o chefe da acusação, Ian Barker, quando iniciou os trabalhos de julgamento do casal Chamberlain.[1]

Como não houve confissão, Lindy foi condenada à prisão perpétua, em regime de trabalhos forçados. Já o marido, considerado cúmplice, recebeu uma reprimenda de dezoito meses de cadeia, posteriormente suspensa pela Justiça para que ele pudesse cuidar dos filhos. A mulher engravidara durante o processo e teve uma filha, Kahlia, logo após chegar à prisão. O governo concluiu, porém, que a prisioneira não poderia ficar com a criança, nem com o pai, e, assim, o bebê foi tirado da mãe quatro horas após o nascimento e repassado a pais adotivos.

Até 1986, Lindy perderia todos os recursos em instâncias superiores.

Lembrei-me da história dessa família australiana quando, em março de 2010, fiquei confinado no Fórum Barra Funda, na zona oeste de São Paulo, aguardando para participar do julgamento do casal brasileiro também acusado de matar uma criança. Os acusados eram Alexandre Nardoni e Anna Carolina Jatobá, pai e madrasta de Isabella, de 5 anos, que fora atirada ainda com vida pela janela do sexto andar do apartamento do pai na noite de 29 de março de 2008, na zona norte da capital paulista.

Nesse confinamento, fiquei por três dias acompanhado de nove pessoas, todas convocadas pela Justiça a pedido da defesa, sendo oito delas policiais que participaram diretamente da investigação: três peritos (duas

---

[1] John Bryson. *Um grito no escuro*. Rio de Janeiro: Record, 1989.

mulheres e um homem), dois médicos legistas, dois investigadores e o delegado Calixto Calil Filho, titular do distrito policial responsável pela investigação.

Todos os dez contrariados de estarem ali.

O último convocado era o pedreiro Gabriel, que, dois anos antes, me falara de um portão arrombado em um prédio aos fundos do edifício London, palco do crime. Assunto relevante à época, porque o autor do arrombamento era desconhecido, as polícias negavam acesso ao prédio, e a segurança do edifício era uma das questões discutidas no inquérito. Fui convocado para falar aos jurados sobre essa entrevista — e Gabriel, acredito eu, para explicar por que passou a negar o arrombamento (e até mesmo a entrevista) depois de conversar com policiais do 9º distrito no dia em que a reportagem foi publicada.

A lembrança dos Chamberlain, história imortalizada pelo filme *Um grito no escuro* (baseado no livro de John Bryson e estrelado nos anos 1980 por Meryl Streep), ocorreu-me quando passei a dar conta, sem entrar no mérito do grau de culpa dos Nardoni, da quantidade de semelhanças existentes entre os dois casos. Por exemplo:

a) as pessoas consideraram as histórias inverossímeis e elegeram as mulheres como as principais suspeitas, ambas tidas como "esquisitas";

b) as condenações foram baseadas principalmente em provas periciais, vistas como irrefutáveis, ainda que frágeis e lideradas por peritos polêmicos;

c) os principais indícios eram marcas em roupas que indicavam a dinâmica do crime e, ainda, supostas manchas de sangue encontradas no interior do veículo da família;

d) os promotores usavam a mesma expressão para definir a história dos réus: "fantasiosa";

e) as Promotorias não conseguiram apontar a motivação dos assassinatos;

f) e, por fim, os dois casais se declararam inocentes todo o tempo.

O PIOR DOS CRIMES

Lindy ficaria presa até 1986, quando a polícia, à procura do corpo de um alpinista britânico morto acidentalmente, encontrou um casaco branco de lá, de bebê, próximo a uma toca de dingos. O encontro da peça era importante porque, durante todo o processo, a mulher jurava que a filha usava o casaco na noite da morte, mas, como ele nunca fora localizado, a Promotoria sustentava ser parte da "mentira fantasiosa" contada pela mãe. Além da roupa, também surgiram informações de outros ataques de dingos pelo país, com a morte de crianças até mais velhas do que Azaria, antes e depois daquela noite escura de agosto de 1980.

Já no Brasil, o casal Nardoni fora condenado em 2010 a penas superiores a 26 anos de prisão para cada um dos réus. Só não pegaram prisão perpétua porque a legislação do nosso país não permite. A absoluta maioria das pessoas que acompanhavam o caso tinha certeza de que as afirmações feitas pelos réus tinham 99% de chance de serem falsas.

Havia, porém, exceções. Horas antes da condenação do casal ser formalizada, por exemplo, o próprio delegado Calixto Calil declarou algo sobre os Nardoni que aumentava, em tese, a probabilidade de que a versão deles fosse verdadeira. Ao concluir um raciocínio sobre o julgamento, ainda no fórum, ele finalizou com a seguinte ressalva: "Se foram mesmo os dois [que mataram a menina]."

Tratava-se de admissão indireta de que o policial ainda tinha dúvidas sobre a autoria do crime, ainda que, oficialmente, dissesse o contrário. Seria possível que, extraordinariamente, a verdade pudesse estar naquele 1%? Ou, melhor, que a interpretação da polícia, com base em laudos periciais e difundida durante dois anos, não fosse a verdadeira? O crime não estaria totalmente desvendado? Quais eram, afinal, as preocupações que levavam o delegado a se manifestar daquela forma?

Foram essas algumas das perguntas que me conduziram a um trabalho de apuração jornalística iniciado dias após o fim do julgamento e que, agora, são a base desta obra. Foram meses de estudo do processo, incontáveis horas de conversas com personagens da história e pessoas que tiveram acesso aos bastidores do trabalho policial. Busquei novos documentos e analisei, com a ajuda de importantes peritos, os laudos periciais do processo para entender exatamente o que eles podem provar, sem me valer de versões da acusação ou da defesa.

Tudo nesta obra é, assim, baseado em documentos e entrevistas.

Não consegui localizar nenhum "casaquinho branco". Talvez ele não exista. Encontrei, pelo contrário, aquilo que pode ser a principal evidência contra os dois, ou, pelo menos, que permite acreditar que o crime foi cometido por um deles — algo inexistente no processo e desconhecido até mesmo de boa parte dos policiais.

Também descobri, por outro lado, o que acredito ser a razão das dúvidas de Calixto Calil sobre a versão oficial. Histórias inconfessáveis de procedimentos adotados por parte dos policiais, segredos até de membros das instituições, que estavam inacessíveis à opinião pública até aqui. Comportamentos que trazem sérias dúvidas sobre se, caso a polícia tivesse eventualmente encontrado o "casaquinho", ela iria anexá-lo ao inquérito para que todos tomassem conhecimento. Também traz incertezas sobre se a versão oficial é realmente a verdade daquela noite.

Não há dúvidas, no entanto, de que, aliados ao sofrimento das famílias, todos esses elementos fazem desta história não só um dos maiores casos da literatura policial do Brasil, mas também o pior dos crimes.

Parte 1

# London

# 1

# Edifício London

— PELO AMOR DE DEUS, FILHA. Rua Santa Leocádia, 138. Tem ladrão no prédio, jogaram uma criança lá de cima, pelo amor de Deus — gritou o homem do outro lado da linha assim que a atendente do serviço de emergência da Polícia Militar de São Paulo disse boa noite. O relógio do telefone marcava 23h49m59s.

Com onze anos de experiência, todos dedicados ao atendimento de emergência pelo 190, a soldada Roseli Martines Poleze sabia identificar um caso sério só pelo tom da voz. O desespero sincero daquele homem era senha para que a policial ajeitasse o corpo na cadeira e passasse a dedicar toda a atenção possível.

— Leocádia, número?

— 138.

— 138. Jogaram de que endereço... de qual altura?

— Do sexto andar. Pelo amor de Deus, jogaram uma criança de lá de cima. Tem ladrão dentro do prédio. Ai, meu Deus do céu!

— Santa Leocádia? — insiste a policial.

— Santa Leocádia, 138, bem.

Gritos, ao fundo, são ouvidos por Roseli. São gritos desesperados de alguém que parece se deparar com uma cena extremamente horrível. O som deixa ambos ao telefone emudecidos por alguns instantes.

Mais gritos fazem a policial se emocionar.

— Ai, meu Deus — lamenta ela.

O homem, por sua vez, fica ainda mais desesperado.

— Pelo amor de Deus, filha...

— Eu tenho que cadastrar...

Novos gritos de horror, vozes femininas, interrompem a mulher que tentava explicar sobre registros obrigatórios da polícia.

— Olha, você está escutando, bem?

— Estou ouvindo. Estou ouvindo — responde ela com a voz também emocionada. Roseli estava ainda mais tensa porque, justo naquela hora, seu terminal apresentou problemas. Travara a tela do monitor.

— Estou no primeiro andar, jogaram lá de cima.

— Me passa um nome de uma rua próxima — pede a policial.

Pontos de referência ajudam a polícia a encontrar de maneira mais rápida o endereço em uma metrópole com 11 milhões de habitantes e mais de 90 mil ruas, avenidas e praças cadastradas.

— Hein?

— Me passa o nome de uma rua próxima...

— Aqui, é... — o homem demonstra dificuldades de raciocínio e pede ajuda para alguém ao seu lado. — Sabe o nome de uma rua próxima, bem? Estou nervoso... — Ele repete à policial o endereço que ouviu. — Ataliba Leonel, bem.

— Ataliba Leonel? — confere a policial.

— É. Pelo amor de Deus. Em frente à Telefônica.

— Tá registrada sua solicitação. Pode aguardar a viatura — finaliza.[1]

A ligação termina às 23h51m20s (exatos 1 minuto e 21 segundos), como consta dos registros da polícia paulista de 29 de março de 2008.

Roseli não perguntou, mas o homem desesperado ao telefone se chamava Antônio Lúcio Teixeira, mais conhecido como seu Lúcio. Professor de educação física de 61 anos de idade que, graças à altura, robustez e poucos cabelos brancos, aparentava ser bem mais jovem.

---

[1] Gravação da Polícia Militar nº 7.165.152 PA-05. Processo 0002241-66.2008.8.26.0001, p. 321.

O PIOR DOS CRIMES

Minutos antes daquele telefonema à polícia, seu Lúcio esperava o sono assistindo ao programa de celebridades *Amaury Jr.* na pequena sala de seu apartamento, na zona norte da cidade de São Paulo, onde só cabiam o sofá marrom de três lugares, um rack com uma TV de tela plana e um vaso com galhos verdes. Para não atrapalhar a mulher, que já tinha ido se deitar, o professor ajustara o som do aparelho no menor volume possível.

Lúcio e a mulher foram os primeiros moradores do London. Um edifício de classe média com 48 apartamentos divididos em doze andares em torre única, ornado com pastilhas cinza-escuro e brancas. Todos os apartamentos, assim como o do professor, tinham 82 metros de área privativa, incluindo uma varanda gourmet, que, junto à sala de estar, dava certo charme à arquitetura da construção por formar mais curvas ao desenho para quem olhava da rua. Tinham ainda duas vagas de garagem e uma área de lazer comum, com piscina, playground e churrasqueira. As unidades mais bem localizadas do condomínio custavam, cada uma, cerca de R$ 250 mil em 2008, época em que o Brasil assistia ao início do boom imobiliário dos áureos anos da era Lula.

A instalação da família Teixeira se deu em setembro de 2007, logo após a liberação pela construtora do apartamento decorado, e, como não tinha vizinhos, o professor acabou sendo, por 40 dias, síndico dele mesmo. Toda a organização do condomínio, incluindo questões de segurança, passou por suas mãos.

O morador perderia o cargo de síndico na eleição realizada naquele mês de março de 2008, quando o London já tinha cerca de vinte apartamentos ocupados, mas ele ainda mantinha o status de mandachuva. Foi por isso que o interfone dele tocou naquela noite, interrompendo seu programa de celebridades.

— Seu Lúcio, por favor, sai na sacada — gritou desesperado o porteiro Valdomiro da Silva Veloso. — Tem uma menina caída no jardim.

— Você está sonhando, Valdomiro? Tá dormindo? — disse Lúcio.

— Sai, seu Lúcio, pelo amor de Deus! Pelo amor de Deus, sai na sacada — implorou o funcionário com a voz aflita.

O professor caminhou em direção à sacada. Encostou-se no parapeito e, por estar no primeiro andar, pouco precisou se curvar para ver o pequeno jardim e a entrada do condomínio, de frente para a rua. "Olhei e vi que tinha uma criança caída. Aquilo para mim foi um choque terrível."

Voltou desesperado para o interior do apartamento em direção à mesa redonda de vidro, ao lado direito do sofá marrom, onde estava o telefone.

Valdomiro não viu o momento da queda. Diz que estava em sua guarita quando ouviu um barulho, uma pancada, como uma batida de carro, e levou susto quando abriu a janela e viu a criança estirada.

Após chamar por seu Lúcio, o rapaz devolveu o interfone ao encaixe sobre a mesa de controle e foi conferir se ela ainda estava viva. "Estava com o olhinho aberto, mas não tinha movimento."

O porteiro caminhava pelo gramado quando ouviu seu nome.

— O que está acontecendo, Valdomiro? — perguntou, da sua sacada do terceiro andar, José Carlos Pereira, morador do apartamento 32.

Aos 41 anos, o analista de canais, responsável por descobrir oportunidades para empresas, assistia na TV à transmissão de uma corrida da Fórmula Indy quando também ouviu o barulho. Esperou por gritos, burburinho de vozes ou alguma movimentação diferente, mas, como nada disso aconteceu, imaginou não ter sido nada grave. Voltou seus olhos para o televisor, mas os pensamentos tentavam processar a origem do barulho. Foi quando resolveu ir até a varanda.

— O que está acontecendo, Valdomiro?

— Caiu, seu José Carlos, caiu — tentava explicar o funcionário.

O morador não entendeu de imediato o que o porteiro queria dizer porque, pelo ângulo do terceiro andar em relação ao gramado, não conseguia ver a menina.

— Caiu da onde? — indagou o morador.

— Não sei. Daí de cima, seu Carlos.

O morador só compreendeu a situação após forçar a cabeça contra a rede de proteção da sacada e ver a criança estirada no gramado, iluminada pelas luzes do jardim. Ao menos daquela distância, não era possível ver

## O PIOR DOS CRIMES

sangue nem sinais de fraturas no corpo da menina. Era como se ela tivesse sido colocada ali. A primeira reação do analista foi pegar o telefone para o Corpo de Bombeiros (o relógio do gravador dos bombeiros registraria o início da ligação às 23h50m01s).

Nem Lúcio nem José Carlos desceram para prestar socorro à vítima. Seu Lúcio permaneceu na sacada, de onde viu, ao término da ligação para a polícia, aproximar-se da criança um homem — como que saído dos elevadores do próprio prédio. Com cerca de 30 anos de idade, o homem vestia bermuda jeans, camiseta cinza de algodão com estampa nas costas e chinelos tipo havaiana. Tinha cerca de 1,80 metro de altura e porte atlético, além de cabelos castanhos bem curtos, aparados à máquina, que destacavam as profundas entradas acima das têmporas e ampliavam a proporção da testa, tão grande quanto o queixo de maxilar quadrado e boca e lábios proeminentes.

Seu Lúcio reconheceu o rapaz como sendo o vizinho recém-chegado ao prédio, com quem havia cruzado apenas duas vezes, uma delas no elevador e a outra na reunião de condomínio da última terça. Tinha certeza da presença dele porque foi justamente seu Lúcio quem passou a lista.

— O que aconteceu, filho? — perguntou o professor.

— É minha filha. Arrombaram meu apartamento, cortaram a tela de proteção e jogaram minha filha — disse Alexandre Alves Nardoni, 29.[2]

O pai da criança colocou o ouvido no peito da menina.

— Está viva! Está viva! — gritou, fazendo movimento de querer pegar a criança para tentar socorrê-la, mas foi desaconselhado pelo professor.

— Filho, não faça isso! Você pode quebrar a cervical — gritou ele.

O rapaz desistiu do socorro, mas implorou ao porteiro:

— Tem ladrão, minha mulher e meus filhos estão lá em cima! Sobe lá para você ver, por favor!

Valdomiro ficou indeciso sobre o que fazer. Antes mesmo que pudesse responder, ouviu seu Lúcio ordenar:

— De forma alguma. Você não sai daí.

---

[2] Depoimento de Lúcio e Valdomiro. Processo 0002241-66.2008.8.26.0001, p. 13 e 15.

Só mais tarde o professor explicou por que tomou essa decisão. "Pensei que fosse despencar mais gente lá de cima. Caiu uma criança, o que vai acontecer? Tem mais gente, vai despencar mais gente. É o desespero. Foi o primeiro pensamento que tive."

— Não mexe, não mexe nela que estou chamando o resgate! — também gritou o morador do terceiro andar, que já havia ligado para os bombeiros e para a polícia.

Ao desligar o telefone com a PM, às 23h53m58s, o analista preocupou-se também com a própria família. Um criminoso que invade um apartamento e atira uma criança pela janela, pensou ele, seria capaz de tudo. Inclusive invadir outro apartamento. Assim, o melhor seria se proteger. Correu então até o quarto onde estavam a mulher e a filha. Disse para que ficassem por lá, em silêncio, porque havia perigo no prédio.

De volta à sala, buscou algo que pudesse usar como arma. Pegou na churrasqueira da sacada uma chapa de ferro fundido para usar como escudo e um espeto de churrasco para usar como espada. E, como um cavaleiro medieval, fixou-se diante da porta, pronto para se defender de qualquer tipo de invasão.

A situação no London ficou ainda mais tensa quando chegou ao jardim Anna Carolina Jatobá, mulher de Alexandre, totalmente transtornada. A mulher — morena de pele clara, 1,63 metro de altura, cabelos castanhos e olhos invocados — caminhava descalça carregando no colo Cauã, de 11 meses, e arrastando pela mão o filho Pietro, com 3 anos recém-completos. Não falou nada ao marido, que continuava ao lado da criança caída, e, deixando o maiorzinho para trás, partiu aos berros na direção do porteiro.

— Porra, caralho. Vocês são uns incompetentes. Filhos de uma puta! — gritou a mulher, dando início a uma série de críticas à segurança do prédio.

Naquele momento, às 23h55m09s, o pedido de socorro anotado por Roseli repercutia nos rádios dos carros da PM em patrulhamento pela zona norte da capital paulista, e também nas unidades do Corpo de

O PIOR DOS CRIMES

Bombeiros responsável pelo envio de equipes de resgate para o endereço fornecido por seu Lúcio.

A preocupação das equipes naquele momento ficou registrada em uma conversa gravada entre dois bombeiros, um deles se dirigindo ao local:

— Olha, essa situação da rua Santa Leocádia é a seguinte: os caras entraram para assaltar lá o condomínio e jogaram a menina lá de cima. E os "malas" estão tudo lá dentro ainda. Então, a polícia está a caminho de lá.

— Tá a caminho o policiamento?

— Tá a caminho. Fala pros caras que, se chegarem primeiro que o policiamento, é para entrar com cautela lá.

— Beleza, beleza.[3]

No Condomínio Santa Leocádia, prédio vizinho ao London, o consultor de segurança Waldir Rodrigues de Souza e a advogada Luciana Ferrari, de 38 e 36 anos, preparavam-se para dormir quando começaram a ouvir os xingamentos. Abriram a janela e viram Anna gritando ao celular com alguém.

— Jogaram a Isabella do sexto andar — dizia ao telefone.

Waldir e a mulher decidiram descer para ver a tragédia mais de perto. Ainda na porta do elevador, às 23h57m07s (registro da conta telefônica), Waldir ligou para o resgate avisando sobre a queda e pedindo uma ambulância.

Chegava nesse momento ao London a família do administrador Sérgio Luiz Curuchi, de 46 anos, morador do apartamento 44 do London, que tinha levado a mulher, a filha e o namorado dela para comerem pizza em um restaurante da avenida Luiz Dumont Villares, a poucas quadras dali. Sérgio havia escutado de longe os gritos vindos da entrada do prédio e, por isso, acelerou o passo para tentar ajudar de alguma forma. Na escada próxima à guarita, ouviu do pai da criança a versão de que um criminoso havia atirado sua filha pela janela.

---

[3] Gravação do Corpo de Bombeiros de São Paulo (Polícia Militar, nº 2.759.202 PA. Processo 0002241-66.2008.8.26.0001, p. 920).

— Chama a polícia, chama a ambulância — gritava Alexandre, perto da criança caída. O recém-chegado tentou ligar para o resgate, pelo 192, mas não conseguiu por problemas nas linhas de emergência. Só dava ocupado.

O casal do condomínio ao lado encontrou o portão aberto e, assim, não teve dificuldades para chegar até onde a menina estava caída no gramado. Os dois cruzaram com o administrador Sérgio, que saía em busca de ajuda na Corregedoria da Polícia Militar, ao lado do London, enquanto a filha dele e o namorado partiam em direção a um posto policial da avenida Ataliba Leonel.

Foi da Corregedoria, que cuida apenas de crimes praticados por policiais militares, que chegaram os soldados Jonaldo Campos de Almeida e Josenilson Pereira Nascimento. Eles afastaram de perto da menina as pessoas que não moravam no prédio, entre elas Waldir, que fez um estranho pedido aos PMs:

— Posso tocar na criança?

Os policiais negaram e pediram que se afastasse.

— Tenho amplos conhecimentos em primeiros socorros — justificaria.

Cerca de um minuto depois, também chegaram ao local o cabo Robson Castro Santos e o soldado Rafael Antônio de Brito Paula, levados para lá pelas ordens de Roseli. Ambos ficariam encarregados de registrarem o fato para a PM e apresentar toda a história na delegacia mais perto, o 9º distrito policial.

— Você viu o bandido? Viu o indivíduo jogando? Como ele está vestido, as características? — perguntou o cabo Robson ao pai da criança.

O rapaz, diria o PM, respondeu não ter visto ninguém, apenas deduzia ter sido um ladrão quem havia arremessado a filha pela janela, já que a menina ficara sozinha no apartamento por alguns instantes enquanto ele tinha ido à garagem buscar o resto da família.

O PIOR DOS CRIMES

Waldir deixou o London e, na saída, ligou para os bombeiros, às 0h01m47s (horário da conta)[4] para reforçar a necessidade de urgência do socorro.

No mesmo horário em que o consultor ligava para os bombeiros, perto da meia-noite, a empresária Rosemeire Simone Bara, de 41 anos, moradora do 11º andar, apartamento 113, escutou um forte barulho. "Ouvi uma batida seca, como uma porta de incêndio que havia batido com muita força."[5] A pancada foi tão forte que o filho mais velho da empresária, de 6 anos, se assustou com o barulho. Ela preparava um remédio para o menino, com problemas de sinusite, e o antibiótico deveria ser ministrado exatamente à meia-noite.

Rose, como é conhecida no prédio, disse ao filho que esperasse ali quietinho e foi até a área de serviço. Escutou gritos de mulher. "Rua Santa Leocádia, 138. Manda o resgate. Manda o resgate rápido. A menina caiu do sexto andar."

A empresária então acordou o marido, o administrador de empresas Roberto Denis Saugo, pediu que ele ficasse tomando conta do menino e do bebê de 3 meses, que também dormia, e desceu até o jardim do prédio.

Ao chegar e se deparar com a cena da menina caída, ao lado do pai, entendeu o motivo dos gritos desesperados que ouviu. "Ela estava de barriguinha pra cima. Vi que os olhos estavam bem abertos, arregalados, a boca semiaberta e a cabeça viradinha, totalmente de lado."

A empresária também viu Alexandre tentar erguê-la no colo e socorrê-la, mas ser novamente demovido pelas pessoas que assistiam à cena.

O modo como Anna chacoalhava o bebê, com muita força e parecendo não se dar conta daquilo, chamou a atenção da empresária e passou a incomodá-la. Rose não se conteve e tomou a criança dos braços da mãe.

As duas não tinham relação de amizade. Encontraram-se no prédio apenas três vezes durante os trinta dias de vizinhança. Numa delas, chegaram a conversar sobre maternidade e afazeres domésticos. Foi Anna quem puxou assunto ao ver Rose com o carrinho de bebê. Falou

---

[4] Conta telefônica anexada por Waldir ao processo 0002241-66.2008.8.26.0001.
[5] Processo 0002241-66.2008.8.26.0001, p. 99.

sobre as dificuldades de cuidar de duas crianças sem empregada fixa, de estratégias diante dos choros (geralmente descia para o playground) e que pensava ter tido depressão pós-parto.

Do alto de sua sacada, o professor Lúcio assistia a todo esse nervoso movimento de vizinhos e policiais. Como bom observador, talvez só ele tenha percebido que, do quintal de casa, a advogada Geralda Afonso Fernandes, 58 anos, parecia tentar entender o que se passava no gramado do London. De sua casa, do outro lado da rua, ela não conseguia enxergar o que se passava no jardim — enxergava apenas do primeiro andar para cima.

A imagem de dona Geralda parada no quintal, como se já estivesse ali há algum tempo, talvez até antes da queda, causou uma sensação estranha no professor Lúcio. Talvez tenha se perguntado: a mulher teria ouvido o mesmo que ele? Teria, também, as mesmas suspeitas?

# 2

# Socorro em vão

A BANCÁRIA ANA CAROLINA CUNHA DE OLIVEIRA nem esperou que o namorado estacionasse o carro. Com ele ainda em movimento, abriu a porta e saltou em direção às escadas do edifício London. Tinha urgência em saber da filha.

Não tinha conseguido compreender quase nada do que Anna, a madrasta de sua filha, tinha falado ao telefone. Só sabia que era algo ocorrido com Isabella. "Ela gritava muito. Estava muito desesperada. Eu não consegui entender direito o que ela falava. Gritava demais. Ficava dizendo que minha filha havia sido jogada. Eu não conseguia entender direito o que ela falava. Ela só dizia que ela foi jogada, mas não dava detalhes porque gritava demais. Eu não conseguia entender."

Carol recebeu a ligação quando chegava à casa de uma amiga, às 23h55m10s, vindas de um churrasco, segundo relatou posteriormente. Estava acompanhada do namorado Júnior, do irmão Leonardo e das amigas Renata e Amanda, dona da casa aonde pretendiam ir, na rua professor Piquet Carneiro, Vila Paiva, zona norte. O lugar ficava a cerca de 2,5 quilômetros do edifício London (percurso estimado em sete minutos), para onde seguiram todos após o telefonema.

Naquele horário, quase meia-noite, um chamado de Anna só poderia ser algo muito grave e urgente. Ambas mantinham uma relação estritamente cordial, às vezes nem isso, e não tinham outro motivo para se falarem a não ser Isabella.

Não se sabe por que, talvez algum temor inconsciente, quando ouviu Anna dizer "jogaram a Isabella", Carol imaginou que a filha tivesse se afogado ao cair na piscina do prédio.

— Faz respiração boca a boca nela, faz respiração boca a boca — pediu a mãe ao telefone.

Descalça, Anna caminhava com o seu bebê no colo pela calçada, do lado de fora do prédio, quando Carol desceu do carro ainda em movimento.

— Sobe que ela está ali em cima — indicou Anna.

"Quando eu cheguei, quando eu a vi, eu ajoelhei no chão, ela estava no chão. Eu ajoelhei na frente dela assim. Aí, eu coloquei... eu coloquei a mão no coraçãozinho dela, que batia bem rápido. Nisso, o Alexandre estava do lado, um pouco na minha frente assim, mais do lado dela, sendo que ele falava desesperado para [a polícia] entrar no prédio, para invadir o prédio."

A menina estava desacordada, com os olhos levemente abertos. Não tinha, pelo que Carol podia ver, nenhum ferimento além de um pequeno corte na testa, já sem sangramento. A bancária olhou ao redor e reparou que Pietro, filho de Alexandre, assistia a tudo de perto, e que o irmão dela, Leonardo, pegara o menino no colo para afastá-lo daquela situação traumática.

Os minutos se passavam, mas sem sinal do resgate. "Diziam que já tinham chamado a ambulância, mas eu, pelo desespero, achei que estava demorando bastante. Ainda peguei o celular e liguei de novo. Aí, disseram que já haviam pedido ajuda, que tinham ligado, que a ajuda já estava a caminho", disse a mãe da menina antes de irritar-se com a madrasta e iniciar uma discussão.

"Ela [a madrasta] gritava demais, ela gritava, aí, chegou uma hora que aquele grito dela começou a me irritar. Porque era tanto desespero com aquela situação, eu via que a situação da minha filha estava piorando, que o resgate não chegava. Ela não parava de gritar, aí eu falei para ela ficar quieta. Eu pedi pra ela calar a boca, que não estava aguentando mais."

O PIOR DOS CRIMES

A sequência desse pedido é contada em duas versões diferentes. Carol, mãe de Isabella, afirma ter sido xingada: "Ela me mandou calar a boca e me xingou, disse que aquela situação só estava acontecendo por causa da minha filha, que aquilo era por causa dela." Já Anna admite ter falado da menina, mas em tom bem diferente, e tendo sido alvo de pesadas palavras: "Eu me lembro de ter dito: 'Sua idiota, estou preocupada com sua filha.' Ela me mandou tomar no cu e mandou me foder. Falou vários palavrões. Os palavrões que escutaram e depois falaram que fui eu."[1]

Os pais de Alexandre também não demoraram a chegar.

Também fora Anna quem acionou seu Antônio, 23h51m09s, antes até de ligar para a mãe da menina. O avô, advogado, também diz não ter conseguido entender o que a nora queria dizer, em razão do nervosismo. "Ela estava gritando, dizendo que alguém teria jogado a menina ou a menina teria caído."

— Aconteceu alguma coisa séria com a Isabella — disse o advogado à mulher, Maria Aparecida. — Não sei direito o que foi, mas tenho que ir para lá.

Não há quem duvide, em qualquer das famílias, de que Cida tinha um amor incondicional por Isabella. Ninguém, portanto, seria capaz de impedir que a avó fosse com o marido até o London para ver o que tinha acontecido com seu "botão de rosa", maneira como gostava de chamar a neta. "Nos trocamos muito rápido. Fui até de bermuda, se não me engano, e de chinelos", diz Antônio.

O casal morava em um sobrado da rua Marinheiro, no Tucuruvi, zona norte da capital, a cerca de 2,8 quilômetros de distância, percurso que, de carro e sem trânsito, demoraria algo em torno de oito minutos para ser percorrido. Também residia ali a irmã de Alexandre, Cristiane, que naquela noite comemorava o aniversário do noivo, o estudante Lúcio

---

[1] Processo 0002241-66.2008.8.26.0001, p. 1.456.

Flávio Teixeira de Souza, no bar Engenho da Villa, na avenida Engenheiro Caetano Álvares, também na zona norte.

Antônio ligou para a filha na saída de casa.

"Atendi o telefonema, mas não pude ouvir direito o que meu pai falava. Só entendi o nome Isabella. Estava tocando uma banda, não dava para ouvir, tinha muito barulho, por isso fui para o banheiro para tentar ligar de volta."

Cris não conseguiu falar de novo com o pai porque as ligações só davam caixa postal. Resolveu, então, ligar para o celular de Anna, a cunhada. O telefonema foi atendido pelo próprio irmão, mas Alexandre não conseguiu explicar o que se passava. Gritava palavras soltas que só pioravam a angústia de Cris.

— Cristiane, vem pra cá. A Isabella... — foi o máximo que diz ter entendido, mas o suficiente, contudo, para fazê-la acabar com a festa do noivo e sair correndo para o London. Além de sobrinha, Isabella era afilhada de Cris.

Saíram todos juntos do bar: Cris, o noivo, a amiga Nathália e o namorado dela, o bancário Rafael. Foi Nathália quem pagou a conta de todos.

Antônio estacionou o veículo, um Vectra Elite, em frente ao edifício London. Pelas próprias contas, não havia demorado nem cinco minutos para chegar até a Santa Leocádia. "Os policiais estavam chegando. Chegaram basicamente junto comigo. Quando entrei no portão, eles entraram em seguida, já dizendo para tomar cuidado que poderia ter alguém ali."

Os avós subiram os lances de escada e deram de frente com a neta caída no gramado, o filho, a nora e a mãe biológica de Isabella. Tempos depois, seu Antônio questionaria como seria possível Carol ter chegado tão rápido ao London, antes mesmo que ele.

Dona Cida não queria saber de nada disso. Sua única preocupação era a vida da neta e, por isso, agarrou o primeiro policial que passou na

O PIOR DOS CRIMES

sua frente, o soldado Valter Santos da Silva, como se lembraria o próprio PM mais tarde.

— Pelo amor de Deus! Socorre! Ela está viva — disse a senhora.

O policial não socorreu. Entendia que, naquelas circunstâncias, a remoção especializada seria muito mais adequada. Assim, o melhor seria esperar pela chegada do resgate, que estava a caminho. Pelo menos em tese.

— Puta que pariu! Na hora que você mais precisa desses filhos da puta, eles não chegam nunca! — reclamou uma das mulheres junto a dona Cida sobre a demora da ambulância, segundo ouviram os policiais.

Cris havia chamado a atenção quando chegou à rua Santa Leocádia porque seu vestido azul de festa e o sapato de salto alto destoavam do clima de tragédia. Ela caminhou com certa dificuldade pelo asfalto ondulado em direção à mãe, que, naquele momento, falava com um policial.

A fim de acalmar a mãe, Cris levou-a para perto do portão da casa de dona Geralda, onde foi providenciado a ela um copo d'água. "Eu perguntei o que tinha acontecido para minha mãe. Foi quando ela disse que alguém tinha entrado no apartamento do Alexandre e jogado a Isabella. Aí, foi aquele desespero todo. Não vi mais ninguém. Fiquei sabendo depois que o meu pai e o Alexandre tinham acompanhado o resgate até o hospital", contaria Cris.

O tumulto na rua Santa Leocádia já era grande. Vizinhos, policiais e familiares criaram uma pequena multidão no meio da rua.

Nathália e o namorado perceberam Anna andando pela calçada.

— O que está acontecendo, Anna? — perguntou Nathália.

— Ná, sai daqui da frente que tem polícia armada e vai sair tiro.

— Então, sai você também — argumentou Nathália, para quem o alerta deveria valer muito mais para quem tinha um bebê no colo.

A amiga de Cris ligou para a mãe, Anete, para avisá-la.

— Como caiu da janela? Como foi isso? — perguntou a mulher.

— Não sabemos direito o que aconteceu, mãe. Caiu. O resgate está levando e não sei direito o que aconteceu — disse a estudante.

Anete achou que deveria dar apoio à família Nardoni, amigos de longos anos, o que aumentaria ainda o contingente do lugar. Precisaria de uma carona, por isso ligou para a cunhada Esmeralda, que também conhecia bem a família Nardoni, e ambas seguiram para o London.

Ao chegar, a comerciante dona Rosa, mãe de Carol, encontrou a filha e a neta dentro da ambulância. Tinha sido avisada pelo filho Leonardo quando ela e o marido, seu José Arcanjo, se preparavam para dormir.

Quando a viu, Alexandre nervosamente tentou dar algumas explicações. "Ele dizia que um ladrão tinha jogado a Isabella lá de cima. Eu não conseguia assimilar a informação."

— Mas como jogou? — perguntou a comerciante.

— Jogou ela lá de cima — respondeu Alexandre.

A resposta não atendia à pergunta, mas dona Rosa achou melhor se dedicar à tentativa de acalmar a filha. A moça sentia os braços dormentes e acreditava que pudesse desmaiar. A comerciante entrou na ambulância e pediu que partissem logo ao hospital. Os bombeiros, porém, informaram que ela tinha que descer porque a equipe precisava de espaço para trabalhar.

Rosa ficou contrariada, mas, acompanhada do marido, correu para o carro da família a fim de seguir a ambulância até a Santa Casa, na região central, a cerca de 8 quilômetros de distância, mais ou menos vinte minutos de trajeto.

Dentro do carro de socorro, Carol perguntava à médica Rosângela Malvestiti como a filha estava, já que tinha percebido que as batidas do coração da menina vinham enfraquecendo.

— Ela está respirando? — perguntava repetidamente.

— Calma — foi a resposta.

A médica não queria falar, mas o quadro era muito complicado. "O risco era horizontal. O coração dela estava parado."

Os procedimentos médicos, padronizados internacionalmente, recomendam que as equipes de socorro insistam por pelo menos mais de dez minutos após esses primeiros sinais de insuficiência cardiorrespiratória.

O pior era a menina não reagir a nenhum procedimento. A médica já tinha substituído o ambu, ressuscitador manual utilizado pela primeira equipe de bombeiros, por uma cânula de entubação orotraqueal, que permite abrir a traqueia e aumentar a ventilação. A vítima precisava respirar. Mas não conseguia.

Começaram, então, a surgir os sintomas do fim. As pupilas começaram a se dilatar mais e mais, configurando um quadro de midríase pela falta de oxigenação no cérebro, e a temperatura do corpo também seguia caindo bruscamente. A pele também começava a ficar esbranquiçada.

Quando a ambulância chegou ao hospital, Carol precisou ser contida para não invadir a sala de emergência junto com a equipe médica. Não queria estar longe da filha naquele momento, mas não lhe restou opção a não ser sentar no chão da sala de espera e rezar, à espera de um milagre.

Que não veio.

Isabella foi declarada morta à 0h42 de domingo, 30 de março.

\* \* \*

Após um período de pranto e desespero, a família foi convidada pelos funcionários da Santa Casa a despedir-se da menina. Foram para uma sala reservada do próprio hospital onde o corpo estava colocado sobre uma maca.

As lágrimas escorriam pelo rosto de dona Rosa enquanto ela passava a mão pelos cabelos da criança, seus últimos carinhos, mas parou quando percebeu uma manchinha de sangue na testa da menina. "Eu pedi para a enfermeira, meu filho Leonardo me ajudou a pedir, para limpar a testinha dela para que não ficasse aquela má impressão. Peguei um paninho e tentava botar a linguinha dela para dentro da boca. Eu achava que ia ficar assim no caixãozinho."

Carol, Alexandre e o avô Antônio completavam o grupo autorizado a ver o corpo antes de ele ser encaminhado ao Instituto Médico Legal para a realização de invasivos exames periciais, obrigatórios pela legislação brasileira.

Ao mesmo tempo em que beijava repetidamente a neta, Rosa analisava o corpo da criança para, quem sabe, tentar encontrar alguma explicação para o fim tão precoce daquela vida. Ao investigar outra pequena mancha de sangue sobre a coxa direita, encontrou uma nota de dois reais enrolada e presa na lateral do corpo, no final da virilha, pelo elástico da calça legging branca.

A avó perguntou ao pai que dinheiro era aquele.

— Isso é o pai da Carol que dá para ela toda vez que vamos lá. É um dinheiro para o sorvete. Ele também dá para o Pietro — respondeu Alexandre, referindo-se ao sogro, Alexandre Jatobá, e ao filho de 3 anos.

A firme resposta animou a mulher a tentar reconstituir tudo o que ocorrera. Mas Alexandre parecia não ter todas as respostas.

"Ele dizia que um ladrão tinha jogado ela lá de cima. Disse que, quando chegou à casa dele, a porta estava arrombada. Ele desconversava e eu voltava a dizer: 'Como você entrou, como foi tudo?' Ele dizia que o ladrão jogou ela e insista que a porta estava arrombada. E eu questionava: 'Como você entrou se a porta estava arrombada?' Ele diz que botou a chave e ia entrar. E eu, novamente, perguntava: 'Como você entrou se a porta estava arrombada?' E eu insistia com o Alexandre: 'Como foi, me diz, fala pra mim como foi.' E ele disse: 'Eu entrei com ela, peguei ela e coloquei no quarto do Pietro.'"

Dona Rosa aumentou o tom de voz, até gritou, segundo diz, para tentar respostas menos evasivas. "Ele desconversava."

— Como foi? Me diz, fala pra mim como foi — gritou a mulher olhando para o ex-namorado da filha, esperando algo que pudesse reduzir sua dor.

— Dona Rosa, ela estava tão feliz. A gente tirou fotografias dela — respondeu.

"Aí, não liguei mais pra nada. Fui cuidar da minha neta."

Só mais tarde, Rosa pensaria em todas as respostas que teve de Alexandre, e uma delas suscitaria dúvidas que a comerciante reverberaria. "Então, depois, comecei a me questionar: 'Como ele levou a Isabella para o quarto do Pietro se ela tinha um quarto? Por que não levou para o quarto dela?"

# 3

# Gritos na noite

A "BARCA" CINZA-ESCURO PAROU EM FRENTE ao edifício London. Dentro dela estava a equipe comandada pelo sargento Arnaldo Messias de Lima, vinda da região do Campo de Bagatelle, a 4 quilômetros de distância dali, ainda na zona norte, atraída pela notícia de um roubo em andamento.

Messias fazia parte de uma unidade da PM de São Paulo que em seus primórdios se chamava "Batalhão de Caçadores" e, mesmo sendo rebatizada ao longo da história, nunca perdeu sua verve de predadora. Em 1975, ganhou o nome de Rota, abreviação de Rondas Ostensivas Tobias de Aguiar (homenagem ao patrono da corporação dos tempos do Brasil Império), e se tornou, desde então, um dos grupos mais famosos e letais da polícia paulista. Como tropa reserva do comando-geral, é uma força especial de combate cujo emprego só ocorre em casos de maior gravidade.

As roupas e os carros dos policiais da Rota não se diferem muito daqueles usados por outros policiais. A viatura, por exemplo, à época um Chevrolet Blazer, tem um grande "R" estilizado impresso nas portas dianteiras, mas uma pessoa menos atenta pode nem percebê-lo. Quanto à farda, há uma boina preta, uma roupa mais escura e um braçal de couro (com desenhos sem sentido) que a maioria dos PMs não usa. De resto, são quase iguais aos mais de 80 mil homens espalhados pelo estado. A chegada de "rotarianos" a um local de crime nunca passa, porém, despercebida. Além da maneira espetacular como se deslocam, como se estivessem em um filme de Hollywood, eles transmitem tanta confiança e tanto destemor que comumente são reverenciados pelos colegas de farda, como se carregassem aura de heróis. Talvez tenha sido por isso que dona Cida correu em direção ao sargento Messias tão logo chegou à rua Santa Leocádia, já cheia de gente.

— Pega esse bandido e traz ele aqui para mim, que eu mato com minhas próprias mãos — gritava a avó paterna de Isabella.

"Foi quando a moça de vestido de festa azul disse para ela: 'Vamos, mãe, a senhora está muito nervosa.' E puxou a mulher e a levou para outro lugar", diz o sargento.

Atender parte do pedido de dona Cida pareceu ao sargento questão de muito pouco tempo. Logo na entrada do London, Messias ouviu um PM, que acredita ser da Corregedoria, dizer que havia visto um homem fugindo entre os carros da garagem. "Ele usou as mãos para nos dizer: 'Ele é mais ou menos dessa altura assim e apareceu próximo daquele carro.' Eu lembro que ele usou as mãos e indicou uma altura maior do que a dele. Era um cara bem alto. Quando ele falou assim, nós já entramos. Eu disse: 'Fica esperto aqui na saída pra gente para ver se não sai ninguém.' Ele disse que tudo bem."

Os PMs da Rota fizeram uma revista, mas não encontraram ninguém. "Olhamos debaixo dos carros todos para ver se tinha alguém. Também olhamos dentro dos veículos com uma lanterna, mas não tocamos nas maçanetas porque poderia acionar os alarmes. Ficamos vendo com as lanternas. Como não tinha nada, começamos a subir os andares pelas escadas."

O sargento e os colegas ficariam com a impressão de que o policial da Corregedoria pudesse ter "visto coisa pra mais", mas deixariam a garagem sem revistar o segundo subsolo, também com vagas para carros.

A equipe seguiu para se apresentar ao oficial no comando, o tenente Fernando Neves Braz, que estava no sexto andar, dentro do apartamento do crime.

Postos e patentes das PMs do país seguem a mesma hierarquia do Exército Brasileiro e, assim, um tenente é superior hierarquicamente a um sargento — mesmo sendo ele da Rota. Messias colocou sua equipe às ordens do oficial, mas, experiente, não deixou de recomendar que determinasse um bloqueio do acesso ao edifício. Ele tinha visto uma movimentação muito grande de curiosos em frente ao prédio e, para ele, deveria haver uma contenção de perímetro. O que foi feito. O tenente Neves determinou o bloqueio imediato e total dos acessos ao condomínio: ninguém mais poderia entrar ou sair do prédio até que as buscas fossem concluídas, ordem que acabou deixando até moradores do lado de fora.

Um deles foi Jéferson Friche, que se mudara havia uma semana para o apartamento 73. Recém-casado, ele comia pizza com a mulher, o irmão e a cunhada quando ouviu gritos vindos da frente do prédio. Foi para o térreo com o irmão, onde tomou conhecimento da tragédia, e, ao tentar voltar, foi impedido. "A gente teve de ficar na rua. Quem estava dentro do prédio não podia sair e quem estava fora também não podia subir." As mulheres dos dois irmãos ficariam sozinhas no apartamento à espera dos maridos até a madrugada.

Ao todo, trinta policiais foram enviados ao edifício London, efetivo superior ao existente em cerca de quatrocentos dos 645 municípios do estado de São Paulo. Foram montadas equipes para uma revista no prédio e a distribuição de homens em pontos específicos — para que se evitasse uma eventual fuga do "meliante", como os policiais brasileiros gostam de chamar os suspeitos.

A varredura teve início pelo piso inferior da garagem, aquele não visitado por Messias no primeiro momento. Após essa nova checagem nos subsolos, os PMs decidiram revistar todos os apartamentos em que fosse possível o acesso naquela madrugada. A ideia era bater de porta em porta, pedir licença aos moradores e olhar em todos os cantos. Se houvesse recusa por parte de alguém, decidiriam o que fazer. Mas todos concordaram com a revista, inclusive o analista com o escudo e espeto nas mãos.

Alguns apartamentos sem moradores também foram vasculhados, mas só aqueles que tinham as chaves deixadas na portaria (parte das unidades ainda estava em obras de acabamento interno). Outros, porém, permaneceram fechados. Ninguém pensou em contabilizar quantas e quais unidades foram vasculhadas, o que seria criticado futuramente. Independentemente disso, Messias e seus homens participaram de uma operação emergencial poucas vezes vista em São Paulo.

No 12º andar, após a análise de um dos últimos apartamentos, os "rotarianos" receberam uma dica importante de uma moradora: existia um sobrado em obra nos fundos do London que poderia ser um bom esconderijo. Ela mesma mostrou da varanda onde ficava o imóvel.

Messias e dois de seus homens partiram para lá. Um quarto membro da equipe permaneceu vigiando a "barca", regra da Rota. O jeito mais fácil de chegar até lá, calcularam, seria escalar o muro pela área da piscina, caminhar até a divisa de muros e saltar. Não era preciso nenhum tipo de escada para isso, já que a área de lazer fora construída de uma forma que deixava o cume do muro a cerca de 50 centímetros de altura, facilmente escalável. Em outros pontos, longe dessa parte de recreação dos moradores, essa altura superava os 3 metros.

A única dificuldade que os PMs tiveram para chegar ao sobrado foi a de se equilibrar até a churrasqueira do próprio London, que teve o telhado usado como ponte firme para alcançar o outro lado — onde também havia um muro firme para atingir o interior do sobrado. Os policiais já tinham a informação de que a cerca elétrica instalada na divisa entre as propriedades nunca havia funcionado e, assim, passaram para o outro lado sem necessidade de habilidades especiais (ou supe-respeciais). Também não usaram qualquer equipamento para apagar suas marcas deixadas pelo muro, telhado da churrasqueira ou dentro do sobrado.

Com auxílio de lanternas, vistoriaram os cômodos dos três pavimentos da obra. Havia objetos guardados, como azulejos, sacos de cimento, cal e um radinho de pilhas. Não foi detectado, porém, nenhum trabalhador, muitos menos o suspeito do assassinato.

O PIOR DOS CRIMES

Após considerar encerrada a varredura, a equipe de Messias decidiu deixar o sobrado. Para não voltar ao London por cima do muro, o que parecia mais difícil do lado do sobrado, romperam um portão na entrada da construção. Como estava trancado com cadeado, foi preciso arrombá-lo. "Tivemos de fazer muita força para abrir. A gente fez muito barulho para conseguir abrir porque o portão estava bem amarrado. Saímos um por um. Saiu um, saiu outro, e depois o outro."

Quando deixavam a construção, o sargento percebeu que uma vizinha do sobrado acompanhava a saída dos homens fardados pela janela.

— A senhora pode ficar tranquila que é a polícia — disse ele.

Um pouco antes dessa inspeção, por volta de 1h, havia chegado ao London a delegada da Polícia Civil, Renata Pontes. "A criança já tinha sido socorrida, o casal também não estava, mas tinha bastante gente ainda. Tinha populares, moradores e policiais militares. Disseram que alguns parentes estavam por ali também", diria ela.

A mulher, uma jovem policial de cabelos castanho-claros, pele clara e olhos tristes, havia sido acionada minutos antes por policiais militares que estiveram no plantão do 9º distrito policial, na região do Carandiru (zona norte), chefiado naquela noite por ela, em substituição a um delegado de licença.

— Doutora, aconteceu um crime na rua Santa Leocádia. Um roubo seguido de morte. Um ladrão entrou no apartamento e atirou uma criança da janela do sexto andar. Ela veio a óbito — afirmou um dos PMs, segundo ela se lembraria.

No Brasil, algo raro no mundo, a polícia estadual é dividida em duas partes. Responsável pelo patrulhamento, a Polícia Militar atua na prevenção dos crimes, tentando evitar que aconteçam, enquanto a Polícia Civil fica encarregada de investigá-los depois que acontecem e, o mais desejável, esclarecê-los, prendendo os responsáveis. Assim, cada polícia fica com uma parte do trabalho, o que pode parecer algo simples, mas que nem sempre funciona muito bem. Está mais para uma corrida de bastão na qual, por vezes, os corredores sabotam um ao outro como se a vitória de um não fosse também a vitória do outro (e da sociedade).

Renata chegou à Santa Leocádia em um Kadett Ipanema, com mais de dez anos de uso — uma sucata em comparação ao carro da Rota. O motorista da delegada era um investigador de plantão. A mulher subiu as escadas, onde foi mostrado a ela o gramado em que a menina foi encontrada. Sem nenhum vestígio importante da queda, havia pouco a ser analisado pela delegada.

Pelas contas de Renata, era a 136ª vez que visitava um local de crime contra a vida, entre homicídios e suicídios, em seus onze anos de carreira. Parte dessas diligências ocorreu quando integrou o Departamento Estadual de Homicídios e de Proteção à Pessoa (DHPP), considerado uma "ilha de excelência" na Polícia Civil paulista. O mais famoso caso atendido pela delegada no tempo de DHPP se deu em outubro de 2002, na luxuosa casa da rua Zacarias de Góis, no Brooklin, zona sul da capital. As vítimas Manfred e Marísia von Richthofen, marido e mulher, foram assassinadas, na própria cama, por três criminosos — incluindo a filha do casal, a estudante Suzane von Richthofen, à época com 18 anos.

Embora tivesse realmente ido ao local do crime de Suzane e citasse o episódio em seu currículo profissional, Renata não comandou as investigações nem chegou a ficar famosa com elas. Era desconhecida pela maioria das pessoas e, por isso, teve de ser apresentada aos PMs para ter acesso ao apartamento.

— É a delegada de plantão — explicou o tenente Neves aos soldados que estavam na entrada do apartamento 62 para impedir a entrada de alguém estranho à investigação. O oficial da PM passava o bastão.

A delegada entrou para analisar o local. E, mal dera os primeiros passos, percebeu sinais que indicavam a desorganização dos moradores.

No corredor de acesso à sala de estar, encostada rente à parede, do lado esquerdo, havia uma tábua de passar roupa de forro azul-claro com estampas de flores amarelas, aberta, pronta para uso, sobre a qual havia duas peças de roupas brancas. A policial não conseguiria dizer, só de olhar,

O PIOR DOS CRIMES

por quanto tempo a tábua tinha sido usada, mas não parecia ser algo recente, mesmo porque não havia sinais de cuidados com a temperatura do ferro. Do corredor, Renata viu à direita, na cozinha, utensílios sujos sobre o fogão e a pia. Apesar de pequena, a cozinha mostrava que os moradores tinham investido na decoração. Era equipada com armários feitos sob medida, todos novos, em preto e prata.

Também eram novos os eletrodomésticos, top de linha, nas mesmas cores: a geladeira duplex, com torneira de água do lado externo, os fornos micro-ondas e elétrico, o fogão de mesa e o imponente depurador de ar. Chamava a atenção, em dissonância, um aspirador de pó estacionado no chão da cozinha, em frente à porta da área de serviço, onde havia, além da máquina de lavar, baldes e roupas estendidas no varal de teto ou depositadas num cesto, ainda a serem lavadas. Algumas sacolas amontoadas no chão do banheiro de empregada reforçavam a aparência de desorganização.

De volta ao corredor, a delegada notou, ao lado da tábua de passar na pequena sala de jantar, uma mesa de vidro escuro com seis cadeiras de forro preto, sobre a qual havia uma série de objetos espalhados: roupas, agenda, material escolar, papéis, mamadeira vazia, escova de cabelo e uma bolsa preta, entre outras coisas jogadas. Completa bagunça. Não parecia desordem causada por algum criminoso, mas pelo hábito dos próprios moradores.

As salas de jantar e de estar ficavam no mesmo ambiente. Quem se sentasse na cabeceira da mesa poderia facilmente cumprimentar com as mãos alguém sentado no sofá, que era constituído de uma poltrona única, também na cor preta, de três lugares e assentos retráteis dispostos em "L". Assim como no apartamento do professor Lúcio, com o mesmo desenho de planta, o espaço da sala só comportava um rack e uma TV de LCD de 50 polegadas.

Uma porta de vidro separava a sala da sacada, espaço batizado pelos vendedores de apartamentos como "terraço gourmet" por conta da churrasqueira instalada. Naquela casa, porém, as grelhas serviam de depósito para um pequeno quadro, de temas florais em azul e verde, pintado pela irmã de Alexandre em uma aula de pintura, e, ainda, um par de tamancos branco e vermelho.

Também havia ali duas mesas: uma maior, redonda e de metal, para adultos, e uma quadrada, menor e de plástico verde, para crianças.

Os quartos e banheiros ficavam no corredor à esquerda de quem está na sacada; à direita de quem vem pela porta principal. No corredor, a delegada encontrou mais sinais de desorganização: um par de chinelos de criança, provavelmente de Cauã, estava jogado perto da porta do banheiro social, junto com um pequeno carrinho verde e uma sacola plástica com algumas roupas, largados por ali também.

O quarto do casal, com banheiro privativo, ficava à direita. Sobre a cama desarrumada, dois cabides nus e algumas roupas jogadas, entre elas uma blusinha com listras horizontais azul e branca — uma pequena desorganização nada muito diferente dos outros cômodos.

As informações mais importantes para a investigação policial, sem dúvida, estavam nas duas portas à esquerda.

A que ficava ao final do corredor era um quarto de menina. Da porta, era possível ver os móveis dispostos como uma letra "U" de cabeça para baixo. À esquerda, rente à parede, ficava uma cama box de solteiro coberta por uma colcha branca, também mal-arrumada. Jogadas sobre ela, duas bonecas de modelos desconhecidos para a maioria dos adultos: uma tinha a roupinha branca com detalhes azuis, inclusive o gorrinho, e estava quase no centro da cama. A outra, próxima à cabeceira, de vestido branco e rosa, tinha os bracinhos erguidos como se estivesse protegendo o rosto. Estava cercada pela dobra malfeita da colcha e de duas almofadas compridas (como uma salsicha), usadas para ornamentação. Também havia, jogada no centro da cama, uma folha de caderno com alguns rabiscos de criança feitos com lápis de cor vermelho.

Na base da letra "U", abaixo da janela, havia um baú rosa com um desenho da Hello Kitty rodeada de flores coloridas. Sobre o baú fechado, um travesseiro branco.

Do lado direito, completando a letra, ficava um conjunto de prateleiras brancas que se estendia pela parede. A parte de baixo tinha, na metade à direita, um conjunto de três gavetas e, sobre elas, um aparelho decodificador de sinal de TV a cabo e uma caixa fechada com aparelho de DVD.

Na outra metade baixa, à esquerda, próximo à janela, formava-se um vão no qual a família estacionou uma motinha elétrica, roxa, com detalhes verdes, e outras duas caixas lacradas com aparelhos de DVD. No primeiro lance da prateleira, havia roupas dobradas, roupinhas de menina, alguns potinhos porta-trecos decorados e brinquedos, como uma privada sanitária de plástico marrom e azul, uma vaquinha de pelúcia branca e preta, uma boneca da Mônica e, ao lado dela, um abajur rosa com desenhos das princesas da Disney. No lance superior, ficavam as fotos, algumas da vítima sozinha (uma delas vestida de Papai Noel) e outras dela com membros da família paterna, incluindo os dois irmãozinhos. O quarto também tinha na parede uma TV de LCD de 32 polegadas.

As atenções da delegada se voltaram para o outro quarto, com duas camas de solteiro dispostas em paralelo. Os móveis planejados brancos tinham, ali também, detalhes em azul indicando o perfil masculino de seus habitantes mirins. Assim como no outro quarto, havia um vão embaixo das prateleiras que também era usado para guardar uma motinha elétrica com várias tonalidades de verde. Havia outros detalhes repetidos do outro quarto, como o aparelho de TV, decoração com fotos, brinquedos, como se os moradores tivessem pensado em agradar todos os filhos de maneira igual.

Embora estivesse claro o investimento para a montagem daquele quarto, as colchas embrulhadas (uma amarela e outra com tema de Carros, da Disney) e as roupas jogadas no chão tiravam a graça do lugar.

Havia pingos de sangue no chão e no lençol verde da cama próxima à porta. E, na janela, um rasgo arredondado indicava que a tela de proteção havia sido cortada. Estes detalhes eram da mais alta importância para a investigação iniciada pela delegada e, sem dúvida, tinham ligação direta com o que havia acontecido ali.

Do seu celular, ela ligou para a escrivã no DP e pediu que ela acionasse a perícia. "Depois que vi o apartamento, também vi o hall. Tem aquela porta lateral do hall que dá acesso à escada. Também olhei o lixo, vi se tinha alguma coisa estranha. Não tinha. Aí, desci e dei uma olhada na garagem."

Quando voltou ao térreo, Renata se reuniu com o síndico recém-eleito, Osvaldo Henrique Nogueira Júnior, analista ambiental, morador do apartamento 21. Osvaldo disse não ter visto nada. Só havia tomado conhecimento do crime ao apurar os gritos e palavrões de uma mulher que vinham da frente do prédio. Disse ter ouvido Alexandre e Anna, cujos nomes desconhecia até então, contar que a criança havia sido atirada pela janela por um ladrão. Explicou à policial que o prédio era novo e, por isso, os vizinhos pouco se conheciam.

A própria família do 62, por exemplo, havia se mudado no Carnaval, entre o dia 2 e 5 de fevereiro, havia menos de dois meses. O síndico disse nunca ter dirigido a palavra a nenhum dos dois, nem mesmo um bom-dia ou boa-tarde, embora tivesse visto o rapaz algumas vezes. Nem se lembrava dele na eleição de síndico da qual Alexandre havia participado naquela semana.

A mesma versão foi contada à delegada por outros moradores: ninguém tinha ouvido brigas ou gritos nem visto algo suspeito, muito menos alguém tentando fugir do prédio. Isso mudaria ao falar com o morador do número 12.

— O senhor, segundo consta, foi o primeiro a ligar para o 190. Eu preciso que o senhor seja ouvido nesta madrugada ou, no máximo, no decorrer do domingo. O senhor vai ter que comparecer à delegacia — comunicou a delegada, segundo ela mesma contaria depois. O professor pediu que falassem a sós.

— Eu tenho uma coisa para contar para a senhora — começou o professor. — Uma coisa que ouvi e está me causando um desconforto muito grande. Eu não quero ser injusto, eles falaram de ladrão, mas ouvi claramente uma criança gritando "Papai, papai, papai, para, para".

Renata compreendeu de imediato o que o professor queria dizer: a história contada pelo pai e pela madrasta da menina poderia não ser verdadeira.

Parte 2

# Origem

# 4

# Pontes de Roma

O MALUCO APARECEU COMO QUE SAÍDO DO NADA, no lusco-fusco de fim de tarde, e se atracou com Antônio Nardoni. Maria Aparecida, então com 22 anos e grávida de sete para oito meses, começou a gritar desesperada ao ver a faca nas mãos do agressor. Ela deixou os dois rolando no chão de terra e correu ladeira acima, em direção à própria casa, em busca de ajuda de quem quer que fosse.

O homem já tinha fugido quando Cida retornou com o socorro. Toninho também já estava de pé, quase intacto, com apenas alguns arranhões no corpo e no orgulho. A mulher, porém, com o susto e a forte emoção, precisou ser levada com urgência ao hospital. Hemorragia.

Após analisá-la, a médica recomendou repouso absoluto até o fim da gravidez sob o risco de perder o primogênito.

Tudo aquilo, para a mulher, era o fim de seus dias no bairro Taboão de Guarulhos, periferia pobre de Guarulhos, onde o pai da moça cedia um quarto ao casal. Além de inseguro, sem iluminação, o lugar tinha a ladeira muito íngreme e vencê-la, a pé, era uma tarefa muito desgastante. Impossível nos dias de chuva.

A gestante passaria a viver, também de favor, na casa dos tios Anita e Antônio, no Jardim Brasil, zona norte da capital, onde ficaria em repouso até o parto. Toninho continuaria com o sogro até conseguir um novo endereço.

Nova emoção viveu o casal na manhã de 26 de junho de 1978 quando os médicos do Hospital Matarazzo informaram que o cordão umbilical estava enrolado no pescoço da criança, o que lhe trazia ainda maiores riscos e descartava completamente a possibilidade de parto natural. Só sustos.

Alexandre Alves Nardoni nasceu "perto da hora do almoço", como a família lembraria, forte e saudável, com 52 centímetros e 3.950 gramas.

Se dependesse apenas da vontade de Antônio, com 26 anos à época, o menino teria um nome um pouco mais invocado, algo como "Alexssandro", com o som do "x" bem forte. Prevaleceu, porém, o desejo da mulher de seguir uma grafia mais tradicional e mais comum nos anos 1970 para o nome que significa algo como "protetor do homem", "defensor da humanidade" ou "o que repele os inimigos".

Já o sobrenome Nardoni foi quase uma escolha do destino. Dos nove filhos do motorista João Nardoni com a cozinheira Clementina de Pontes, apenas os três mais novos — incluindo Antônio, o caçula — receberam o sobrenome que o pai herdara dos ancestrais italianos imigrados de Roma. Os seis irmãos mais velhos receberam apenas o sobrenome da mãe, Pontes, porque João e Clementina não eram casados oficialmente, e o marido nunca tinha tempo para ir ao cartório, por causa do trabalho numa linha de ônibus intermunicipal em Paraguaçu Paulista, cidade onde viviam. Toninho teve a sorte de nascer quando o pai já estava aposentado.

João Nardoni morreria em 1965. Dois anos depois, a mãe e três filhos, entre eles Toninho, se mudariam para São Paulo, de trem, trazendo panelas em sacos de lona e uma cabrita de ótima linhagem, Bita, remanescente do rebanho que dona Clementina mantinha para obter leite para os filhos ao longo dos anos e, no final de cada um deles, abastecer as ceias de famílias abastadas da "cidade".

Como era comum no interior, o animal também teria papel importante no cardápio bastante restrito daquela família católica, nos primeiros anos na rua São Delfino, na zona norte. Na memória de Antônio, as compras no mercadinho consistiam em um pouco de feijão, arroz, café, açúcar e vinte quilos de batata. "Era batata cozida, batata frita, batata assada, casca de batata. A gente lavava a casca da batata, fritava e usava de mistura."

O PIOR DOS CRIMES

53

Poucos meses depois da morte de dona Clementina, em 1973, no mesmo hospital onde Alexandre nasceria, mudou-se para a rua São Delfino o peão de obra Antônio Alves Moura, com sua segunda mulher e uma penca de filhos, entre eles a adolescente Maria Aparecida. Morariam praticamente de frente para a casa de Toninho, que ficou encantado com a moça a ponto de ter coragem de enfrentar o futuro sogro, com fama de muito bravo, e pedi-la em namoro.

— Filha minha é assim: é para namorar e casar em dois meses — avisou o pai de Cida, conforme se lembraria o pretendente.

O casamento, no entanto, só aconteceria três anos depois, o que obviamente não foi motivo de briga entre eles. Os Antônios ficariam amigos a ponto de morarem juntos em Guarulhos em uma casa erguida, inclusive, com a ajuda de Toninho nos finais de semana — por um bom tempo, papelões de caixas obtidas em lojas serviram para cobrir as janelas da casa. Cida e Alexandre viveriam ali até o dia do ataque do maluco com a faca.

Após o nascimento de Alexandre, o casal, mais uma vez com a ajuda dos tios do Jardim Brasil, Anita e Antônio, alugou uma edícula de um quarto, cozinha e banheiro na rua Sodré e Silva, também no mesmo Jardim Brasil. Havia, porém, um terrível inconveniente nesse novo endereço: ninguém conseguia dormir em paz devido ao barulho dos ratos debaixo do assoalho de madeira.

Os pais de Alexandre se mudariam outra vez, e mais uma vez, até que cinco anos depois, em 1983, conseguiram comprar uma casa própria, na rua doutor Alexandre Ferreira, na Vila Constança.

A situação financeira da família Nardoni naquele ano poderia ser medida pela quantidade de móveis transportados no caminhão de mudanças: mesa, geladeira, fogão e só. Nada para sala ou quartos, além de colchões e poucas roupas embrulhadas em trouxas de lençóis. Objetos como cama, guarda-roupa, estante, sofá e TV não foram vistos desembarcar. "Veio muito pouca coisa naquele caminhãozinho. A situação deles não era nada boa", diz dona Carmem, vizinha e amiga da família desde aquela época.

A vizinha também acabava de se mudar para aquele conjunto de so-
bradinhos recém-construídos em uma região quase sem infraestrutura, no
extremo norte da capital, já bem perto de Guarulhos. "Era praticamente
um brejo", resumem os primeiros moradores. Não havia água, luz, nem
esgoto sanitário. O local era considerado tão inseguro que os meninos eram
obrigados a brincar quase sempre dentro de casa, sob a vigilância das mães.

Mesmo passados mais de trinta anos, a rua ainda mantém ares de
mal-acabada — embora tenha sido asfaltada. O traçado, por exemplo,
parece ter sido feito por alguma criança do jardim da infância, ainda com
pouca coordenação motora, de tal maneira que não é possível estacionar
em quase nenhum lugar sem atrapalhar o trânsito. As linhas das casas
avançam sobre a rua, de maneira que um carro colocado no meio-fio
fica literalmente no meio da rua. O lugar também continua inseguro e
os muros, quando existem, são marcados por pichações.

Quando a família Nardoni se mudou, Alexandre, com 5 anos, começava a ganhar as feições que o marcariam como adulto. Em especial
uma boca desproporcionalmente grande, que muitas vezes esquecia
aberta, o que lhe rendeu o apelido de Royal, em referência ao comercial
de gelatina dos anos 1980, cujo personagem Bocão dizia o slogan: "Abra
a booooooooooooca, é Royal."

Outro apelido dessa época, que o acompanharia até os dias atuais e
falaria muito de sua personalidade, seria "The Rambo". Referência irônica
ao herói de guerra vivido nos cinemas dos anos 1980 por Sylvester Stallone.
Alexandre recebeu a alcunha depois de ter ficado apavorado ao se sentir
sozinho, por alguns minutos, numa pequena mata de uma chácara, onde
passava o dia com a família e com os amigos da rua onde moravam. "Que-
ríamos dizer que era corajoso 'igual' ao Rambo", brinca Sandro, filho de
Carmem, uma das crianças que, à época, ajudaram a apelidar o amigo.

Isso se deu quando o menino tinha 8, 9 anos, calculam os amigos,
época em que surgiam os primeiros sinais de bonança dos Nardoni. Um
dos mais visíveis era o carro adquirido por seu Antônio, um Fusca velho,
o primeiro de uma série de veículos que seriam adquiridos. Um dos mais
famosos daqueles anos seria um Volkswagen Passat amarelo que, além

da cor, chamava a atenção pelo barulho que fazia e pela sensação que transmitia aos passageiros de que poderia desmontar a qualquer momento no meio da rua.

Outro sinal de prosperidade foi o aumento da prole. Em novembro de 1987, dona Cida e Antônio tiveram Cristiane, após um sem-número de tentativas frustradas. Foram tantos alarmes falsos que os vizinhos já não acreditavam mais que a mulher poderia ser mãe outra vez. "Quase todo mês ela falava para minha mãe: 'Ai, estou grávida, dona Carmem.' Coitada. Nunca acontecia. A gente não acreditava mais que ele pudesse ter", diz Valdineia, filha de dona Carmem, vizinha.

Valdineia é uma das pessoas que contam que Cristiane nasceu tão linda, um bebê tão especial, que parecia tirado de um anúncio de TV. A beleza da menina é, inclusive, a primeira coisa de que as pessoas se lembram ao falar da primeira infância dela. Sucesso que teria consequências. Alexandre, que quase não havia dado trabalho aos pais, além da demora para largar o peito da mãe e, depois, a chupeta, não reagiu bem ao deixar o centro das atenções. Ele, que nunca tinha sido um aluno brilhante, e dormia sobre os livros quando era obrigado a estudar, acabou reprovado em 1988, episódio infeliz que, para a família, foi provocado pelas crescentes crises de ciúmes do menino pela irmã recém-chegada. "Ele não queria ir pra escola de ciúmes da Cris", disse Antônio.

Foi também naquela rua que Alexandre, já adolescente, conheceria dois de seus maiores amores. Um deles foi seu primeiro carro, um Fusca vinho, presente do pai, privilégio raro naquela região pobre da zona norte e que lhe deu o status de "boyzinho da rua". Já bem melhor financeiramente graças a promoções no trabalho, Antônio também tinha comprado para si um Ford Verona e, para dona Cida, um Chevette. "O pai sempre deu tudo para ele. Até demais", disse uma vizinha.

O outro amor parecia repetir o roteiro dos próprios pais. O rapaz se apaixonou por uma adolescente que morava bem em frente à casa dele, Patrícia, uma moça de cabelos pretos, pele branca e cara amarrada. Em um primeiro momento, a moça achou inusitado, porque ambos pertenciam à mesma turma desde os 6 anos de idade, grupo que tinha ainda os irmãos dela, Rubinho e Maurício, e aquilo lhe fazia sentir como a Mônica sendo cortejada pelo Cebolinha, conforme contou em entrevista para este livro.

A primeira carta de amor enviada fala da incredulidade de Patrícia.

Patrícia,

Eu te amo muito.

Nunca escondi isso de ninguém, você sabe muito bem disso. Você fica falando que eu não te amo. Isso me deixa muito magoado porque ninguém sabe o que eu sinto por você. Só eu mesmo.

Só que tem hora que você dá muita mancada. Eu não sei o que acontece com você que de uma hora para outra você muda totalmente. Uma hora você está do jeitinho que eu sempre gostei. Outra hora faz uns negócios que não dá para entender, nem eu mesmo entendo o que você faz.

Você é minha Pitulinha e sempre vai ser, porque eu nunca vou deixar de te amar, sua boba. E nunca vou te deixar. Eu nunca amei ninguém como eu te amo, minha Pitula. Só que você tem que parar de dar mancada e parar de dar trela para essa gentinha daqui, que eles não são nada. Os que são não ficam fazendo isso. Ouviu, minha Pitulinha? Não quero ver o seu mal nem ninguém falando de você por aí.

Só você ainda não notou que eu gosto de tudo o que você gosta, sua boba. Ou será que eu vou ser obrigado a dar mais na cara do que já dou, meu morango com leite moça?

Minha Pitulinha, eu vou casar com você. Sua mãe e seu pai querendo ou não. Ou meu pai e minha mãe querendo ou não. E meus três filhos que eu vou ter é com você, sua bobinha. Ou você não percebe que eu quero ficar com você? Quando eu falo que eu não quero mais nada, nem amizade, é porque estou nervoso.

Mas o que eu mais quero nessa vida é poder casar com você e criar minha família e meus filhos e cuidar de você.

Por isso que eu quero trabalhar o mais rápido possível para não depender de ninguém.

Você quer namorar com esse rapaz magrinho que o nome dele é Alexandre? Que mora quase em frente à sua casa?

As investidas deram certo e, após o sim, Alexandre decidiu oficializar a relação. Mesmo sem necessidade, como se reproduzisse a conversa dos Antônios ocorrida tantos anos antes, ele foi falar com a mãe de Patrícia. "Foi bonitinho. Ele ficou emocionado e com vergonha ao mesmo tempo. Ele disse: 'Dona Paula, eu quero falar com a senhora.' O que foi, Alexandre? 'Eu vim pedir a Patrícia em namoro. A senhora aceita? Deixa eu namorar com ela?' Eu disse: tudo bem, lógico que aceito. Você é um menino bom, conheço seu pai, sua mãe", relembra a dona de casa Paula, mãe da moça.

"A Patrícia tinha uns 16, 17 anos, e ele também. Era um criança. Namoraram um ano. Depois ele veio, pediu ela em noivado, com aliança e tudo. Depois namoraram mais um ano, mas acabou não dando certo. Cada um foi para seu canto. Namoraram uns dois anos", resumiu a ex-sogra de Alexandre, que não via defeitos no rapaz, a não ser achá-lo um pouco "nervosinho" de vez em quando, mas nada muito grave.

Aquela primeira carta de amor trazia alguns pontos que se repetiriam em outras enviadas e em conversas ao longo do namoro. Um deles era a quase obsessão que o rapaz tinha em ter filhos, algo talvez influenciado pela história da mãe. Era uma ideia tão fixa que ele chegou a mandar uma foto em que ele aparecia segurando um bebê no colo, uma forma de demonstrar sua aptidão. Mandaria em algumas cartas até mesmo a relação dos nomes dos três filhos que dizia querer ter: Gabriel, Rafael e Pamela.

Outro ponto que chama a atenção era a disposição para o trabalho. A fim de ser dono do próprio destino, ainda aos 16 anos, Alexandre recebeu dos pais a emancipação e ajuda financeira para montar uma pequena fábrica de confecção de roupas. Também tentaria outras lojas de roupas, ligadas ao surfe, mas as iniciativas naufragariam tempos depois. Entre os sócios, estaria seu tio Márcio, que, quase da mesma idade, era também amigo e protetor. O filho de seu Antônio continuava sendo, na adolescência, o "The Rambo" de sempre.

"O Alexandre era o cara mais bundão do mundo. Se arrumasse uma briga, quem tinha que ir lá resolver era eu ou o tio dele, o Márcio. Uma vez um menino brigou com ele na escola e quem teve de resolver fui eu.

Logo no começo do namoro, na porta da escola, um menino mexeu comigo, ele não quis se envolver. Foi o tio Márcio quem foi lá falar com o menino. Ele não foi. Sempre quando tinha confusão no grupo dos meninos, ele dizia: 'Vou dar um Wazari.' E ia embora. Evitava se envolver", descreve Patrícia.

Ao longo do namoro e noivado, ela assistiu ao Fusca vinho ser substituído por outros veículos bem mais novos e modernos. Presentes do pai.

O mais evidente sinal da ascensão financeira dos Nardoni foi a aquisição de um amplo sobrado, entre 1997 e 1998, na rua Marinheiro, também na zona norte, no Tucuruvi. O imóvel foi comprado sem precisarem vender aquele em que já moravam, privilégio para poucos da classe média baixa. Eram apenas 4 quilômetros de distância entre as duas casas, mas um abismo em relação à qualidade de vida e ascensão social.

Isso se devia muito ao esforço de Antônio no trabalho e nos estudos: em 1993, estudando à noite, conseguiu se formar em direito em uma faculdade particular e ser aprovado na Ordem dos Advogados. Tendo passado por vários setores do escritório da Bimbo — multinacional de alimentos (fabricantes, por exemplo, do pão Pullman) —, onde aprendeu os atalhos para conseguir reduzir o pagamento de imposto usando a própria lei, algo de muito interesse para as grandes empresas. Entre os clientes que ajudou a se livrar de alguns milhões em tributos, estariam o grupo Votorantim, Camargo Corrêa, Bunge Alimentos, Vicunha e Petybon.

Alexandre seguia no namoro, mesmo com o amor enfraquecido, e vivia no banco traseiro dos carros uma relação adulta de sexo inseguro.

Gabriel nasceu em 6 de setembro de 1999, quando, segundo Patrícia, o namoro já estava no fim — pelo menos por parte dela. Já Alexandre não escondia a felicidade de poder registrar, em cartório, uma criança com seu sobrenome. Tinha preenchido a primeira figurinha do seu álbum de herdeiros.

O casamento parecia ser um caminho natural naquela relação, calculavam as famílias, mas não foi o que aconteceu. Parte da explicação para o fim definitivo do noivado parecia já estar escrita, premonitoriamente, na primeira carta de amor: "Só que tem hora que você dá muita mancada."

Foi Antônio quem teve um pressentimento sobre o sangue Nardoni do suposto neto. Pediu à nora a realização de um exame de DNA, apenas para desencargo, embora acreditasse estar sendo injusto com a moça. Sofreu resistência por parte do filho, que ficou chateado com a desconfiança sobre a noiva.

— Patrícia, você me ajudaria muito se fizesse. Já que você tem tanta certeza de ser filho do Alexandre, você me deixaria mais confortável se fizesse. Não tem problema nenhum, o menino já está registrado, fica sossegada, mas eu não queria ficar com essa dúvida — Antônio se lembra das palavras ditas à época.

— Eu faço. Tenho certeza de que é dele — ela respondeu.

O resultado trouxe um mundo de lágrimas na casa das duas famílias. A existência de uma história secreta de Patrícia surpreendeu a todos, até os amigos mais próximos, não tanto quanto a reação de Alexandre. "Sabe qual foi a atitude dele com relação à menina? Normal. Disse: 'Não é meu? Não é meu.' Não ergueu a mão, não ergueu a voz, não gritou. O que seria muito normal para qualquer ser humano. É muito difícil encarar uma situação dessas. Qualquer um iria dizer: 'Pô, peraí.' Porque isso mexe com a honra do homem, mexe com a índole. Você se sente ferido. Mas Alexandre e Patrícia continuaram amigos. Não teve problema nenhum. Só não continuaram mais o relacionamento", conta Sandro, filho de Carmem.

Nem Patrícia nem os Nardoni quiseram falar sobre a verdadeira paternidade de Gabriel. Consideram desnecessário torná-la pública, já que, qual seja ela, não muda o fato de Alexandre não ser o pai da criança. Fato.

O filho de dona Cida e seu Antônio não demoraria, porém, a ser pai de verdade. A mãe dessa filha já tinha sido encontrada.

# 5

# Filha da Rosa

QUANDO GABRIEL NASCEU, AO CONTRÁRIO DO QUE amigos e familiares imaginavam, já não estava mais nos planos de Alexandre o casamento com Patrícia. Ou, se porventura ainda estivesse, essa disposição duraria três meses.

Em dezembro de 1999, quando o suposto filho dele completava seu primeiro trimestre (e o exame de DNA não tinha sido realizado), Alexandre já iniciava um namoro com a estudante secundarista Ana Carolina Cunha de Oliveira, a Carol, com então 15 anos, uma bela adolescente de pela clara, rosto fino, cabelos escuros e brilhantes, com um sorriso e olhares doces, e certo ar angelical.

A menina era filha de pequenos comerciantes de roupas da zona norte, moradores da mesma região, que não tinham acompanhado o crescimento de Alexandre nem o périplo da família Nardoni. Assim, não conseguiam ver nele nada além de um pretendente com idade demais (a diferença entre eles era de seis anos) e qualidades de menos. Isso significava um ambiente muito mais hostil para o rapaz do que ele estava acostumado na casa da ex-namorada.

A principal responsável pelo clima pouco agradável, diria o namorado, era a mãe da moça, dona Rosa, que tinha uma personalidade forte e, poucos discordavam, conseguia impor a vontade dela sobre a dos filhos e até mesmo sobre a do marido, José Arcanjo.

Carol era a caçula de três filhos. Havia ainda Renato, de 19 anos, e Felipe, de 22. Todos moravam na mesma casa, um simpático sobradinho na rua José de Almeida, na Vila Medeiros, onde, apesar de muito trabalho da família Oliveira, as dificuldades financeiras ainda eram preocupação de todos.

A má vontade com Alexandre, diriam os sogros anos depois, estava um pouco nisso. Alexandre parecia constantemente querer lembrar a diferença financeira entre eles.[1] "Ele ostentava muito poder e tinha mania de menosprezar a gente. Ele tinha dinheiro e nós éramos mais humildes. Ele tinha necessidade de pisar na gente. Por isso não aprovava", diria dona Rosa quando as boas relações já não existiam. "Alexandre era uma pessoa que não estudava, falava gíria, não tinha assunto. Como mãe, eu achava que ele não era bom para minha filha", julgaria ela.

Conforme eles próprios diriam à polícia anos depois, dona Rosa e José Arcanjo trabalharam para o insucesso daquele namoro. Ficaram atormentando a filha por cerca de um ano e dois meses até que ela colocou fim no relacionamento. Tratava-se, porém, de uma vitória parcial dos pais dela. Dois meses depois, entre abril e maio de 2001, os comerciantes tiveram de aceitar o retorno do rapaz porque a filha adoecera e eles suspeitaram que tivesse sido por saudades de Alexandre.[2]

A gravidez indesejada da adolescente demoraria apenas outros dois meses para ocorrer. Notícia que levou Carol, com 17 anos, a completo desespero e, segundo pessoas ligadas à família, a pensar em interromper a gravidez. "Ela quis abortar, sim. Arrepio só de pensar", diria essa pessoa, que pediu sigilo do nome.

Alexandre contaria que teve de convencê-la a não seguir adiante com a ideia. Diz que, certo dia, foi alertado de que Carol tinha ido se encontrar com um amigo, Robson, para tentar comprar remédios abortivos. Conseguiu localizar os dois e, ainda segundo ele, implorou para que a namorada desistisse daquilo.

---

[1] Em depoimento à polícia. Processo 0002241-66.2008.8.26.0001, p. 121.
[2] Meses depois, a mãe mudou a versão: "Nesse período ela estava com gastrite, até achei que fosse por causa disso, mas não era." Processo 0002241-66.2008.8.26.0001, p. 2.072.

O PIOR DOS CRIMES

Anos depois, durante o julgamento, a moça negaria a tentativa de aborto. Confirmaria, porém, que se encontrou naquele dia com o amigo Robson para falar sobre a gravidez e que o namorado foi atrás para insistir que tivesse o filho. "Houve um episódio em que eu encontrei, sim, com um amigo, na época era um amigo muito próximo meu. Eu estava bastante desesperada com a situação, foi logo depois que eu soube [da gravidez]. Não fui comprar remédio para que não tivesse o filho. Eu fui conversar com esse meu amigo por conta do desespero. Ele era o amigo mais próximo que eu tinha na época, sendo que depois o Alexandre foi me encontrar."

Se a adolescente teve de fato planos de interromper a gravidez, eles não foram adiante — Isabella nasceu em 18 de abril de 2002, forte e saudável, no hospital particular São Luiz.

Foi um dos indiscutíveis momentos em que as famílias Nardoni e Oliveira estiveram no mesmo espaço convivendo em clima de harmonia e paz. "Fomos todos para a maternidade. Eu, a minha mãe, ele, a mãe dele, a irmã dele. Alexandre acompanhou o parto. Foi uma situação em que acredito que a família inteira estava feliz por conta do nascimento dela", contaria Carol.

A chegada de Isabella também representou certa trégua para Alexandre quanto ao tratamento hostil que recebia. Isso lhe deu ânimos para conversar com José Arcanjo sobre casamento. "Mas meu marido disse que não. Quando a menina estivesse mais velha poderia se casar, mas, naquele momento, por minha filha ser muito nova, ficaria na minha casa", contaria Rosa.[3] "Comigo não [falou de casamento], pois ele não era de conversar comigo."

A família Oliveira permitiu, porém, que o rapaz passasse a dormir na casa deles de vez em quando. Os planos do casamento estavam adiados, mas não mortos. Pelo menos por ora.

Alexandre não conseguiria emplacar o nome Pamela na filha nem convencer a namorada a marcar a cesárea para o dia 17 de abril, aniversário da mãe dele, o que representaria uma homenagem a dona Cida. A recusa

---

[3] Processo 0002241-66.2008.8.26.0001, p. 2.055.

da moça deixaria certa mágoa. "Era para a Isabella ter nascido no dia do aniversário da Cida, mas a Carol não deixou. Por isso nasceu em 18 de abril. Foi cesárea, e a escolha era dela. O médico queria fazer no dia 17. Mas, como era aniversário da Cida, ela não quis. Quis fazer no dia seguinte. Sabe lá por quê. Isso porque eu paguei tudo. Imagina se eu não tivesse pago", diria Antônio Nardoni já na época de relações ruins.

A data do nascimento de Isabella seria uma das queixas que os Nardoni colecionariam sobre Carol. Outro episódio ocorreria também em 2002, na festa de aniversário de 15 anos de Cristiane, em uma casa de eventos na zona norte. Carol teria ficado com ciúmes de Patrícia e destratado a ex--noiva de Alexandre.

Apesar da "mancada" do episódio Gabriel, Patrícia continuava querida dos Nardoni, especialmente para a aniversariante. Muitas vezes, por exemplo, as duas brincaram de bonecas juntas porque Patrícia não suportava ver a menina sozinha por falta de companhia da mesma idade.

"Cheguei perto da meia-noite e já estava tendo o baile. Quando ela [Carol] me viu, olhou na minha direção me fuzilando. No meio da festa, veio e tacou champanhe em mim. Esbarrou e deixou cair champanhe como se fosse sem querer. Fingi que não era comigo. Aí, juntou ela, a mãe, uma prima e um irmão dela e começaram a falar coisas do tipo o que eu estava fazendo lá, que eu não tinha vergonha na cara, que não deveria estar lá. Eu fiquei quieta. O aniversário não era meu, a festa não era minha. Eu era apenas convidada", me contou Patrícia.

Márcio, o protetor de Alexandre, foi testemunha das hostilidades da família Oliveira e contaria depois à Justiça: "A Carol se alterou, chegou a dar uma cotovelada nela [Patrícia] e jogar um copo de champanhe no cabelo dela."

"Eu não podia visitá-los [os Nardoni]", continuou Patrícia. "Quando eu ia na casa da Cida, na época em que Carol estava com Alexandre, eu tinha que ir escondida. Tinha que ir escondida porque ela não aceitava que eu frequentasse aquela casa. Ela fazia um inferno na família se eu fosse. Uma vez ela jogou o carro em cima de mim. Quando viu que era eu, jogou em cima. Não para matar, mas para provocar. Ela sempre foi doidinha. Meio da pá virada. Era bagunceira, gostava de sair, curtir. Namorar bastante. Não que isso seja problema. Mas ela sempre foi encrenqueirinha. Não é aquela imagem de santa que ela passa", resume a moça.

Alexandre, por sua vez, também seria alvo de queixas da família Oliveira por conta de comportamentos antissociais. Um deles ocorreu em junho de 2002, ou quase isso, quando Alexandre e Carol foram juntos a uma festa de família na casa da avó da moça. Isabella, que tinha 2 meses à época, foi com eles à reunião. "A gente estava se despedindo de todo mundo e o meu primo falou: 'Por falta de tchau, adeus.' Para mim não foi nada, mas para ele foi. Quis brigar com a minha família inteira, e meus primos, meus irmãos, separaram."

O que mais ficaria marcado para Carol seria o fato de Alexandre ter tirado a camisa para brigar, em total descontrole. "Chamava o marido da minha prima para briga, ele queria partir para a briga com todo mundo por conta dessa brincadeira que meu primo fez. A Isabella era bem pequeninha. Apartaram a briga e acabamos indo embora."

Nessa época, Alexandre havia retornado aos estudos. Decidiu cursar direito em uma universidade particular para não ser mais alvo de críticas e se tornar, dizia ele, delegado de polícia, Civil ou Federal. A decisão de voltar a estudar foi incentivada pela namorada, mas acabou levando, ironicamente, ao fim do namoro entre eles, em março de 2003 — após três anos e seis meses juntos.

Desde que entrou na faculdade, reclamaria a então namorada, o rapaz começou a ter comportamentos estranhos. Contava histórias que, para ela, não faziam muito sentido e pareciam apenas desculpas para não ter que encontrá-la. Bastou investigar uma delas (não se sabe se a primeira) para ter certeza disso.

"Ele estava na faculdade, me ligou dizendo que não iria na minha casa naquele dia, que era uma sexta-feira. Isso foi exatamente um mês antes do aniversário da nossa filha, sendo que no sábado iríamos fechar a festa que faríamos de um ano para ela. Eu desconfiei dele, aí fui na porta da casa dele [na rua Marinheiro], de madrugada, ele chegou de madrugada. Aí, no outro dia nós terminamos",[4] contaria Carol. "Eu o peguei chegando de madrugada dentro do carro dele, por volta de quatro horas da manhã, mas dentro do carro não tinha ninguém [com ele]."[5]

O namoro, desta vez, não teria mais volta. Carol não tinha dúvidas: o namorado estava com outra e, certamente, era da faculdade.

---

[4] Processo 0002241-66.2008.8.26.0001, p. 5.701.
[5] Idem, p. 1.895.

# 6

# Dois enes

ANNA CAROLINA JATOBÁ TORNOU-SE COLEGA DE FACULDADE de Alexandre no segundo semestre de 2002, quando ela passou a cursar o período noturno, vinda do matutino da mesma faculdade — a FIG (Faculdades Integradas de Guarulhos). A mãe percebeu que, com o passar dos meses, a filha passou a falar muito desse colega de classe em específico.

— Carolina, você está namorando o Alexandre?

— Não, mãe. Não tem nada a ver. É só meu amigo.

— Xiii... conheço essa história. Ele tem filho, Carolina. Olha lá. Você tem só 18 anos. Você é muito nova. Com tanta gente no mundo, você vai arrumar logo um cara com filho? Você viu tia Cíntia. Não dá certo — Anna Lúcia reproduz um dos diálogos que teve com a filha à época, conforme se lembraria. "Na verdade, você não quer ver sua filha namorando um homem com filho. Minha irmã do meio, Cíntia, se casou com um homem assim. O marido dela já tinha filho. A gente presenciou muita briga. Já tinha isso na minha família. Então, você não quer. No primeiro instante, vai fazer o quê? Vai encher a cabeça dela."

A mãe se empenhava em dar conselhos porque a filha, pelo que os familiares sabiam, nunca havia namorado. E, pela forma como a criaram, acreditavam conhecê-la bem para ter essa certeza.

Anna Carolina nasceu de parto normal às 12h35 em 9 de novembro de 1983 em uma das mais famosas maternidades particulares de São Paulo, o hospital Pro Matre Paulista, no Jardim Paulista. Tinha 3.480

gramas, cerca de 49 centímetros e saúde perfeita. Era o segundo filho do falante vendedor de carros Alexandre Jatobá e da dona de casa Anna Lúcia, moradores de Guarulhos. O pai relembra: "A Anna Carolina nasceu na nossa melhor época. Além de sermos jovens, as coisas andavam muito bem financeiramente. Eu estava em plena atividade, vendendo carro. Tudo dando certo."

Os pais haviam se conhecido no início do ano letivo de 1981 quando ambos cursavam a última série do segundo grau em um colégio particular no centro de Guarulhos, o Virgo Potens. Ela tinha 17 anos e ele, 18. O casamento ocorreria um ano e meio depois, em agosto de 1982, em um almoço na casa dos pais da moça, também em Guarulhos, dois meses antes do nascimento do primeiro filho, Thiago. "A gravidez não foi acidente de percurso. A gente se amava muito e não conseguia ficar longe um do outro", justifica o marido Alexandre.

A escolha de Anna com "enes" dobrados foi uma homenagem à bisavó paterna, Anna Devanna, seguindo o costume das famílias italianas em homenagear a avó do pai. Mas o nome acabou perdendo força para "Gui Gui", após o irmão começar a chamá-la assim. O menino não conseguia pronunciar o nome composto da irmã e acabou criando a maneira pela qual Anna seria chamada pelas pessoas mais íntimas.

Anna viveu parte da infância dentro dos estacionamentos de vendas de veículos do pai. Em um deles, na avenida Timóteo Penteado, em Guarulhos, havia um terreno com mais de 1.150 metros quadrados com direito a um pequeno estábulo com cavalos da raça manga-larga paulista. Átila, um alazão salpicado de branco, era o preferido da menina, mesmo não sendo o mais bonito nem o mais manso. "Ela gostava mais do Átila porque eu me identificava com ele. Era o que eu mais montava", calcula o pai, sem modéstia.

Desse ambiente pouco refinado do comércio de carros, Gui absorveria um vocabulário chulo e um comportamento grosseiro de trato, para desespero da mãe. "Eu sempre briguei com ela por causa disso [falar palavrões]. Mas não teve jeito. Ela é o Alexandre de saias. Ele é assim, explosivo." O pai concorda: "Realmente, eu falo palavrão pra cacete."

A menina conviveria também na luxuosa casa dos avós maternos, com cerca de 800 metros quadrados no Jardim Maia, um dos mais nobres de

O PIOR DOS CRIMES

Guarulhos. Eram dez cômodos, divididos em dois pavimentos, entre eles um salão de festas com cerca de 200 metros quadrados, com uma mesa de jantar para quarenta pessoas, lugar onde os pais dela se casaram. A propriedade tinha sido planejada e construída pelo avô materno, Gioacchino Trotta, um bem-sucedido torneiro mecânico e que seria um dos maiores incentivadores dos estudos da neta.

De problemas na infância, a família consegue enumerar apenas três episódios. Uma vez, Anna saiu correndo atrás de uma bola no meio de uma avenida, correndo o risco de ser atropelada. Outra vez sumiu por minutos em um shopping. E, por fim, sofreu um pequeno acidente com uma minimoto que pilotava no estacionamento do pai. Ela perdeu o controle ao tentar dirigir com uma só mão e acabou batendo contra a parede do escritório. Nada grave.

A saúde de Gui também nunca foi motivo de preocupações. Como algo fora do comum, apenas algumas experiências mediúnicas. A mais famosa ocorreu quando ela tinha cerca de 4 anos. A família lembra que a menina brincava no quarto quando apareceu na sala para contar uma novidade:

— Sabe quem estava lá no quarto comigo agora? A Póia.

— Carolina, pô. Para com isso. Isso é coisa da sua cabeça — repreendeu o pai, porque a sala estava cheia de parentes e todos sabiam que a tal Póia era o apelido de dona Maura Jatobá, mãe de Alexandre Jatobá, morta (ou desencarnada) havia mais de ano.

— É verdade. Você não acredita em mim?

— Para, Carolina. Vou te levar no médico.

Anna estendeu, então, um dos braços.

— Ela está falando para você sentir o cheiro da minha mão. Ela está aqui do meu lado. E está dizendo para você sentir o cheiro da minha mão.

O odor que exalava não deixava dúvidas. Era o mesmo perfume que da avó de Anna, que também tinha sido médium espírita em grande parte da vida.

— Desculpa, mãe. Desculpa, Anna Carolina — teria dito Alexandre Jatobá, em lágrimas, tentando adivinhar em qual dos lados a mãe estaria.

Também não houve nenhum marco na adolescência dela. A família nunca recebeu reclamação da escola sobre aulas cabuladas, brigas no recreio ou, muito menos, uso de drogas lícitas ou ilícitas — incluindo cigarros. A mãe sempre a levava e buscava na casa de amigas. Quando, porventura, ia sozinha para algum lugar, a mocinha se preocupava em avisar quando ia e quando voltava, sem nunca quebrar o combinado. "Ela ligava para dizer: Mãe, cheguei", afirma Anna Lúcia.

Também não foi fanática por nenhuma banda de rock. Teve certa predileção pela cantora Sandy, ainda na dupla com Júnior, mas seria impreciso considerá-la uma grande fã. Seu gosto musical tornou-se indefinido.

A vida de princesa também se estenderia nessa fase, mesmo com problemas financeiros cada vez mais comuns. Com empregadas sempre à disposição, a moça não aprendeu a cozinhar nem a organizar o próprio quarto. "Em casa, ela nunca fez nada. Sempre teve empregada. Sempre foi bagunceira. Ela me dizia: 'Mãe, hoje vou arrumar o quarto.' Ela tirava tudo, mas aí alguém a chamava para alguma coisa e ela deixava tudo bagunçado", conta a mãe.

A situação financeira da família Jatobá sempre dependeu muito da sorte de Alexandre nos negócios, o que, em regra, significava bons e maus momentos. Uma gangorra. "Sempre tive altos e baixos. Nunca fui de gastar dinheiro com baladas, mas sempre fui muito arrojado. Porra-louca. Perdi muito dinheiro. Eu não tinha medo. 'Então vamos? Eu ia e quebrava a cara.' Mas eu tinha muita energia. Algo sobrenatural. Sempre tive muita sorte. Ganhei muito dinheiro", Alexandre relembra sua própria trajetória.

Com o fim do período de hiperinflação que reinava nos anos 1980 e fazia girar muito dinheiro, o vendedor de carros passou a ter dificuldades de se adaptar à moeda implantada em 1994 e impedir que a boa sorte parecesse tão rara. Mesmo com a ajuda dos avós maternos, as preocupações dos Jatobá passaram a ser constantes, assim como a inadimplência nas contas de consumo, incluindo as mensalidades escolares. Isso levou Anna a frequentar três escolas diferentes durante o ensino fundamental: Colégio Progresso, Mater Amabilis e Albert Einstein, todos colégios renomados. Mesmo sem conseguir pagá-los, Alexandre colocava os filhos nos colégios mais caros da cidade.

As trocas constantes de escola trouxeram a Anna dificuldade de criar vínculos fortes de amizades, por isso os pais não conseguem apontar o nome de uma grande amiga de infância e adolescência. Ingredientes que também ajudaram na construção de uma personalidade insegura e totalmente dependente da família — que, aliás, ganharia mais um integrante em 1994, Victor Hugo, que tirou de Anna o posto de caçula da casa.

Foi graças a um sonho de origem desconhecida, o de tornar-se promotora de Justiça, que Anna começou a cursar direito e acabou conhecendo o colega de classe com o qual, em novembro de 2002, acabaria ficando pela primeira vez — embora ambos tenham negado isso futuramente.

O namoro começaria oficialmente, pelo menos para ela, em 22 de março de 2003, após um encontro no pouco romântico McDonald's da avenida Braz Leme, em Santana. Não é difícil deduzir por que a moça elegeria a data como o início da relação: foi o mesmo sábado em que Carol rompeu com Alexandre após flagrá-lo chegando em casa de madrugada.

Anna Lúcia estava certa ao desconfiar de que a filha estivesse mesmo "engatando um namoro com o rapaz com filho", mas nem ela nem ninguém poderiam imaginar como ela conduziria o namoro. As brigas com a família passaram a ser constantes porque a moça não queria mais respeitar os horários impostos pelo pai e, algo inimaginável, chegou até a dormir fora de casa.

O ápice do conflito ocorreu quando, depois de uma nova briga com o pai, e quatro meses após o jantar no fast-food da avenida Braz Leme, Anna decidiu morar com o namorado na casa da família dele. Deixou para trás uma sensação de tragédia. A princesinha dos Jatobá não existia mais, e o que restou dela estava com Alexandre — rapaz que eles conheciam apenas pela boca da filha, já que ele nem descia do carro quando ia a Guarulhos. "Não sei se pensava que a gente não gostava dele, mas nunca subiu ao apartamento", contou a sogra.

Anna disse adeus à família para dar vida ao casal Nardoni.

# 7

# Bodas de lágrimas

Quem acompanhou os primeiros anos da relação entre Alexandre e Anna não apostaria um centavo sequer que ela duraria. Estavam presentes ali quase todos os ingredientes necessários para um naufrágio: o marido com fama de mulherengo e financeiramente dependente do pai, a esposa emocionalmente imatura e sem nenhum jeito para cuidar de uma casa, e o fantasma de uma ex-namorada para assombrar o dia a dia, exatamente como a mãe de Anna havia dito.

Quanto ao espectro da filha de dona Rosa, ele não demoraria a surgir. Na manhã de 12 de setembro de 2003, dois meses após Anna se mudar para a rua Marinheiro, ocorreu a primeira crise na casa dos Nardoni provocada por um telefonema de Carol. Em poucas palavras, ela comunicou à dona Cida que havia decidido colocar a filha numa escolinha.

A notícia soava como uma afronta porque, quando essa possibilidade foi aventada dias antes, os Nardoni ponderaram que seria muito cedo ainda, já que Isabella tinha apenas 1 ano e 4 meses. Disseram que dona Cida se oferecia para ficar com a neta, com a melhor boa vontade do mundo, se o problema fosse encontrar alguém para ficar com a menina. "Essa era a opinião deles",[1] diria Carol anos depois. "Eu liguei para a mãe dele para comunicar esse fato, que estava colocando ela na escola

---

[1] Trecho do depoimento. Processo 0002241-66.2008.8.26.0001, p. 1.936.

para fazer uma adaptação, cada dia ela iria um período. Eu não sei o que a mãe dele interpretou."

Em poucos minutos, estava instalada uma confusão na porta dos Oliveira, na José de Almeida, onde Alexandre foi discutir com dona Rosa. Ao ser informado do que se passava, o rapaz teve certeza de que aquilo só poderia ser ideia da ex-sogra, que queria feri-lo usando a filha e a neta. "Ele me xingou e eu xinguei ele", contaria Carol. "Aí, ele queria porque queria, ele dizia que o assunto não era comigo, que ele não tinha que tratar comigo. Ele mandava minha mãe sair e dizia para minha mãe: 'Sai que o meu assunto é com você, é com você que eu tenho que resolver.' Aí, minha mãe saiu."[2]

Em vez de acalmar os ânimos e acabar com a balbúrdia na sua casa, Rosa colocou ainda mais combustível na discussão e o episódio ganhou ares de barracos de programas populares de TV. "Ela [Carol], como a mãe, batia no rosto e pedia a ele que, se fosse homem, batesse nelas: 'Se você for homem, bata na nossa cara, se você não é homem... Se for homem, bata na nossa cara'",[3] seu Antônio repete o que ouviu, também chamado ao local para tentar acalmar o filho. "Rosa é muito barraqueira. A Carol é muito barraqueira. A Carol disse que era a mãe da menina, e quem mandava era ela, que ia colocar a menina na escola, achava que deveria ir na escola, e que Isabella nunca ficaria na minha casa. Aí, Alexandre se alterou e começaram a discutir. Houve ofensas de todos os lados."

Dona Rosa falaria, anos depois, que foi ofendida pelo ex-namorado da filha primeiro e, por isso, disse algumas coisas ao rapaz. "O Alexandre dizia que eu era uma 'coitada', porque eu devia à minha amiga de nome Arlete e eu era uma 'coitada'. E eu disse para ele: 'Eu sou uma coitada, eu devo sim, mas eu não tenho cheque devolvido e você tem 75 cheques devolvidos'",[4] respondeu dona Rosa, revelando uma pesquisa feita pela filha meses antes. "Ele se esqueceu que minha filha tinha a

---

[2] Idem, p. 5.703.
[3] Idem, p. 2.827-2.828.
[4] Idem, p. 2.059.

O PIOR DOS CRIMES

personalidade dela. Ela quem decidia tudo pela filha dela. Eu estava lá só para apoiá-la", disse ela, negando ser a "mentora" da decisão de colocar a neta na escola.

Carol e dona Rosa registrariam um boletim de ocorrência contra Alexandre, alegando terem sido ameaçadas. O caso, porém, não iria à frente porque não houve representação dentro do prazo de 180 dias que tinham para que mais providências fossem tomadas. O inquérito não prosseguiu, mas o recado da família Oliveira tinha sido dado. As coisas eram diferentes entre eles agora.

Isabella foi para a escola como Carol queria.

Outra demonstração do fim das relações amigáveis foi levada à rua Marinheiro por um oficial de Justiça. Era uma intimação para Alexandre comparecer em uma audiência. Sem aviso prévio, segundo os Nardoni, a mãe de Isabella havia ingressado com uma ação de alimentos. Pedia uma pensão alimentícia. A ação foi vista pelos avós da menina como mais uma provocação de Carol ao ex-namorado. Inclusive pela forma como o pedido foi redigido.

"O valor pedido foi de R$ 1.540 [mensais]. A mãe biológica cobrava R$ 500 de moradia e parte do valor da água, luz e gás. Valores de vacina e chegou a mencionar o sabonete que a menina usava",[5] disse Antônio. "Ela contou um monte de mentiras... então, a partir daí, você magoa com as pessoas. Porque nunca precisou disso. Quando a Carol veio com essas histórias todas, eu falei pra ela: 'Se a Isabella pesa tanto, a gente coloca um pouco mais de água no feijão e leva ela lá para casa. Fica com a gente. Vocês podem visitá-la, pegar na hora que vocês quiserem, no dia que vocês quiserem. A gente inverte.'"

Se a mãe de Isabella tinha mesmo alguma intenção de magoar os Nardoni, conseguiu. Todos naquela casa ficaram arrasados. "A Carol não estava nem aí para a filha. A gente notava que ela não estava nem aí para a Isa, que era neném, porque ela ligava e falava para a Cristiane

---

[5] Idem, p. 2.849.

ficar com a Isa que queria sair. E a mãe do Alexandre falava que ela tinha acabado com a vida dele", diria Anna.[6]

Dona Cida ficaria ainda mais triste porque, segundo o marido, sofria em não poder ver a neta. "A minha esposa sempre adorou a Isabella, sofreu muito por um ano por não poder ficar com a menina. Carol dizia que era assunto dela, que ela era a mãe, a mãe da menina, ela decidia o que tinha que decidir",[7] conta seu Antônio. "A Isabella chorava para ir para nossa casa. Queria ficar com a gente, mas ela não deixava. Ela usava como arma. Eu achava um absurdo."

Antônio diz que ele e a mulher conversaram muito com a ex-namorada do filho para tentar mudar a situação. Explicava que eles, os avós, não tinham culpa do fim do namoro e que estavam sofrendo com tudo aquilo. Carol, segundo o ex-sogro, teria cedido e permitido que eles voltassem a ver a menina com um pouco mais de liberdade, mas, não total. "Chegava nas férias da Isabella, em vez de deixar a Isabella com a gente, ela deixava a Isabella dentro da escola. Eu nunca concordei. Eu dizia: 'Carol, pra que isso? Isabella não dá trabalho. Não tem necessidade.' Ela dizia: 'Não, ela não vai ficar com vocês. É assim: O período do Alexandre é esse. Se eu não puder ficar com ela, ela fica na escola.'"

Anna também reclamaria de ela mesma ter sido obsidiada por Carol. Diz que, quatro meses após passar a morar com o namorado, sem nunca tê-la visto pessoalmente, passou a receber mensagens no celular. "Ela ficava perturbando, falando: 'O Alexandre veio na minha casa.' Eu estava com o Alexandre ou tinha terminado, não lembro, porque nesse meio-tempo a gente brigou e voltou várias vezes, e ela falava: 'O Alexandre ficou me fazendo carinho, bobinha', e 'me mostrou todas as mensagens que você mandava para ele'. Que o 'Alexandre isso e aquilo'. Se eu não me engano, eu tenho tudo salvo no computador, se ninguém apagou."[8]

---

[6] Idem, p. 1.445.
[7] Idem, p. 2.815.
[8] Idem, p. 1.444.

Ao ser cobrado sobre aquilo, Alexandre dizia que Carol estava mentindo. "Ele falou: 'Ela está ficando maluca, nem no meu celular ela mexe.'"[9]

Anna tentou passar a história a limpo na primeira oportunidade que teve. Isso ocorreu, em data imprecisa de 2003, quando Anna e Alexandre foram pegar Isabella na casa da mãe para levá-la para passar férias no apartamento da família Nardoni no Guarujá, com a avó Cida. Anna teve, segundo ela mesma, o seguinte diálogo com Carol, na frente de Alexandre:

— Carol, em relação àquelas mensagens que você me falou que o Alexandre teria te mostrado... — começou a madrasta em um tom de voz normal.

— Não, mas nunca falei isso. Nunca falei de mensagem. Desconheço o que você está falando.

— Carol, você sempre me falou em relação às mensagens...

— Eu desconheço o que você está falando.

— Carol, você sempre me falou em relação às mensagens que o Alexandre mostrava, mensagens do celular dele.

— Imagina, eu nunca falei isso.

— Carol, você sempre falou por email, por MSN, das mensagens.[10]

Anna se irritou com o suposto cinismo da rival e começou a falar alto, como fazia sempre que ficava irritada. Carol passou a dizer, de uma forma provocativa, que não havia motivos para ciúmes.

— Se quiséssemos estar juntos, estaríamos e não seria você quem ia impedir —[11] respondeu Carol, segundo ela mesma. "Ela [Anna Carolina] ficou bem nervosa, ela gritou, ela alterou a voz. Eu pedi para ela não alterar a voz, que ela estava na porta da minha casa, que não tinha o direito, além do que não estava acontecendo nada para ela alterar a voz. Aí, ela diminuiu a voz e ainda pediu desculpas",[12] diria a mãe de Isabella.

---

[9] Idem, p. 1.446.
[10] Idem, p. 6.075.
[11] Idem, p. 1.898.
[12] Idem, p. 5.707.

— Tá bom, você está falando que isso é mentira, mas eu sei que você sempre falou em relação às mensagens — disse Anna, finalizando a conversa.

A confusão não terminaria, porém, naquela despedida.

Além de negar ter mandado mensagens à rival, Carol teria, segundo Anna, jogado uma pitada de veneno na relação dela com a família Nardoni, dizendo que sabia de tudo o que se passava na vida do casal porque dona Cida contava para dona Rosa em longos telefonemas. Ao chegar ao Guarujá, para deixar Isabella, Anna reclamaria com a sogra sobre essas afirmações. "A primeira coisa que eu fiz, eu falei com minha sogra: 'Por que a senhora fica falando as minhas coisas?'"

Dona Cida teria ficado muito nervosa e, quase passando mal, ligado imediatamente para Carol para tirar satisfação. Dona Rosa também teria entrado no meio e a confusão passaria do telefone à porta do edifício do Guarujá. "Cheguei lá, toquei o interfone e falei: 'Olha, vim buscar minha filha.' E a Cida falou: 'Não vou entregar.' Eu falei: 'Bem, se não entregar, vou chamar a polícia'",[13] diria Carol.

A situação só seria contornada uma hora depois, com intervenção de Cris, irmã de Alexandre, que estava no apartamento e tinha boas relações com a ex-cunhada. "Ela [Carol] tinha o costume de ser ríspida com minha mãe. Eu não gostava de como ela tinha tratado minha mãe, tinha que tratar com calma, com respeito. Eu impus essa condição. Ela apareceu lá no prédio, era bem tarde da noite, a Isabella estava dormindo, era fim de semana, ela queria levar Isabella embora. Nós conversamos com ela, falamos que não era adequado levar Isabella tão tarde da noite, ela estava dormindo. Aí, acabou tendo um acordo e ficou assim."[14]

A relação do casal Nardoni enfrentaria novos desafios quando, em agosto de 2004, uma sexta-feira 13, os namorados se mudaram para novo endereço. Um pequeno apartamento no edifício Vila Real, na rua Paulo

---

[13] Idem, p. 1.899.
[14] Idem, p. 2.994.

César, Vila Mazzei. Presente de seu Toninho, seria uma oportunidade para o casal construir uma relação de cumplicidade, e também uma chance para Anna amadurecer, mas acabou afastando os dois e revelou a dificuldade da filha dos Jatobá em assumir responsabilidades.

Isso ficou evidente quando, no final de setembro, um mês e pouco depois da mudança, ela descobriu que estava grávida. "Eu ficava sozinha o dia inteiro no apartamento, eu não fazia comida e não comia. E minha mãe falou que eu estava com começo de anemia. Ela falou: 'Você vai ficar aqui para se alimentar direito; o Alexandre vem aqui, dorme no final de semana.'"[15]

Para que a filha não ficasse doente e isso prejudicasse a gestação, Anna foi levada para Guarulhos para ser cuidada pela mãe. Ainda era uma princesa.

Alexandre, que não pôde acompanhar integralmente o crescimento da barriga da mulher, só passaria a morar com o filho, sob o mesmo teto, dois meses depois de seu nascimento, em 25 de fevereiro de 2005, quando Anna já se sentia confiante o bastante para dar banho e trocar as fraldas do filho sozinha.

O trabalho dado por Pietro também acabaria sendo uma das justificativas para que Anna trancasse a matrícula na faculdade e se dedicasse ao lar. Alexandre, por sua vez, continuou sozinho os estudos — o que, para Anna, insegura, representou dias de sofrimento. "Ele ia sozinho na faculdade e as meninas que andavam comigo, que eram amigas dele, falavam: 'O Alexandre fez isso, convidou a fulana, só anda com uma tal de Camila, o Alexandre isso, o Alexandre aquilo.' E eu quebrava o pau com ele direto.[16] [...] Quando era só eu na faculdade, ele não olhava para a cara de ninguém. Era só eu e ele. Eu ia para o banheiro, ele ia comigo até a porta. Só eu e ele. E, quando eu saí da faculdade, as pessoas, que eram minhas amigas, falavam: 'O Alexandre foi para o bar, o Alexandre está andando com fulana, o Alexandre não desgruda da Camila.'"[17]

---

[15] Idem, p. 1.493.
[16] Idem, p. 1.450.
[17] Idem, p. 1.488.

As coisas entre Anna e o pai também não iam bem naquele ano. Em novembro, em uma das temporadas na casa dos pais, Anna seria agredida por Alexandre Jatobá. Segundo contaria, ela digitava no computador enquanto o filho Pietro chorava. Ela e o pai então se estranharam, houve discussão, e Alexandre partiu para cima da filha com "cuspe no rosto, com tapas, empurrões e pontapés", conforme ela registraria em uma delegacia de polícia no mesmo dia. Alexandre também teria dito que iria matá-la, chamando-a de vagabunda, assim como tinha feito em janeiro de 2004, na primeira vez em que Anna registrou uma agressão do pai contra ela.

No início de 2006, Anna voltou aos estudos. Contaria com a ajuda da mãe e da sogra para ficar com o filho durante as aulas, mas o desempenho dela foi considerado muito ruim. "Repeti o quarto ano de direto, que eu fiz na Uniban, porque o Pietro mamava no peito, eu ficava com dó de deixar, ele chorava e muitas vezes eu acabava ficando com ele para não deixar ele chorando."[18]

A filha de Alexandre Jatobá não estava mais na FIG porque, como no ensino básico, a inadimplência forçou a mudança de escola. Foi o pai de Anna quem assumiu os pagamentos das mensalidades, mas não conseguiu honrá-los.

Se Anna já tinha dificuldades para conciliar as obrigações sendo mãe de um único filho, a descoberta da nova gravidez, em julho de 2006, levaria a desorganizada dona de casa a um caos emocional.

Cauã nasceu em 17 de abril de 2007, no mesmo dia de dona Cida, e Anna passou dias chorando. Sentia-se pressionada pelos afazeres domésticos. Chorava tanto que a família decidiu levá-la ao médico. "Fui na médica e falei que eu chorava muito. O Cauã chorava e eu chorava junto, entrava no desespero, porque queria arrumar a casa e tinha que fazer as coisas, lavar roupa, passar roupa e não podia fazer nada. A médica passou um antidepressivo, mas não comprei. Era R$ 90 e

---

[18] Idem, p. 6.134.

falei: 'Não vou comprar, não há necessidade de comprar o remédio.' Chama 'Lexapro', 'Lexopran'... e indicou outro remédio que acabei comprando porque era R$ 3,50. Acho que era calmante, tomei dois bem antes de acontecer [a morte de Isabella] e não tomei mais, porque dormia demais, só ficava largada e não tomei mais, e o antidepressivo não comprei, não tomei."[19]

Alexandre, já formado, passou 2007 prestando exames para a OAB, para poder atuar como advogado. Foi reprovado, ainda na primeira fase, em três tentativas: em abril, agosto e em dezembro. Continuava como estagiário em um escritório com um salário declarado de R$ 900, dos quais cerca de um terço era destinado à pensão da filha.

Também recebia, segundo ele, uma ajuda de cerca de R$ 1.000 do pai em troca de alguns trabalhos esporádicos, mas era uma renda insuficiente para a contratação de alguém para auxiliar a mulher a cuidar do apartamento. O mais perto disso era a funcionária de dona Cida, que era emprestada uma vez por semana para ajudar a reduzir a bagunça.

Às vésperas de o casal mudar para o novo apartamento, na rua Santa Leocádia, outro presente de Toninho, Anna demonstraria estar emocionalmente instável. Tentava se fazer ouvida pelo marido, mas Alexandre fugia da discussão fazendo uma lista de compras. Isso irritou a moça de tal forma que ela bateu o braço em uma janela na área de serviço e acabou se ferindo. "Ele estava fazendo a lista de compras, sentado no sofá, ele e o Pietro. O Pietro no sofá maior e ele, no menor. Eu falando com ele, discutindo alguma coisa que eu não lembro qual o motivo, e eu falando, falando e ele fingindo que não me escutava. E eu fui lá e tomei o papel da mão dele. E ele levantou, pegou outro papel e continuou marcando. Eu fui para a lavanderia, mas eu não fui com a intenção de me machucar, fazer alguma coisa, fui doida da vida. 'Você não me dá atenção, dá para falar comigo?' E peguei e bati indignada a janela e, nem eu acredito, espatifou o vidro. 'Bololou.' E eu, com o braço

---

[19] Idem, p. 1.453.

cruzado, e ele veio na minha direção e vim com o braço ensanguentado e falei. 'Eu tenho pavor de sangue, eu acho que rasguei o braço.' E ele falou: 'Enquanto você não faz alguma besteira você não aprende, né?'"[20]

O casal Nardoni acabou superando, ao seu modo, os tempos difíceis. Uma relação nascida de maneira tensa, construída entre idas e vindas, mas que se tornaria mais sólida quando tudo tomou dimensão de tragédia.

---

[20] Idem, p. 1.451.

# 8

# Um sábado qualquer

Era um sábado comum.

Alexandre Nardoni só precisava levar o carro da mulher à seguradora pela manhã, para instalação de um rastreador, agenda que adiava havia semanas, mas, de resto, a previsão era de um dia absolutamente normal.

O equipamento seria instalado sem custo adicional ao cliente, não sem motivo. Em 2007, ao menos 44.153 veículos foram furtados e outros 26.967 roubados (crime com violência) só na cidade de São Paulo. O dispositivo aumentava as chances de o dono conseguir recuperar o carro, um prejuízo a menos para a seguradora. Também foram registrados naquele ano 1.648 homicídios dolosos (intencionais) na capital, mas os responsáveis pelo rastreador não tinham interesse algum em ajudar a esclarecer esse tipo de crime. No entanto, ajudariam.

O pai de Isabella chegou ao pátio da empresa na avenida Nova Cantareira, na zona norte, por volta das 9h. Entregou o Ford Ka cinza, ano 2004, nas mãos dos técnicos e aproveitou o tempo de espera (cerca de sessenta minutos) para tomar café da manhã na casa dos pais, distante cerca de 1 km da oficina. Os pais nem fizeram tanta festa porque fazia menos de doze horas que haviam se visto. Alexandre, a mulher e os três filhos haviam jantado com Toninho e dona Cida na noite anterior. Ficaram juntos até por volta das 22h.

As 10 horas 12 minutos e 36 segundos de 29 de março de 2008, o dispositivo deu seu primeiro sinal de vida. A partir daquele momento, a caixinha escondida em algum canto do Ford Ka seria capaz de descrever, com muita precisão, quase todos os seus passos. Tudo poderia ser discriminado com códigos formados por letras: a ignição seria a letra "i"; motor ligado, letra "k"; motor desligado, "h"; motor desligado há mais de trinta minutos, letra "s". Precisão de segundos. As letras "i", "k", "h" e "s" traduziriam, nos relatórios, cada um desses estágios do veículo.

E mais. Com ajuda de satélites e coordenadas geográficas, também seria possível indicar em qual parte do globo isso havia se dado. As informações eram tão precisas, segundo por segundo, que era possível refazer seus rastros.

Era naquele Ford Ka, um presente de seu Antônio Nardoni, que Anna levava Pietro, já com 3 anos, à escola. A cadeirinha infantil instalada no centro do banco traseiro revelava onde Cauã, de 11 meses, viajava.

Os técnicos da central de monitoramento poderiam dizer no futuro que Alexandre buscou o carro de volta pouco depois das 10h30, porque ligou o motor do carro às 10h41m04s. Seguiu direto para casa, um percurso cravado de doze minutos. E estacionou no primeiro piso de garagens do London, onde, às 10h53m41s, o motor do veículo foi desligado.

Por imprecisão do GPS ou por algum problema com a numeração da própria rua, o edifício London apareceria nas tabelas como se fosse no número 85 da rua Santa Leocádia, e não no 138, diferença de 53 metros. Mesmo se tivesse alguma importância para ele, Alexandre não poderia reclamar da falta de regulagem porque essas eram informações de interesse apenas da empresa, inacessíveis aos clientes, assim como a localização do aparelho dentro do carro. Tudo sigiloso.

As crianças já tinham acordado e tomado café da manhã com pão de forma e requeijão, além de suco de morango, embora o ritmo de sonolência ainda permanecesse em todos. Não por muito tempo. A manhã estava nublada, mas, como era sábado, as crianças estavam cheias de demandas. Isabella, por exemplo, queria andar em sua "motinha" elétrica na área

O PIOR DOS CRIMES

de lazer do prédio, o que só podia fazer a cada quinze dias, nos finais de semana, quando estava com o pai.

Era um triciclo elétrico todo roxo (a cor mais próxima que a família encontrara do lilás, a preferida da menina) com detalhes em verde fluorescente e desenhos de flores coloridas. Entre o banco e o escapamento, estava impressa, em letras estilizadas, a palavra "Gatinha". Para agradar igualmente as duas crianças mais velhas, Pietro também tinha sua motinha, verde.

Os dois triciclos desfilaram por todos os cantos da área externa do condomínio, em desengonçadas manobras acompanhadas por Alexandre e Anna. A alegria das crianças era tanta que o casal resolveu registrá-la em fotos feitas na máquina digital. Seriam as últimas da família ainda completa.

As crianças rodaram, rodaram, até que a bateria da motinha de Isabella acabou. Talvez fosse boa hora de subir, mas Isabella sugeriu uma nova diversão: brincar na piscina. Apesar de o tempo não estar muito propício, fazia até um pouco de frio, a menina acabou convencendo o pai e a madrasta com uma arma infalível:

— Só um pouquinho assim, ó — falou, com sua meiguice, mostrando dois dedinhos paralelos, o indicador e o dedão, bem próximos um do outro.

Isabella havia chegado no dia anterior. Como não tinha ido ao passeio da escolinha e também não queria ficar com a avó Rosa, pediu à mãe para ir mais cedo para a casa do pai — algo que adorava. Num gesto impensável anos antes, foi a própria Carol quem ligou para perguntar se Anna poderia apanhar a filha quando fosse levar Cauã à Escola Isaac Newton, onde os dois estudavam. O pedido foi aceito em uma conversa amistosa.

As arestas pareciam aparadas.

A forma como o novo apartamento tinha sido organizado revelava que a menina era bem-vinda. Tinha um quarto só dela, pintado de lilás e decorado com objetos escolhidos por ela mesma, quando foi levada a uma loja pela madrasta e avós paternos. Ficou encantada pelo baú da Hello Kitty e teve seu desejo atendido porque, concordavam os familiares, a criança merecia.

Para acomodar a enteada dessa forma, mesmo sendo moradora apenas quatro dias por mês, a madrasta colocou os dois filhos no mesmo quarto, o que, para especialistas, seria uma prova de sublimação — já que existem muitos e muitos casos de mulheres que rejeitam (sem qualquer cerimônia ou tentativa de disfarce) a presença dos filhos do marido com outra.

Foi só no meio da tarde que Anna subiu ao apartamento para preparar o almoço de todos. Isabella, Pietro e o pai ficaram na água até a hora de comer. Estava nos planos da mulher de Alexandre servir um macarrão ao alho e óleo que Isabella havia pedido, também o prato preferido do marido, mas ela exagerou no sal e no tempero, deixando a massa intragável. Jogou tudo no lixo. Nem tudo havia mudado com o passar dos anos.

A saída foi tentar fazer algo mais fácil: como tinha arroz pronto, bastava cortar o filé em tirinhas, fritar com um pouco de óleo e servir tudo junto. O que acabou dando certo, sendo saboreado pelos irmãos na mesinha verde, na sacada. Como Anna estava sem fome, não se sabe por qual motivo, Alexandre comeu sozinho, com o prato na mão, sentado no sofá, de frente para a TV. Cauã ficou no colo da mãe, acompanhando tudo com os olhos.

Às 17h02m28s, o Ford Ka foi despertado novamente.

Os novos sinais emitidos pelo rastreador diriam que Alexandre seguiu em direção a Guarulhos, pela avenida Ataliba Leonel, acessando pelo corredor Norte-Sul, que, naquele trecho, era formado pelas avenidas Luís Dumont Villares e Dr. Antônio Maria Laet. Ao final desse corredor, quase como continuação, o veículo entrou na avenida Dr. Timóteo Penteado, onde parou, na altura do número 3.435, no Drive Thru do McDonald's, às 17h28m54s.

Como o veículo avançou terreno adentro para contornar o prédio do restaurante, os sinais do GPS se embaralharam e apontaram erroneamente que ele passara na rua Soldado Eugênio Martins Pereira, um beco sem saída muito próximo dali. Às 17h31h54s, retomou o percurso pela avenida Timóteo Penteado, com seus ocupantes devidamente abastecidos de saborosos sorvetes.

O próximo destino da família foi o hipermercado Sam's Club, na rua Padre Celestino, também em Guarulhos, onde o carro chegou às 17h50m55.

O motor fora desligado às 17h51m28s. Para comprar no Sam's Club e usufruir todas as vantagens do local, o cliente precisa se tornar "sócio", exatamente o que Alexandre planejava fazer ali: obter sua carteirinha, mediante o pagamento de taxa anual. A família inteira seguiu para o gigantesco mercado.

Enquanto o marido ficou no balcão tratando das burocracias, Anna foi passear com as crianças pelos corredores. Quem visse a cena e precisasse adivinhar, até poderia dizer que Pietro, e não Isabella, era o filho de outra mulher, já que Anna segurava a menina pela mão e deixava o próprio filho para trás. O esperto menino tinha que correr e se agarrar na irmã para acompanhar o passeio.

O cartão foi aprovado, sem problemas, mas não ficaria pronto na hora. Seria enviado para o endereço fornecido. A família nem precisava de nada. Queriam passear pelo lugar, elogiado por conhecidos em razão dos preços em grandes quantidades. Levaram apenas um pacote com quatro latas de Mucilon e uma caixinha repleta de chicletes tipo Ping Pong, ilustrados com o tema do filme *Carros*, paixão da família.

Para voltarem ao Ford Ka, Alexandre escolheu um carrinho especial com compartimento também para transporte de bebês e, assim, pôde colocar os três filhos dentro dele, dividindo espaço com as compras. Com os braços livres, a mulher pôde agarrar o marido e, nas esteiras rolantes, ganhou um beijo carinhoso. A cena de uma família feliz foi registrada pelas câmeras de segurança e, não muito tempo depois, seriam solicitadas pela polícia para investigação.

O casal tinha motivos para estar feliz. Desde o dia 13 de fevereiro, uma semana após se mudarem para o London, Anna e Alexandre finalmente se casaram de papel passado. O casamento foi muito simples, apenas no cartório e com os núcleos familiares, sem fotos ou lua de mel. O marido nem tirou o dia todo de folga e foi trabalhar no período da tarde, uma quarta-feira.

Anna também estava feliz em mudar de apartamento porque achava que o endereço anterior "tinha alguma coisa", uma "uruca", porque lá o casal estava sempre brigando. Queria viver em paz e harmonia. No Natal passado, ela também havia perdoado o pai por todas as agressões sofridas.

Também estava feliz com a situação menos conflituosa com Carol e, prova disso, tinha permitido recentemente que Pietro fosse passear na casa dos Oliveira.

A família permaneceu no mercado por 33 minutos e 35 segundos. A ignição do carro foi acionada novamente às 18h25m03s, e a família seguiu para o edifício Serra de Bragança, onde moravam os pais de Anna e onde ela morou por anos. Chegaram ali às 18h50m18s e estacionaram na garagem do prédio, em uma das duas vagas da família.

Foram recebidos pelo irmão caçula, Victor Hugo, então com 14 anos. Os pais de Anna tinham ido ao mercado. Quando chegaram, insistiram para que todos ficassem para o jantar — o que não estava combinado. Fizeram um lanche com sanduíches e refrigerantes.

A visita durou mais de quatro horas. As crianças jogaram videogame e dançaram, ao som de funks, gênero que Isabella adorava, e também da música "Vida real", de Paulo Ricardo, tema de abertura do Big Brother Brasil, que, naquela semana, terminava sua oitava edição. "O mundo é perigoso/ E cheio de armadilhas/ De mistério e gozo/ Verdades e mentiras", diz um trecho da música.

Como Isabella tinha derrubado Coca-Cola na roupa, Anna Lúcia providenciou uma camiseta azul de quando Vitinho era criança. Para a madrasta, parte da culpa pelo acidente havia sido de Alexandre, que colocara o refrigerante em um copo normal e não no recipiente com canudo e trava de segurança usado habitualmente pelas crianças. Como sempre fazia, Isabella agradeceu a gentileza.

O casal Nardoni se despediu dos Jatobás. Pietro queria ficar um pouco mais com a avó, até dormir por lá, mas os pais não deixaram porque teriam compromisso pela manhã. Iriam a um churrasco na casa de seu Antônio e dona Cida em comemoração ao aniversário do noivo de

Cristiane, Lúcio, que, naquele momento, participava de outra comemoração em um bar da zona norte.

Anna Lúcia diria que a ideia do casal para aquela noite era deixar os filhos na casa dos avós para irem à festa organizada pela Cris ao noivo. Mas acabaram desistindo, o que levaria à tragédia. "Eles tinham combinado de deixar o Pietro e o Cauã em casa, a Isabella ia ficar com a Cida. Eles iriam no aniversário do Lúcio à noite. Como eles tinham brincado com as crianças o dia todo, foram na piscina e tal, estava todo mundo cansado. 'Não vamos para lugar nenhum. Vamos para casa.' Como ia ter o churrasco no dia seguinte, eles não foram. Então, já tinha gente sabendo que eles iriam sair à noite. Tinha publicação disso no Orkut."

O Ford Ka foi religado, para voltar ao London, às 23h14m48s.

Poucos minutos antes de chegar em casa, Anna sentiria o celular vibrar no bolso. Lembraria depois que o aparelho marcava 23h29 ou 23h30. Era um aviso da operadora de telefonia sobre a retomada de sinal. Ela ainda olhou na janela o bufê Mediterrâneo, na Ataliba Leonel, a três quadras da rua Santa Leocádia.

Às 23h36m11s, a família Nardoni entrou na garagem do prédio. O GPS indicava, mais uma vez, o número 85 da rua Santa Leocádia. O rastreador não emitiria mais nenhum sinal, naquele dia nem no dia seguinte. Nem "h" nem "s" nem nada, como se o motor do carro não tivesse sido desligado, um eterno "k".

Em poucos minutos, Isabella seria assassinada.

# 9

# Dia de adeus

ISABELLA TINHA OS OLHOS CASTANHO-ESCUROS, DOCES e sonolentos da mãe, contornados por sobrancelhas ralas e levemente arqueadas. O nariz, arredondado na pontinha, era pequeno e delicado, e separava as bochechas gordinhas e macias — boas de apertar — que cobriam parte das pálpebras inferiores quando estava feliz, já que, em sua meiguice, quase fechava os olhos para sorrir. O que fazia muito.

Os sorrisos também revelavam dentes de leite bem alinhados e uma boca muito grande, herança do pai, mas não a ponto de comprometer a simetria de um rosto fino, de queixo pontiagudo, quase em formato de "V".

A pele era clara, lisa, sem nenhum tipo de imperfeição, mesmo que às vezes ficasse tostada pelo sol da praia.

Também eram castanho-escuros os brilhosos cabelos que escorriam até a altura dos ombros. A menina gostava de colocar tiaras sobre a cabeça, para ajudá-la a organizar os fios bem cuidados, e sua franja bem aparada se estendia até a altura das sobrancelhas, escondendo a testa grande e branca.

Sem a franja — como estava dentro do caixão branco —, o machucado na testa chamava a atenção. Era do tamanho e formato de uma ponta de lápis, um grão de arroz, logo acima do começo da sobrancelha esquerda. O lábio inferior parecia ainda maior, um pouco inchado do lado direito, mas era o ferimento da testa que atraía os olhares curiosos, feito ímã, que chegavam mais perto em busca de uma explicação para uma morte tão precoce.

"As pessoas se perguntavam o que tinha sido aquilo na testa dela. Tudo estava ainda envolto pelo mistério", conta a jornalista Naiana Oscar, que acompanhou pelo *Estadão* as últimas horas do velório disfarçada de amiga da família.

O funeral de Isabella ocorreu no Parque dos Pinheiros, na divisa entre a zona norte e Guarulhos, um lugar cheio de árvores, com extenso gramado verde, onde os túmulos são identificados apenas por placas de bronze (do tamanho de bandejas) com o nome do morto e as datas de nascimento e morte. Começou à noite e se estendeu por toda a madrugada e começo da manhã em uma capelinha onde pessoas rezavam sem parar, como que seguindo um terço ou algo parecido — rituais dos católicos, em maioria ali.

As famílias Oliveira e Nardoni, mais unidas do que nunca, pediram aos funcionários do cemitério que montassem esquema de segurança para manter afastada a imprensa. Uma barreira foi montada pela manhã na entrada do lugar, onde os carros e profissionais da imprensa eram barrados. Para burlar o cerco, alguns repórteres alugaram táxis, esconderam objetos que pudessem revelar a profissão e conseguiram entrar. Já as equipes de TV utilizaram helicópteros para o registro de imagens.

Os jornalistas e as duzentas pessoas que compareceram à despedida do corpo não puderam ver da criança nada além do rosto, cercado de flores coloridas, atrás de uma pequena janela de vidro. Mesmo sem necessidade, a família Oliveira decidiu deixar o caixão fechado durante todo o funeral, o que não agradou a todos. "Eu queria colocar minha Bíblia do lado dela, para que fosse junto com ela, mas a Carol quis deixar fechado. Tive de colocar em cima", disse Cris.

O casal Nardoni havia chegado já na madrugada do dia 31 após passar cerca de vinte horas na polícia dando explicações sobre o ocorrido.

Alexandre e Carol não trocaram uma única palavra durante todo o velório, nem ao menos se abraçaram para lamentar a perda da filha. Mesmo

O PIOR DOS CRIMES

quando ficaram cada um de um lado do caixão, a menos de um metro de distância, portaram-se como se fossem invisíveis um para o outro.

Parte do tempo, o pai ficou de pé com a mão sobre o vidro, olhando o rosto da filha, chorando e dizendo, baixinho, palavras de amor.

— Eu te amo, filha, você é o amor da minha vida — repetia ele, sendo muitas vezes consolado pela mulher e por outros parentes.

Carol permaneceu parte do tempo debruçada sobre o caixão, segurando um coelho azul que pertencia à filha, e parecia muitas vezes distante, talvez se lembrando do modesto sonho que a filha tinha: escrever uma carta sozinha. "Ela já sabia todas as letras. Sabia soletrar; então, quando ela queria escrever alguma cartinha, alguma coisa para alguém, ela me pedia ajuda. Eu ia soletrando para ela e ela ia escrevendo. Eu ia soletrando e ela escrevendo. Ela dizia que, quando aprendesse a escrever, ela ia escrever uma carta para mim. A única coisa que ela sabia assinar era o nome dela."

Os avós também estavam inconsoláveis.

Em um desabafo com a amiga Nadir de Almeida, dona Rosa chegou a culpar Deus pelo ocorrido. "Ela disse que não acredita mais em Deus, que só acreditará novamente quando descobrirem quem fez isso com a neta dela",[1] contou Nadir, ainda no velório, à repórter Naiana.

Era na cama da avó materna que a menina se refugiava quase todas as manhãs para tomar um leite na mamadeira e curtir uma preguiça sem rodeios. "Ela acordava quando a Carolina saía para trabalhar. Ela opinava sobre a roupa da mãe. Depois, recebia o 'mamá' dela, a Carol dava, e sempre vinha para minha cama, depois disso, para dormir mais um pouquinho."[2]

Já dona Cida tinha trocado todo o desespero por algo próximo à melancolia. Ainda na porta do London, havia acendido uma vela para ajudar a iluminar o caminho da neta para o melhor lugar que possa existir

---

[1] "Te amo Filha, você é o amor da minha vida". *O Estado de S. Paulo*, 1º abr. 2008.
[2] Processo 0002241-66.2008.8.26.0001, p. 2.062.

no céu. Acompanhou as chamas até seu último suspiro, na madrugada, rezando e com a esperança de que a polícia prendesse rapidamente o culpado pela morte da neta.

Anna até falou com Carol, quando se cumprimentaram num frio abraço, mas teria sido muito melhor para ambas se não tivesse dito nada.

— Nossa, Carol, você nem ligou para ela ontem — disse a madrasta.

A madrasta também chamaria a atenção por não ter ficado ao lado do marido quando o caixão estava sendo enterrado no final da manhã. Alexandre pediu que alguém chamasse a mulher, mas ela não atendeu aos chamados. Anna estava longe quando uma salva de palmas foi puxada por alguém, e acompanhada por muitos, marcando o fim da curta vida de Isabella.

Alexandre e Carol acompanharam este momento de joelhos, ambos prostrados no gramado, em um profundo e comovente choro.

Parte da hostilidade dos amigos e familiares de Isabella com os jornalistas se devia às desconfianças levantadas sobre o possível envolvimento do pai da criança na morte da filha. As pessoas que conheciam bem o casal sabiam que ambos seriam incapazes de cometer qualquer crime. Nenhum dos dois tinha vícios ou histórico de violência doméstica, por menor que fosse — a não ser Anna, como vítima.

Carol falou rapidamente com os jornalistas e defendeu a madrasta, classificando-a como pessoa "bastante carinhosa" e que constantemente levava a filha para passear. Disse que o relacionamento entre as famílias era bom, a mesma versão dada pelo irmão dela, Felipe. "A menina adorava visitar a casa do pai para brincar com seus irmãos menores",[3] disse ele aos repórteres.

O avô José Arcanjo foi o mais enfático ao falar com os jornalistas após o enterro. Ele repudiou as suspeitas levantadas contra o ex-namorado da filha:

— Estão querendo culpar o pai, mas ele não tem nada a ver. Ele pode ter todos os defeitos, mas com os filhos era muito carinhoso. Era muito carinhoso com a menina. Foi uma fatalidade, um trauma em nossa vida.

---

[3] "Mãe e avô de garota defendem pai e madrasta". *Folha de S.Paulo*, 1º abr. 2008.

# Parte 3

# Investigação

# 10

# Estranha história

Ainda era madrugada de 30 de março quando o casal Nardoni chegou ao 9º distrito policial, um prédio feito de muito concreto, tijolos e poucos vidros, que funcionava 24 horas por dia na rua Camarés, no Carandiru, também na zona norte da capital e a menos de 2 quilômetros do London.

Quem já esteve em um distrito policial na Grande São Paulo sabe que, quase sempre, trata-se de uma experiência desagradável. As pessoas colocadas para atender o público são geralmente preguiçosas, insensíveis e grosseiras, até mesmo com as vítimas. Além do mais, é uma incursão quase sempre inútil porque apenas 2% dos casos de roubo, por exemplo, são esclarecidos — considerando-se aqui os casos registrados, porque há um índice de subnotificação histórica que gira em torno de 60%.

São números que causariam vergonha a qualquer polícia do mundo, mas que parece não incomodar boa parte dos integrantes da centenária Polícia Civil, que, ao longo dos anos, perdeu quase toda credibilidade e prestígio — especialmente por se envolver em constantes notícias de corrupção. Tomam dinheiro de quem deveriam investigar. "Somente alguém muito fora da realidade não sabe que grande parte da Polícia Civil, infelizmente, está envolvida no mundo do crime, cometendo, entre outros, a corrupção e a concussão", escreveu o juiz de Bertioga Rodrigo de Moura Jacob ao condenar um delegado por corrupção.[1]

---

[1] Página 40 da sentença, processo 577/07.

Em março de 2008, quando Isabella foi morta, suspeitas atingiam quase todos os níveis da instituição e contaminavam até a cúpula máxima da Segurança Pública. Os principais jornais paulistas noticiavam supostas ligações entre o então secretário-adjunto, Lauro Malheiros Neto, número dois da Segurança no estado de São Paulo, e o investigador Augusto Peña, que, entre outros crimes, era acusado de extorquir o enteado de Marco Willians Herbas Camacho, o Marcola, chefe da facção criminosa PCC (Primeiro Comando da Capital).

Era essa polícia que investigaria o assassinato de Isabella.

De todos os 93 distritos da capital em 2008, o "menos pior" talvez fosse justamente o 9º distrito, aonde o casal chegou. Pelo menos para a ONG holandesa Altus,[2] que, no ano anterior, divulgou pesquisa que apontava a unidade como a melhor da América Latina e uma das cinco melhores do mundo, considerando-se cinco quesitos: orientação à comunidade; condições materiais; tratamento igualitário ao público; transparência e prestação de contas; e condições de detenção.

Entre os aspectos mais positivos, estava a reforma do prédio ocorrida quatro anos antes, que transformou a carceragem em biblioteca com 2.600 títulos para estudantes da região, e implantou uma sala de flagrante e uma entrada lateral para que pessoas detidas não fossem colocadas em contato com o público comum na sala de espera, chamada de "pré-atendimento", situada na parte térrea e frontal do prédio. A entrada lateral era um dos quesitos mais importantes ao mostrar preocupação da polícia em não constranger pessoas envolvidas em prisão.

Anna e Alexandre entraram pela porta da frente, acompanhados pelos próprios pais, como testemunhas de um crime indefinido. A madrasta tinha sido chamada de volta a pedido da polícia, com quem Alexandre tivera breve contato ainda na porta do London ao voltar da Santa Casa já

---

[2] "José Serra visita a melhor delegacia da América Latina". *Portal do Governo*, 1º mar. 2007. Disponível em: <http://www.saopaulo.sp.gov.br/spnoticias/lenoticia.php?id=82522>.

## O PIOR DOS CRIMES

sem a filha. Não é possível medir quanto a história do "para, pai" contada pelo seu Lúcio, morador do primeiro andar, contribuiu para isso, mas as primeiras impressões da delegada sobre Alexandre não foram nada boas. "Ele não me cumprimentou, não falou nada, a primeira coisa que ele falou foi: 'Prenderam o ladrão? Prenderam o ladrão, pegaram as impressões digitais?' A primeira coisa que falou foi questionando a investigação, se eu tinha prendido alguém",[3] reclamaria a policial.

No distrito, as impressões não seriam muito melhores.

Ao longo de todo o domingo, pai e madrasta precisaram repetir aos policiais todos os detalhes de tudo o que havia ocorrido.

Sobre os últimos momentos de vida da menina, explicaram que o regresso de Guarulhos havia ocorrido por volta das 23h e, até a garagem do London, as crianças acabaram dormindo. Por isso, quando estacionaram o carro no prédio, Alexandre decidiu levar primeiro a filha, de sono e corpo mais pesados, enquanto a mulher e os meninos permaneceriam no carro à sua espera.

A menina foi levada no colo até o apartamento, que estava com a porta principal trancada e as luzes todas apagadas, exatamente como haviam sido deixadas pela família. A criança foi colocada na cama do seu próprio quarto e mantida com as roupas que vestia: camiseta azul e calça legging branca. O pai disse ter tirado apenas os tamanquinhos que ela usava.

Alexandre contou ter acendido o abajur, desligado a luz do teto e seguido para o quarto dos meninos, onde recolheu brinquedos sobre as camas e ajeitou os lençóis para depositar os meninos. Também aproveitou para fechar a janela. Antes de pegar o elevador para retornar à garagem, tomou o cuidado de trancar a porta mais uma vez. Diria, depois, não ter notado nada de suspeito.

Anna disse que, enquanto esperava pela volta do marido, a única coisa de diferente que percebeu foi a entrada de uma caminhonete preta. Calculava que o veículo era ocupado por duas pessoas, que riam muito e falavam alto, e seguiram direto para a garagem no segundo subsolo,

---

[3] Processo 0002241-66.2008.8.26.0001, p. 5.575.

sem percebê-la dentro do Ka. Alexandre não mencionaria tal veículo em seu depoimento.

Ela calculava ter chegado ao London pouco depois das 23h30, já que o celular havia vibrado às 23h29 quando faltavam apenas três quadras de casa. Alexandre tinha uma noção de tempo pouco pior: calculou ter saído de Guarulhos às 22h40 e ter demorado meia hora ou quarenta minutos, entre 23h10 e 23h20.

Ambos calcularam que Alexandre levou para subir, ajeitar as coisas no apartamento e voltar para a garagem algo entre nove e doze minutos.

Nem o casal nem a polícia conheciam ainda os dados do GPS.

O casal disse ter retornado ao apartamento com Pietro no colo de Alexandre e Cauã no de Anna. Encontraram a porta ainda trancada, mas, desta vez, havia algo diferente: a luz do quarto de Isabella estava acesa, não só a do abajur.

Os dois contam que seguiram direto para o quarto e, da porta, perceberam que a menina não estava na cama. Pensaram que ela pudesse ter rolado e caído no chão acidentalmente, mas uma rápida olhada revelou que isso não tinha acontecido. Anna disse ter olhado também no quarto do casal, que ficava no lado oposto ao da menina, mas nada foi visto de diferente ali.

Na sequência, tudo em fração de segundos, olharam o quarto dos meninos, onde viram a janela aberta e um buraco na rede de proteção. No chão e no lençol da cama de Pietro, notaram a existência de pequenas gotas de sangue. Pelo furo na rede, viram a menina estirada no gramado, inconsciente. Anna começou a gritar desesperada, o que acabou acordando os meninos.

Desceram todos juntos para o térreo, onde ficaram até a chegada do resgate, sem voltar mais ao apartamento. Antes de pegarem o elevador, porém, sob orientação do marido, Anna ligou para as famílias Jatobá e Nardoni para avisar sobre a tragédia. Alexandre disse à polícia nesse dia que, embora tivesse descido com a mulher no elevador e chegado junto com ela lá embaixo, ele não sabia dizer se a mulher tinha ou não conseguido falar com alguém da família.

O PIOR DOS CRIMES

101

Não pensaram, também, em ligar para o resgate. Só para as famílias. A polícia considerou essa história da ligação um pouco estranha, assim como também consideraria outras partes dessa versão.

Outro ponto estranho, segundo Renata contaria depois, era o momento em que ambos teriam constatado o desaparecimento da menina. "Primeiro ele disse: 'Olha, eu entrei, eu vi as duas luzes acesas, a luz do quarto dos meninos e do quarto dela.' Eu achei estranho porque o apartamento é muito pequeno, se você passa por um corredor, se tem a luz acesa, pela visão periférica, você já percebe o que acontece dentro desse quarto."[4]

Assim, para a delegada, como o quarto dos meninos era o primeiro no corredor à esquerda, os dois deveriam ter notado o buraco na tela quase imediatamente, antes de tudo, e não quase num terceiro momento.

Outro ponto era a própria história das luzes do quarto de Isabella. A delegada tinha notado, em sua visita ao apartamento, que o abajur do quarto da menina estava apagado. Se o pai disse ter acendido o aparelho antes de descer e, na volta, não teve tempo de apagá-lo, isso, então, só poderia ter sido feito pelo criminoso antes de conseguir fugir — o que não fazia muito sentido.

Por outro lado, era importante a afirmação de que a porta ainda estava trancada quando a família voltou da garagem. Isso reduzia a probabilidade de ter sido um latrocínio porque obrigaria o ladrão a ter cópia da chave ou, ao menos, expertise para burlar a fechadura de chave tetra. Seria um investimento muito grande para invadir um lugar sem bens de grande valor. E nada fora levado.

O detalhe da porta também era importante à polícia por ser, em tese, uma contradição da versão do casal com o relato de testemunhas. Seu Lúcio e o porteiro Valdomiro diriam naquele mesmo dia, em depoimento, que ouviram Alexandre falar que a porta tinha sido arrombada. Isso indicava que ele poderia ter dito algo no começo, mas, ao pensar melhor (talvez quando não conseguiu explicar à ex-sogra), corrigiu uma versão supostamente combinada com a mulher.

---

[4] Idem, p. 1.826.

Isso era mera suposição, mas não poderia ser desprezada.

A delegada diria depois ter ficado com a impressão de que ambos não se comportavam da maneira esperada para vítimas de crime tão grave e misterioso. "Para mim, o natural seria eles chegarem até mesmo sem uma história, sabe, chocados diante do que tinha acontecido, com questionamentos, porque não é fato comum, não é corriqueiro, é gravíssimo alguém querer matar uma criança sem razão de ser. Mas eles não tinham dúvidas. Eles já tinham a história deles sempre sustentando, que foi uma pessoa... que era ladrão, era o termo que eles usavam. Eu entendi que poderiam estar envolvidos de alguma forma",[5] diria ela.

E mais: quem seria esse ladrão? "Eu questionava: 'Mas por que uma pessoa entrou no seu apartamento para matar uma criança? Com certeza ninguém tem nada contra uma criança de cinco anos de idade a ponto de querer matá-la. Talvez seja vingança contra vocês dois.' Eu perguntei: 'Vocês têm inimigos?' Eles dois: 'Não, não temos inimigos.' Estão recebendo ameaças? 'Não, não recebemos nenhum tipo de ameaças.' Foi levada alguma coisa do apartamento? 'Por ora, não demos falta de nada.' Tem que ter uma motivação."[6]

O casal não tinha inimigos, mas conseguiu enumerar aos policiais três pessoas que poderiam ter algum envolvimento com o crime, embora não desconfiassem quais seriam os motivos delas para isso. Eram pessoas que, nos últimos dias, tinham agido de forma estranha ou tiveram pequenos problemas com eles. Contra os primeiros, pesavam coisas absolutamente banais.

Um deles era um prestador de serviço que, dias antes, teve um pequeno desentendimento com Alexandre por conta da instalação do cabo de uma antena. O homem tinha sido contratado pela moradora do apartamento 52, um andar abaixo, e precisava acessar o 62 para concluir o trabalho. Não discutiram, não brigaram, houve apenas um mal-estar até que o pai de Isabella autorizasse a entrada desse trabalhador. Anna estava sozinha e os homens queriam ir em dupla.

---

[5] Idem, p. 1.828 (frase adaptada).
[6] Idem, p. 5.581.

O PIOR DOS CRIMES

103

Isso esbarrava indiretamente no zelador do prédio, outro colocado na lista, que participou da negociação para acesso do antenista ao apartamento. O que mais pesava contra ele, porém, eram as desconfianças que Anna tinha sobre perguntas feitas por ele a respeito da menina. O funcionário tinha perguntado por dois dias consecutivos se Isabella era filha só do Alexandre. A primeira vez tinha sido na sexta, no começo daquele final de semana, quando a madrasta e a enteada se dirigiam para a área de lazer. A outra vez tinha sido no sábado do crime, quando ele foi entregar correspondências no hall e viu a família à espera do elevador social.

Já contra o porteiro, as suspeitas levantadas eram um pouco maiores. O casal afirmou que, quando chegaram ao térreo, logo após constatar o corpo da filha no gramado, Alexandre percebeu que Valdomiro retornava dos fundos do prédio. Ao ser questionado porque estava ausente da guarita, teria respondido que "tinha ido ali um minutinho".

Durante a tarde daquele domingo, após receberem as primeiras informações dos médicos do IML de que a menina poderia ter sido asfixiada antes de ser atirada pela janela, os policiais do 9º distrito tentaram uma nova cartada. Isolar a madrasta para uma "pressão psicológica", estratégia a que a polícia costuma submeter os suspeitos menos perigosos para convencê-los a contar a verdade. Dois investigadores foram, assim, encarregados de levá-la ao London.

"Eles falaram que eu ia fazer uma diligência, é isso que fala?", contaria Anna anos depois. "Eu falei: 'Eu quero levar alguém comigo.' E o investigador Jair me puxou pelo braço, todo estúpido, como se eu fosse... me pegou, puxou, falou: 'Vem aqui, menina. Vem aqui, menina.' Foi estúpido e ignorante. Falei: 'Para onde vocês estão me levando? Eu quero ir com o meu pai'. Me colocaram dentro de um Siena vermelho da polícia, não deixaram levar ninguém comigo. Eu falei: 'Vocês vão me levar no apartamento? Eu não queria entrar.' Ele falou. 'Você vai entrar, sim.'"

O interior do apartamento estava tomado por policiais. Anna calcularia ao menos dez deles espalhados pelos cômodos. "Estava um monte de gente junto com a doutora Renata e o doutor [Calixto] Calil [Filho]. Eu tirei o tênis. Entrei descalça, e estava cheio de gente, tinha uns peritos, estava o Jair, o Téo."

Calixto Calil era o delegado chefe de Renata no 9º distrito. Entre os policiais instalados no apartamento, Anna percebeu um baixinho de avental, calvo, fora de forma, que segurava uma gaze nas mãos para, aparentemente, recolher uma gota de sangue detectada pelo chão do corredor. Era a segunda vez que o perito criminal Sérgio Vieira Ferreira, o Serginho, com então 48 anos, visitava o London. Na madrugada, por volta das 5h30, acompanhado da fotógrafa Fátima Nelvina de Oliveira, o policial esteve no apartamento para recolher elementos necessários para ajudar a polícia a esclarecer o crime.

Além de tirar fotos de tudo o que considerou importante, Serginho também recolheu objetos a serem analisados nos laboratórios de análise, como testes de DNA no sangue encontrado. "Coletei a tela, o lençol, a tesoura, a faca, a fraldinha", diria anos depois. "A fraldinha estava debaixo do tanque. Estava dentro de uma bacia com água e com algum tipo de solvente. Era uma fraldinha branca. Foi até uma coisa na qual a Fátima reparou. Por isso que é bom ter uma mulher na equipe. No meio daquela bagunça toda, apenas uma fralda de molho. Pô, então vamos pegar isso daqui." Além do lençol com gotas de sangue, Serginho notaria um pingo visível "no corredor de acesso ao quarto" dos meninos.

Serginho considerou o trabalho concluído por volta das 6h30. O PM que preservava o local, o cabo Robson Castro Santos, foi informado de que o imóvel poderia ser liberado para a família.

— A gente já municiou. Por nós, está liberado. Só entra em contato com o distrito para ver o procedimento — disse o perito, que tinha mais dois outros trabalhos aguardando para serem feitos na zona leste da capital.

O PM ligou para o DP, que autorizou a liberação do imóvel.

A partir dali, se quisessem, os moradores poderiam até lavar os cômodos do apartamento para tirar eventuais marcas da tragédia, como manchas de sangue, sem enfrentar nenhum problema legal. "Enquanto funcionário público, enquanto pessoa, você quer fazer o local e quer liberar logo para as pessoas. Mas, de essencial, eu peguei. Tudo que tinha que pegar, eu peguei", diria Sérgio.

O apartamento servia naquela tarde, porém, para a reunião policial da qual Serginho participava. Tinha sido chamado de volta pela delegada, que queria que fossem investigados alguns pontos da estranha história do casal.

Também servia como local de interrogatório da suspeita, que, logo nas primeiras palavras dirigidas a ela, entendeu os motivos de ter sido levada sozinha.

— Agora, você vai começar a fazer tudo como realmente foi — teria dito o investigador Jair Stirbulov, conforme se lembraria Anna.[7]

A madrasta foi levada primeiro para os quartos das crianças, onde teve de demonstrar o ocorrido na noite anterior — como numa pequena reconstituição do que a família vivera horas antes. Renata pediu que ela abrisse e fechasse as janelas dos quartos, o que trouxe receios à madrasta.

— Doutora, eu vou colocar a minha mão aqui? Não vai ficar a minha digital na janela? — questionou. "Aí, ela me falou que não tinha problema. Então, eu fui e abri e fechei a janela duas vezes."[8]

Ainda do quarto dos filhos, Anna sentiu o cheiro do café na sala. A bebida estava sendo servida pela moradora do 113, Rose, a mesma que falou sobre o barulho à meia-noite. Os policiais sentados à mesa, conforme percebeu a dona do apartamento, comiam os ovos de Páscoa das crianças antes guardados na geladeira. "Estavam tomando café e comendo ovos de Páscoa, inclusive da Isabella", disse ela sobre os dois ovos dados à menina, que seriam mencionados no julgamento.

Anna foi levada, então, à sala de estar e colocada sentada no sofá. A delegada sentou-se sobre uma quina do rack, de frente para a suspeita, e, costume dela, cruzou as pernas para falar. O investigador Téo puxou

---

[7] Idem, p. 6.058.
[8] Idem, p. 6.059.

uma cadeira da mesa e se instalou à direita da madrasta. Havia ainda outros três policiais de pé no corredor.

Cercada pelo grupo, Anna não resistiu à "pressão psicológica". Começou a chorar e tremer o corpo todo logo nas primeiras investidas e ameaças de prisão. "A doutora Renata falava assim para mim — ela insistia, persistia — e falava: 'Se livra você! Você vai pegar uma prisão.'[9] Falou para mim que Alexandre era um psicopata. Se eu tinha noção do que tinha acontecido. Ela queria que eu falasse que tinha sido o Alexandre que tinha feito alguma coisa."[10]

Os investigadores foram ainda mais contundentes. "O investigador Téo falava: 'Você tem noção do que é cair numa prisão?' Para que eu falasse que presenciei, que tinha assistido a tudo e estava encobrindo o Alexandre por amor. O investigador Téo falou: 'Tem que fazer. Tem que ter amor pelos seus filhos.' E eu falei: 'Não vou falar o que eu não vi. Eu estava o momento todo dentro do carro.'"

"Os investigadores, todos eles, tinham falado se eu tinha noção do que aconteceria. Se eu sabia como era uma cadeia. Como eu era filhinha de papai. Que para Alexandre era fácil, com curso superior. Mas o meu estava incompleto."

Apesar de toda a pressão, lágrimas e tremedeira, Anna manteve a versão de inocência. Não confessou. "Eu não posso falar o que não presenciei."[11]

"Aí, nisso, a doutora Renata falou: 'Eu vou pedir a prisão temporária para ela. Dele não, ele tem curso superior. Mas vou pedir dela.'"[12]

A polícia não pediu a prisão do casal.

Isso foi dito no final daquela tarde pelo delegado Calixto Calil a um grupo de repórteres que se deslocaram para o 9º distrito atraído pela notícia publicada na manhã daquele dia pelo portal de notícias da Globo, o G1.

---

[9] Idem, p. 1.457.
[10] Idem, p. 6.061.
[11] Idem.
[12] Idem.

## O PIOR DOS CRIMES

**Criança de 5 anos morre ao cair de prédio em SP**

Polícia não acredita em acidente, pois havia manchas de sangue no quarto dela. Pai e madrasta da menina passaram por exames toxicológicos.

Uma menina de 5 anos morreu após cair do sexto andar de um prédio de classe média localizado na Rua Santa Leocádia, na região do Carandiru, na Zona Norte de São Paulo, por volta das 23h50 deste sábado (29). Segundo o Corpo de Bombeiros, a criança chegou a ser levada para a Santa Casa de Misericórdia, onde morreu. A polícia ainda não sabe a causa da queda, mas descarta que tenha sido um acidente.

Segundo PMs, havia um buraco na tela da janela de onde ela caiu e marcas de sangue no quarto. Por causa disso, policiais do 9º DP, no Carandiru, não acreditam em acidente, embora ainda não saibam o que ocorreu. A polícia diz que, em depoimento, o pai da garota contou que a deixou no apartamento e foi ao térreo pegar o outro filho. Nesse intervalo de tempo ela teria caído. Homens do Instituto de Criminalística (IC) foram ao local para fazer perícia.

O pai e a madrasta da criança foram encaminhados neste domingo (30) para o Instituto Médico Legal (IML) para exame toxicológico. O resultado ainda não foi divulgado. Testemunhas disseram que a criança não morava no apartamento, mas estava passando o fim de semana com o pai. O corpo dela vai passar por necropsia no IML e deve ser liberado ainda nesta tarde.[13]

Calixto Calil tinha 52 anos de idade, 22 deles na polícia. Era dono de uma simpática calvície e traços típicos de uma ascendência libanesa. Falava de maneira calma e educada, com sorriso paciente e sempre dando ênfase a detalhes da frase para deixar a narrativa o mais claro possível. Também parecia muito sincero ao admitir sua impressão.

— Essa versão não convenceu muito, não — respondeu a uma pergunta feita por mim sobre a opinião dele quanto à história do casal.

---

[13] "Criança de 5 anos morre ao cair de prédio em SP". *G1*, 30 mar. 2008.

Diria, porém, nessa mesma entrevista, que não era possível classificá-los como suspeitos, apenas como "candidatos a suspeitos", assim como o porteiro Valdomiro. Era uma definição inexistente nas leis brasileiras, mas que deixava claro que a polícia não tinha provas suficientes para prender alguém.

O delegado também disse aos jornalistas que, para ele, a criança poderia ter sido agredida antes de ser morta. Um dos indícios mais evidentes disso era a camiseta azul de Isabella rasgada nas costas — corte que, na verdade, fora feito pelas equipes de resgate para a colocação do colar cervical. Uma imprecisão de Calixto Calil que abasteceria reportagens publicadas naquele dia e nos subsequentes.

Sobre as dificuldades da investigação, o policial diria que o prédio tinha apenas duas câmeras de segurança. Uma na entrada da garagem e outra na entrada principal do prédio. O sistema implantado pelo prédio não previa, porém, a gravação de nenhuma delas. Não havia registros. O porteiro via as imagens captadas, mas isso não ficava guardado em lugar algum.

Uma câmera no elevador — algo comum nos prédios de São Paulo — poderia explicar a hora em que a família chegou e como, de fato, a menina fora transportada para dentro do apartamento. Ajudaria a confirmar ou não a versão do casal. Isso não existia, porém, no London.

A entrevista terminou no final da tarde, mas, mesmo assim, os repórteres continuaram em frente ao distrito até o começo da madrugada. Esperariam a saída do casal, que, ficaram sabendo, ainda prestava esclarecimentos.

A esperança de parte dos jornalistas era de que os suspeitos pudessem falar sobre o que havia ocorrido. Cinegrafistas e fotógrafos queriam imagens.

O casal saiu do DP perto da meia-noite. Não quis dar declarações e tentou deixar o prédio sem ser visto por ninguém, por uma saída lateral do distrito (a mesma elogiada pela ONG holandesa), onde um Vectra da família tinha sido posicionado estrategicamente.

Como o plano acabou dedurado pelos policiais, a saída foi cercada por repórteres que queriam declarações e imagens. O casal tentou evitar isso de todas as formas e optou por cobrir as cabeças, com peças das próprias roupas. Jornalistas especializados em coberturas policiais consideram uma decisão desfavorável à imagem dos dois, porque aquilo era um gesto típico de criminosos pegos em flagrante e não de vítimas de uma tragédia.

Marido e mulher só conseguiram entrar no veículo com a ajuda de um amigo grandalhão da família e do advogado Ricardo Martins, chamado no final da tarde pelo pai de Anna. Eles tiveram que empurrar os "profissionais da imprensa" para que os "candidatos a suspeitos" pudessem passar.

O pai e a madrasta de Isabella seguiriam dali para o velório no Parque dos Pinheiros, em Guarulhos, onde passariam toda a noite.

Envolvida no empurra-empurra, a maior parte dos repórteres não percebeu que uma senhora de meia-idade gritava em direção ao casal.

— Assassino! Assassino! — dizia a mulher aos berros.

Era a delegada Maria José Figueiredo, que, até momentos antes, estava atrás do balcão de atendimento daquele distrito. A mulher havia abandonado o posto de trabalho para acompanhar (e xingar) a saída do casal.

— Por que a senhora está dizendo isso? — perguntei a ela.

— Como uma pessoa dessas tem coragem de fazer isso com um filho? — disse a policial, como que não prestando muita atenção à pergunta. — Uma testemunha, um vizinho, disse ter ouvido a menina gritar: 'Para, para, pai' — explicou ela, algo que não tinha sido mencionado por Calixto Calil durante a entrevista.[14]

Calixto Calil não tinha mencionado a versão do "para, pai" nem outros importantes detalhes da investigação. Por que o delegado não mandou prender o casal, já que tinha testemunha? "E se não foram eles? Espera um pouquinho. Se não foram eles, meu Deus do céu, mandar dois inocentes para a cadeia assim? Autuá-los em flagrante? É uma medida séria, medida pesada. Tira a liberdade da pessoa. Se entrou alguém lá mesmo? Optamos por não fazer o flagrante, por falta de indícios que ligassem a morte, a queda da criança, aos dois. Vamos apurar melhor. Vai que invadiu mesmo", explicaria Calixto Calil.

---

[14] "Na saída da DP, delegada chama pai de menina de 'assassino'". *Folha de S.Paulo*, 1º abr. 2008.

# 11

# Quem matou Odete?

NÃO DEMOROU PARA QUE OUTROS JORNALISTAS descobrissem e levassem às manchetes dos jornais a história do "para, pai" e, ainda, as primeiras impressões dos legistas sobre a esganadura da criança. Também não tardou para encontrarem a página do Orkut da mãe de Isabella e se apropriarem, sem cerimônias, das fotos postadas, passando a usá-las na ilustração de reportagens.

A partir desse momento, em especial no final da tarde de segunda-feira, o assassinato da criança ganharia destaque em uma série de programas de TV, colocando a investigação como um dos principais assuntos do país.

Ninguém é capaz de explicar exatamente como isso ocorre, quais os elementos intangíveis que envolvem esse tipo de movimento, mas as pessoas, em massa, passaram a ter muito interesse na elucidação do crime e a debater quem era o culpado pela morte de Isabella Nardoni. Teses e teses foram defendidas.

Não é possível ignorar que, culturalmente, assim como ocorre em outros países do mundo, boa parte dos brasileiros se inquieta todas as vezes que é desafiada a desvendar um assassinato. Prova disso está em uma das maiores audiências de telenovelas brasileiras que tratou, nos anos 1980, do assassinato de Odete Roitman (personagem vivida pela atriz Beatriz Segall) em *Vale Tudo* — fórmula de sucesso que foi repetida n vezes em outras épocas. Por quase duas semanas, o assunto prioritário de muita gente era a identidade incógnita do assassino da vilã. O último capítulo da novela, com a revelação da assassina, cravou históricos 81 pontos de audiência.

A negativa do casal na participação do crime, inocência reforçada pela própria família da mãe biológica, era a pitada de mistério necessária para ajudar a alavancar a "trama" e dar ares de ficção a um drama real. O interesse das pessoas era ainda maior porque não se tratava da morte de uma vilã, mas de uma criança. No imaginário coletivo, a morte de Isabella era vista até como um ataque à própria infância e à sua pureza, diriam especialistas ouvidos pelas reportagens. Repetiam-se, assim, perguntas como: que "monstro" seria capaz de assassiná-la? Que bandido seria capaz de atirar uma criança pela janela?

Assim, as pessoas buscavam nos jornais, revistas, rádios e televisão elementos que pudessem ajudá-las a entender melhor quem eram, afinal, os vilões e os mocinhos dessa história tão intrigante.

O resultado desse interesse podia ser medido nos números do Ibope — utilizado pelas emissoras de TV para saber a quantidade de aparelhos sintonizados em determinado canal, em determinado momento do dia. De acordo com o instituto de pesquisa, segundo nota do jornalista Daniel Castro, a cobertura do assassinato de Isabella elevaria a audiência em até 46% dos telejornais na primeira quinzena de cobertura, caso do *Brasil Urgente*, da Band.[1] "Mais pontos de audiência significam mais dinheiro, mais faturamento. Programas policiais não costumam atrair anunciantes, mas servem de alavanca para a grade [de programação]. Ou seja, levantam o ibope de programas seguintes, que podem ser queridinhos de agências", explica o jornalista.

O *Balanço Geral*, da TV Record, concorrente daquele, também cresceu 25%. Para atrair ainda mais a atenção dos telespectadores, os responsáveis pelo programa chegaram a montar uma cama no cenário como se fosse a da criança morta. Até o *Fala que Eu Te Escuto*, da Igreja Universal, exibido nas madrugadas da mesma emissora com temas religiosos, chegou a "reconstituir" o crime com atores. Reflexo das constantes conquistas

---

[1] "Caso Isabella faz audiência de telejornais crescer até 46%". *Folha de S.Paulo*, 18 abr. 2008.

O PIOR DOS CRIMES

do primeiro lugar da audiência pela emissora (feito absolutamente incomum), em especial nos programa matutinos, falando exclusivamente do assassinato de Isabella. Os números davam vida ao slogan da emissora à época: "A caminho da liderança."

Em resposta, a Globo, líder de audiência, mobilizaria dezoito repórteres, oito produtores e vinte cinegrafistas com dedicação exclusiva para cobertura do caso, com plantões na porta da casa de parentes de Isabella e no 9º distrito. O *Jornal Nacional*, por exemplo, em uma de suas edições, chegaria a dedicar 15 minutos e 20 segundos para falar das investigações do caso Isabella, ou seja, 37% do tempo do telejornal.

Não demoraria para a Globo classificar o tema a assuntos de "alta relevância" jornalística, igualado a coberturas de eventos como o 11 de Setembro, os ataques do PCC em 2006 e a visita do papa Bento XVI ao Brasil, em 2007. Isso significava derrubar até três horas de intervalos comerciais da grade de programação para transmitir, sem interrupções, as últimas informações sobre a investigação.[2] "O caso Nardoni foi uma festa para as TVs, principalmente para os programas jornalísticos populares. Rendeu audiência durante meses e meses, porque sempre havia um desdobramento, uma notícia nova da polícia. A reconstituição do crime pela polícia foi tratada como grande evento, com entradas ao vivo, imagens de helicóptero, câmeras seguindo o trajeto dos acusados no trânsito. Até a Globo cobriu o caso exaustivamente em seus jornais populares. Foi o caso de maior audiência da TV desde Suzane von Richthofen", traduz Daniel Castro. E conclui: "Até a Globo, que não costuma surfar muito nessas histórias, nesse caso fez de tudo. Só não botou caminha no cenário."

Para o jornalista, um dos motivos que explicam o grande interesse midiático deste caso é o fato de estarem presentes muitos dos ingredientes de "alto apelo" para atração de audiência. Um deles, assim como também se deu no caso Suzane von Richthofen, é a morte em família. Sempre traz inquietação quando um filho é suspeito de matar os pais, ou os pais

---

[2] "Caso derruba comerciais por 3h na Globo". *Folha de S.Paulo*, 19 abr. 2008.

são suspeitos de matar os filhos. Além disso, há a sensação de mistério envolvido numa "investigação policial", além de julgamentos sempre interessantes e as "reviravoltas" que o caso precisava ter. "Tudo ajuda a manter o caso na mídia durante muito tempo."

Um dos efeitos colaterais desse alto grau de interesse das pessoas foi o surgimento, país afora, de uma série de homenagens à criança. Pessoas que jamais tiveram contato com ela, ou com a família, declaravam tristeza e "imensa saudade". Ao menos quatro músicas foram criadas sobre esse luto nacional por anônimos e artistas, entre eles a dupla Duduca e Dalvan, que, na última estrofe, resumia a sensação geral.

> Um país tão comovido que chorou
> Uma estrela inocente se apagou
> Seu sorriso de criança nos deixou
> Isabella linda e bela como a flor[3]

Os vídeos dessas músicas, assim como outras homenagens, tinham quase sempre uma foto da menina em que ela aparece sorrindo, olhos quase fechados e com as mãos segurando as próprias bochechas, imagem que se tornou quase um ícone do chamado caso Nardoni. "As pessoas queriam homenagear uma criança cujo rosto marcou o Brasil todo. O rosto dela ficou como uma marca, como se fosse uma bandeira brasileira. Todo mundo que vê a fotografia dela, sem precisar de legenda, vai dizer: aquela lá é a Isabella", disse o delegado Calixto Calil.

Outro efeito foram os debates pelo Orkut, em comunidades criadas sobre o tema, de pessoas que acreditavam na inocência do pai e da madrasta contra aquelas que tinham certeza da culpa dos dois. Cada grupo sustentava argumentos e debatia entre si, como advogados ou promotores em um júri virtual.

A notícia da morte também elevou a tensão, em muitos lares, no relacionamento entre pais separados que dividiam a guarda dos filhos.

---

[3] Disponível em: <https://www.letras.mus.br/duduca-e-dalvan/1939342/>.

O PIOR DOS CRIMES

"A coisa foi tão traumática que, no caso de vários casais separados, o pai teve problema quando foi buscar o filho no final de semana. Filhos também ficaram com medo das madrastas", disse o delegado Marcos Carneiro Lima, então chefe do setor de investigações do departamento de homicídios.

O assunto atraiu a atenção de pessoas que queriam ajudar de alguma forma na solução do mistério — ainda que por métodos sem comprovação científica. Uma delas foi o "investigador mediúnico" Hugo Seccani, morador da Vila Prudente, no extremo leste da capital. Em carta enviada à *Folha de S.Paulo* em abril de 2008, ele afirmava ter conseguido solucionar o crime.

O material não chegou a ser publicado, mas nele o missivista alegava ter conseguido entrevistar Isabella, que apontava o pai como o responsável pelo crime e a madrasta, cúmplice. Também dizia ter conseguido a confissão do pai em outra audiência espiritual. Alexandre confessou o assassinato da filha, mas sem dar muitos detalhes nem os motivos que o levaram a cometê-lo. Confessou ter feito o rasgo na tela de proteção e atirado a filha pela janela, com a anuência da mulher. Um trecho dessa "entrevista" não deixa dúvidas disso. "P" é de positivo e "B", de branco (quando o espírito se calava).

— Você matou tua filha no quarto das crianças?　　P
— Quase matou a filha, jogando com vida?　　P
— Com remorso, quase matou a filha?　　B
— É você o assassino da própria filha?　　P
— (Ele pensou, vai morrer com o impacto no chão)

O investigador do além só não deixou claro como conseguiu entrevistar Alexandre no mundo dos mortos, já que o pai de Isabella continuava vivo (a despeito das falsas notícias), nem se havia enviado a mesma informação aos policiais responsáveis pela investigação.

Outro fenômeno ocorrido foi o surgimento de internautas que, para se sentirem mais populares na rede de computadores, "vampirizaram" o perfil da mãe de Isabella no Orkut, copiando fotos, vídeos e mensagens, e que passaram a se comunicar com os "seguidores" como se fossem a própria Carol.

Isso ocorreu depois que o perfil oficial da mãe de Isabella ganhou, em poucos dias, mais de 100 mil mensagens de pessoas comovidas com a dor da família. Algumas dessas páginas foram criadas apenas para propagação de vírus.

Até mesmo esses assuntos correlatos acabaram se tornando temas de reportagens veiculadas pelo país afora. Tudo que tivesse ligação com o caso Isabella tinha grande interesse dos veículos de comunicação.

O professor de psicologia da Universidade de São Paulo (USP) de Ribeirão Preto, o doutor Sérgio Kodato, um dos principais nomes no estudo da violência no país, diz que a forma como as notícias são apresentadas pelas emissoras de TV também ajuda o espectador a confundir real e imaginário, em especial quando se trata de uma das maiores coberturas já vistas sobre um crime:

"Entendo que isso se deve ao famoso fenômeno da espetacularização da violência pela mídia. O sensacionalismo na divulgação de episódios de violência é um dos ingredientes presentes inclusive na grade de jornalismo de muitas emissoras, veículos da internet, os quais, mesmo que de forma sutil, mostram repetidamente programas que apresentam características semelhantes à de grandes shows como forma de chamar a atenção do público.

"No caso em questão, o fenômeno da violência contra a criança acende os índices de audiência e comoção, pois isso reatualiza, em cada um de nós, sofrimentos e padecimentos da infância, reais ou imaginários. Por outro lado, a tragédia espetacularizada tem a função de acalmar, tranquilizar: 'ainda bem que isso não aconteceu com nossas crianças', 'a vida está ruim, mas tem coisa muito pior'. Tem a função de canalizar a revolta popular para objetos visíveis e facilmente encarceráveis: 'esse animal deveria ser enjaulado.' Os veículos de comunicação fizeram coberturas espetaculares sobre esse crime, pois isso mostra o fantástico processo de transformação de notícias em espetáculos da vida real."

O professor conclui: "As coberturas jornalísticas e midiáticas de situações de crise podem interferir no seu desfecho."

# 12

# Daquele quintal

A ADVOGADA GERALDA AFONSO FERNANDES morava sozinha em uma casa de quarto e cozinha na rua Santa Leocádia. Chegou ali antes mesmo de o London ser erguido e fazer sombra em seu quintal, onde também morava um casal com duas crianças, na parte de baixo do predinho. A família vivia na parte inferior e Geralda, na superior, acessada por uma escada externa de doze degraus.

A única companhia da mulher naquela noite de sábado eram os personagens de programas da televisão que, assim como aos vizinhos da própria rua, conhecia muito poucos. Primeiro, assistiu a uma missa na TV Bandeirantes; depois, zapeou pelos canais abertos até estacionar no cômico *Zorra Total*, da Globo. Entreteve-se com um quadro em que três rapazes estavam se "estapeando".

"Foi a última cena que eu vi. Depois, eu dormi."

A mulher não sabe exatamente quanto tempo depois foi despertada por gritos de uma criança. "Gritos mesmo, tanto que fui acordada."

"Ela gritava, posso até visualizar de tal forma: 'Papaiiiii, papaiiiii.' Aquele grito comprido e de novo: 'Papaiiiii.' Era um 'papaiiiii' muito valente. Era uma criança valente, com força. Ela repetiu, não posso precisar quanto tempo ela gritou, mas o suficiente para eu ficar... eu fiquei para lá e para cá, incomodada com aqueles gritos. Eu pensei: 'Eu não quero ficar com essa impressão.' Mas eram muito nítidos aqueles gritos:

'Papaiiiii.' Reverberava, parece que dizia: 'Se você ajudar, eu saio dessa.' Falava com o pai como que advertindo que precisava de socorro. Fiquei andando para lá e para cá pensando: 'Meus Deus, isso não para.'"

A advogada encostou-se na pia da cozinha. Achava que, dali, poderia conseguir entender melhor de onde vinham os gritos e a motivação deles (seria uma briga de casal?), mas os sons pararam por algum tempo. "Deve ter ocorrido de quatro a cinco minutos, mais ou menos, que tinha parado, aí veio um outro grito: 'Papai', um papai mais cansado, distanciado. E, depois de um minuto, um minuto e meio, outro 'papai', já assim abafado. Eu pensei que ela tivesse se afastado ou alguém tapou a boca dela, alguma coisa. Cessou, um silêncio total."

A advogada desceu, então, ao quintal para investigar melhor. Mas, em uma rua com vários prédios, essa não era uma tarefa tão simples. Desconfiou primeiro que os gritos pudessem ter vindo do condomínio vizinho de muro, o Versailles. A advogada esperou, esperou, mas os gritos não vieram mais.

Decidiu, assim, voltar para dentro de casa, mas sem desistir da investigação. "Fui no banheiro, encostei a cabeça na janela para ver se aquele grito tinha vindo do meu vizinho, para eu avisar o dono que não quero tragédia aqui. Coisa minha." Como também não ouviu nada, voltou para o quintal.

Foi então que ouviu uma mulher gritando "ferozmente". "Já tinha transcorrido aí de cinco a oito minutos, não estou precisando o tempo, começou uma mulher gritando, gritando feroz. Aquele silêncio e uma gritaria, gritando, xingava, esbravejava, xingava, não posso precisar o que ela falava, só vou falar um palavrão, acho que ela disse, acho que não é uma palavra que se diga, mas eu penso que ela falava: 'Porra, não tem segurança, esses guardas.' Foi isso que eu ouvi. O resto foi xingatório, isso continuou, durou uns minutos."

Depois vieram os gritos de outras pessoas como "não toca nela", "chama a polícia", "chama o bombeiro". E mais gritos "não toca nela". "Já tinha passado uns quinze minutos e eu pensava: "Mas ainda não chamou?""

Geralda só entendeu parte do que ocorria quando teve coragem de abrir o portão do quintal que dava acesso à rua. Pediram um copo d'água para uma senhora que passava mal e contaram que uma criança havia sido jogada do prédio. "Aí, pensei: 'Não teve outro grito nesta rua. Então, foi isso que aconteceu.'"

Durante todo o tempo em que esteve no quintal, Geralda não tinha uma visão do gramado do London. Só conseguia ver do primeiro andar para cima, onde percebeu um morador olhando para ela. "Vi um senhor meio gordo, sem camisa. Ele me viu no quintal. Vi que ele estava me vendo."

"Quando amanheceu, este senhor que eu tinha visto e que não sei o nome dele, não conheço ninguém de lá, ele falou assim: 'A delegada vai te ouvir.' Eu pensei: 'O que eu tenho com isso aí?'"

A delegada Renata Pontes conseguiu localizar dona Geralda na terça-feira, quando a morte de Isabella Nardoni já era um assunto nacional.

— Pelo amor de Deus. Eu não quero me envolver nisso — implorou a advogada. — Não quero depor, não quero falar nada.

A policial disse que, por envolver crime grave, não havia opção.

— A senhora pode ir comigo, a gente chega na viatura, ninguém vai ver a senhora, não vai ter assédio da imprensa — garantiu Renata.

— Não posso mesmo ficar fora disso?

— Não. Eu preciso ouvir a senhora.

A nova testemunha dava à polícia uma nova possibilidade para os gritos que seu Lúcio tinha relatado. Parecia certo que alguma criança havia gritado naquela noite, mas, não era totalmente certo que Isabella havia sido atacada pelo pai — como inicialmente aparentava. Geralda tinha interpretação sobre os gritos totalmente contrária à dele: se os gritos eram realmente da menina, ela, na verdade, clamava pela presença de Alexandre diante de algum tipo de perigo.

Até porque a versão da advogada tinha um intervalo entre os gritos que a primeira testemunha não tinha conseguido detectar. Isso também abria até a possibilidade de nem ser a vítima que gritara naquela noite.

Instalava-se, assim, uma dúvida importante: as duas testemunhas eram idôneas, nenhuma delas tinha motivos para mentir, mas também era certo que apenas uma delas estava correta. Caberia a Renata descobrir qual delas.

Até aquela manhã, a equipe de policiais do 9º distrito tinha tomado também as declarações do porteiro Valdomiro, que dizia ter ouvido o barulho da queda. A informação do barulho tinha certa importância à investigação porque, segundo os médicos legistas, havia dúvidas até mesmo se a menina tinha sido jogada pela janela do sexto andar (em razão da pouca quantidade de ferimentos) ou se fora colocada no gramado depois de ferida, quase morta. Essa possibilidade não tinha sido totalmente afastada até aquele momento.

De relevante para a investigação, o porteiro do London disse que não se lembrava da entrada do casal Nardoni porque os motoristas tinham controle remoto e acessavam a garagem sem abaixar o vidro do carro. Como não havia se familiarizado com os veículos dos condôminos, não conseguia precisar o momento em que a família chegou ao prédio, até porque não tinha câmeras nos elevadores.

O que podia garantir é que ninguém estranho acessara o prédio naquela noite pelo portão social. Apenas três movimentações: "Uma moça, a qual se dirigiu ao apartamento 73, e o filho do seu Lúcio e a namorada, que foram ao apartamento 12",[4] disse ele. "O filho do seu Lúcio foi poucas horas depois [das 18h]. A menina, não recordo quanto tempo foi."[5] Além deles, apenas a família de Sérgio Luiz Curuchi, do apartamento 44, saíra por volta das 23h. Não há registro de que a polícia tenha questionado essa testemunha sobre uma possível omissão em relação à quantidade de pessoas que acessaram o prédio naquela noite, detalhe que será abordado mais à frente.

Valdomiro também negou que tivesse se ausentado de seu posto por algum momento, como o casal havia afirmando em seu depoimento.

Como não havia certeza da entrada do casal no prédio, e o porteiro não tirava essa dúvida, os policiais passariam a considerar como "testemunha-chave" o consultor de segurança Waldir — morador do prédio vizinho.

---

[4] Processo 0002241-66.2008.8.26.0001, p. 15.
[5] Idem, p. 2.079.

O PIOR DOS CRIMES

Ele contou aos policiais que estava com a mulher na cama, pronto para dormir, quando, por volta das 23h, escutou o barulho de uma discussão entre um casal do prédio vizinho, o London. Disse que o entrevero teria durado cerca de quinze minutos e, depois de um hiato de tempo, o silêncio foi quebrado pelos gritos de uma mulher — que ficou sabendo mais tarde se tratar da madrasta — relatando a queda da menina.

Waldir enfatizou em seu depoimento que reparou "claramente" que "o horário do relógio indicava as 23h23". "Justamente no momento em que o depoente e sua esposa ouviram claramente uma mulher dizendo 'jogaram a Isabella do sexto andar'", diz trecho do depoimento.

Como a janela do quarto dele ficava quase no mesmo nível do apartamento dos Nardoni, os policiais consideram que o consultor tinha condições de ter ouvido alguma coisa. A versão de Waldir indicava que o casal mentia em ao menos dois pontos importantes: primeiro, sobre o horário de chegada ao prédio. A madrasta tinha dito até que o celular havia vibrado já perto de casa, "23h29 ou 23h30", mas o consultor havia ouvido a briga se iniciar às 23h. E segundo, tão grave quanto, o casal omitia ter havido uma briga entre eles na noite do crime. Um comportamento suspeito.

Os policiais também localizaram e ouviram as duas outras pessoas listadas por Alexandre e Anna. Uma delas foi o pedreiro Mizael dos Reis Santos, de 31 anos, que negou envolvimento no crime. Explicou a história da antena do apartamento 52 e a da insignificância disso para que tivesse raiva dos Nardoni e, muito menos, da criança. Disse que passara a noite de 29 de março com sua namorada. Calixto Calil disse a jornalistas ter ficado convencido da sinceridade do rapaz. "Foi um depoimento de quem não estava ofendido com ele, não estava bravo com ele. A culpa do pedreiro está perdendo força."[6]

O zelador Luiz Alves da Silva, de 43 anos, também negou envolvimento no episódio. Negou igualmente ter perguntado, na sexta e no

---

[6] "Menina que caiu de prédio em SP foi asfixiada, indicam exames". *Folha de S.Paulo*, 1º abr. 2008.

sábado, se Isabella era filha apenas de Alexandre. O funcionário também disse que, na noite do crime, estava em casa com sua mulher, e que foi avisado por volta de 0h30 de que a menina tinha caído da janela, por uma funcionária do prédio de nome Patrícia — acionada pela empresa responsável pela segurança do London. Parte do depoimento dela foi destinada, porém, a ajudar os policiais a entender a dinâmica do London e o número de moradores espalhados em cada um dos andares. Foi ele quem confirmou à polícia a existência de um morador com uma caminhonete preta, como Anna falara. "Pertence ao morador 14, o senhor Rogério."

Rogério Stanco, um gerente de 29 anos, foi ouvido pelos policiais na terça-feira. Ele confirmou ser proprietário de uma caminhonete Chevrolet Montana preta e ter chegado ao London depois das 23h acompanhado da mulher, com o som do carro ligado "em volume médio". Disse que, como tinha três veículos para duas vagas de garagem, precisava deixar um deles na rua em frente ao prédio. Após estacionar a Montana, levou para fora o Fiat Uno. Ao deixá-lo na porta do prédio, adentrou pelo portão social, passou pela guarita, acessando a área interna do edifício em direção ao elevador social. "Que, imediatamente ao adentrar no apartamento, dirigiu-se à sacada, abrindo a porta, para soltar seus dois cães que estavam ali presos, momento em que avistou já vários policiais próximos à piscina do prédio; que, de pronto, estranhando o fato, interfonou na portaria, onde recebeu a informação do porteiro de plantão que uma criança havia caído do sexto andar."[7]

Para tentar entender melhor o casal Nardoni, a polícia decidiu falar com os vizinhos antigos, do condomínio Vila Real, onde encontraram o autônomo Paulo César Colombo, então com 42 anos de idade, que tinha, em tese, uma versão comprometedora contra o casal, em especial contra a madrasta.

Assim como outros vizinhos, negou saber de violência doméstica, ou maus-tratos contra as crianças, incluindo a vítima, mas conhecia casos de ciúmes de Anna. Colombo se destacou entre esses vizinhos porque,

---

[7] Processo 0002241-66.2008.8.26.0001, p. 96.

além de ter morado por meses ao lado do casal (ele no 62, e os Nardoni no 63), tinha detalhes incriminadores. No documento assinado por ele na polícia, o autônomo disse "que eles [os Nardoni] discutiam muito, no apartamento e, inclusive, até por telefone. Discussões essas que pôde ouvir e sabe dizer que Anna Carolina sentia ciúme da ex-mulher de Alexandre; que numa das discussões do casal pôde ouvir Anna Carolina dizer que Alexandre teria 'ferrado' ela, Anna Carolina, que tinha dois filhos dele e que estava mal casada, uma vez que ele, Alexandre, tinha uma ex-mulher, que infelizmente havia laços que não seriam desvinculados".

Naquele contexto, a informação era de extrema importância, porque, ao dizer sobre os "laços que não seriam desvinculados", a testemunha indicava um claro descontentamento da madrasta com a presença de Isabella na vida do casal e, naquele contexto, era altamente incriminador. Isso era exatamente o oposto do que Anna havia afirmado aos policiais — dizia adorar a enteada — e indicava uma possível motivação do crime: o rompimento "dos laços" do marido com a outra.

A polícia fecharia o terceiro dia de investigação ainda com muitas dúvidas sobre o ocorrido no apartamento dos Nardoni. A versão de Geralda, especialmente, aumentava, em tese, o esforço de que a polícia precisaria para esclarecer o caso. Havia muitas dúvidas, mas, a partir do dia seguinte, porém, a polícia passaria a dizer exatamente o contrário disso.

# 13

# Passa-moleque

OS POLICIAIS APRENDEM DESDE A ACADEMIA que as primeiras 48 horas após o crime são as mais importantes de toda investigação. São as chamadas "horas de ouro". Se os investigadores não conseguem desvendá-lo dentro desse prazo, as chances de isso acontecer vão reduzindo com o passar das horas, já que as provas começam a se deteriorar e as versões de suspeitos e testemunhas passam a sofrer interferências de tempo e de outras pessoas.

Como o caso Nardoni caminhava para completar 72 horas e já atraía a atenção de todo o país, os trabalhos do 9º distrito se tornaram um dos assuntos prioritários da cúpula de segurança paulista e um dos temas centrais da reunião do Conselho da Polícia Civil realizada na manhã daquela quarta-feira, 2 de abril. A imagem da instituição poderia ser arranhada de maneira indelével se não conseguisse demonstrar ao país quem tinha matado Isabella.

Dessa reunião, que ocorre uma vez por semana, participam apenas os mais graduados e importantes delegados do Estado. Numa comparação superficial com a Igreja Católica, reúnem-se apenas o papa e os vinte cardeais mais renomados. Ainda nessa hierarquia eclesiástica, Renata Pontes, como delegada de 3ª classe e plantonista de distrito, estava para um padre de periferia em início de carreira. Por isso, nem passara perto do prédio da Secretaria da Segurança Pública, na rua Libero Badaró, no centro de SP, onde toda a cúpula da polícia estava reunida em torno de uma grande mesa de madeira que reluzia, na cabeceira, a feição pouco feliz do delegado-geral Maurício José Lemos Freire. Embora fosse o "papa", ele tinha apenas 55 anos e aparência muito jovial. Os cabelos negros e o porte atlético dos esportes que praticava faziam com que parecesse filho de alguns delegados.

Conforme depois contariam alguns delegados que participaram dessa reunião, Freire cobrou explicações sobre o andamento do caso Nardoni a um dos seus cardeais, o delegado Aldo Galiano Júnior, diretor do Departamento de Polícia Judiciária da Capital (Decap) e responsável por todos os 93 distritos da capital. Ainda segundo as testemunhas dessa reunião, o policial não conseguiu convencer o chefe e os outros colegas de que as coisas iam bem no 9º distrito.

"O Maurício deu uma dura pública (na frente de todos os diretores) no Aldo Galiano, cobrando resultado imediato da investigação. Diante da hesitação do Aldo, o Maurício determinou que, daquele momento em diante, o caso Nardoni seria responsabilidade do DHPP", contaria um dos diretores da polícia à época sobre o clima da discussão daquele dia. É no DHPP que se concentram equipes especializadas em esclarecer homicídios. Os policiais do 9º distrito não tinham tal especialização.

Maurício confirmaria, anos depois, que realmente deu tal ordem. "Como o Decap não estava conseguindo responder com a velocidade que se exigia de um caso sério, com clamor popular e da mídia, nada mais justo que o DHPP assessorasse ou assumisse o caso. Os Homicídios teriam mais condições, em razão de suas equipes especializadas, de dar uma pronta resposta à população. Queria que o DHPP assumisse para poder ter mais agilidade. Em vários casos a gente fez isso. Não foi uma coisa dirigida para alguém. A gente analisava a situação: não consegue fazer sozinho? Vamos botar quem tem mais condições, quem está mais direto, está no dia a dia, está na dinâmica daquilo. O DHPP sempre foi a menina dos olhos da polícia porque sempre solucionou com muita eficiência. Um índice de esclarecimento brilhante. Uma ilha de excelência."

O PIOR DOS CRIMES

— Então está decidido. O caso passa agora para o DHPP — teria dito Maurício, que, ato contínuo, dirigiu-se ao diretor de homicídios Carlos José Paschoal de Toledo para confirmar a ordem. Por ser um novato no conselho, recém-nomeado "cardeal", o diretor estava no canto oposto ao do delegado-geral, lá no final da mesa.

— Vocês assumem — ordenou Maurício.

A transferência foi aprovada pelo conselho, sem restrições, e a reunião continuou com os outros assuntos da pauta. Oficialmente, as investigações deixariam as mãos da delegada Renata Pontes e seriam destinadas ao delegado divisionário do setor de homicídios, Marcos Carneiro Lima, que chegou a ser comunicado da ordem do delegado-geral ainda com a reunião do conselho em andamento. Nas horas seguintes, Lima passaria a discutir com suas equipes as estratégias de ataque. Uma delas seria falar pouco e trabalhar muito.

Marcos Carneiro era apontado, pelos colegas e pelo governo paulista, como um dos mais capazes policiais de São Paulo. Parte dos jornalistas responsáveis pela cobertura policial também o considerava capaz e honesto, qualidades que o levariam poucos anos depois a ser delegado-geral na gestão do secretário Antônio Ferreira Pinto.

Entre os casos mais emblemáticos esclarecidos por ele, estava o sequestro e morte do menino Ives Ota, de 8 anos, em 1997, muito famoso à época. Carneiro e sua equipe descobriram que o crime havia sido praticado por um grupo formado por um motoboy e dois policiais militares, sendo um deles prestador de serviço de segurança particular à família de comerciantes da vítima. Todos foram presos e condenados a mais de quarenta anos de prisão cada um. O menino, descobriu-se depois, havia sido morto logo após reconhecer um dos sequestradores e teve o corpo enterrado debaixo do berço da enteada do motoboy. "Foi o caso mais dramático da minha carreira", registraria o delegado em livro autobiográfico.

Muitas dessas investigações exitosas conduzidas por ele ocorreram pelo departamento de homicídios apoiando delegacias da capital e do interior. Uma delas, muito elogiada pelo governo, ocorreu em janeiro de

2009, em Americana, interior de São Paulo. Sua equipe foi enviada para auxiliar a polícia local com dificuldades para esclarecer o assassinato de uma família inteira: um casal e as filhas, uma com 18 meses de vida e a outra com 8 anos de idade. A estratégia para identificação dos suspeitos e obtenção das provas para condenação na Justiça foi montada por Carneiro, plano que resultou na prisão de dois empregados da família e a mulher de um deles. Eles confessaram o crime.

Além disso, o policial tinha em sua equipe um delegado que poderia ser considerado uma importante "arma" para tentar elucidar o caso, algo que os policiais do distrito nem sonhavam existir: alguém que conhecia os Nardoni.

O que nem Carneiro Lima nem outros policiais contavam é que, para evitar a transferência ordenada pelo chefe, Aldo Galiano decidiu criar um empecilho legal: ordenou aos policiais do 9º distrito que pedissem a prisão do casal. Essa é, pelo menos, a versão existente na cúpula da polícia paulista.

Legalmente, a transferência do inquérito para o DHPP só seria possível porque não tinha a "autoria conhecida". Se houvesse algum pedido de prisão apresentado à Justiça, ainda que fosse negado, a investigação não poderia ser repassada para outra equipe — ser "avocada".

Continuaria obrigatoriamente no mesmo distrito.

— As prisões foram a saída, casuística, do Aldo para a investigação continuar no 9º DP — disse a mim, em entrevista para este livro, um diretor presente à reunião do dia 2.

Freire ficou com essa mesma certeza: Aldo teria aplicado nele e no conselho um "passa-moleque". "Se eu soubesse que estava no ponto de pedir a prisão de alguém, eu diria: 'Então termina, acabou. Faz tudo.' Evidente que diria isso. Não teria mandado o Toledo assumir. Quando se pede uma prisão, é porque se tem certeza absoluta. Se estava nesse ponto, ele poderia ter antecipado na reunião do conselho. Não precisava ter havido todo esse desgaste. Ou não estava no ponto e houve uma acelerada para não perder o caso."

O PIOR DOS CRIMES

Não se sabe ao certo que motivos levaram Aldo Galiano a fazer isso, se realmente o fez, pois não existem provas dessa ordem, mas colegas do delegado dizem acreditar que o motivo seja um só: vaidade. O policial não queria perder a chance de conceder entrevistas, em especial às emissoras de TV, e, indiretamente, se cacifar para se tornar delegado-geral — um desejo que o policial não disfarçava.

Esses movimentos pareciam tão óbvios que o diretor do Decap não só perdeu a amizade como o respeito do delegado-geral. "Sempre admirei o Aldo. Houve um desgaste pelas atitudes dele, mas sem mágoa, sem rancor. Cada um sabe o que faz. Sabe o que vai responder lá em cima, se estava certo ou errado."

Sem mágoas ou rancor não significa sem consequências. Não demoraria para que Galiano perdesse o importante cargo de diretor da Decap, a vaga do Conselho da Polícia Civil, e o status de cardeal. Seria mandado para a chamada "Nasa" — um apelido dado na polícia ao lugar onde os policiais ficam encostados, sem função, como um padre que apronta em sua paróquia.

Assim como na cúpula da Polícia Civil, a notícia do pedido de prisão no final da tarde deixou os jornalistas atônitos. Todos passaram a questionar que provas a polícia tinha obtido ao longo daquele dia para as coisas mudarem tão radicalmente. O delegado Calixto Calil, que não prendera o casal em flagrante por falta de provas, havia concedido nova entrevista sobre a ausência de elementos para indicar alguém como suspeito. O discurso cauteloso era reforçado pelas declarações da delegada seccional Elisabete Sato, chefe de Calixto Calil, mas ainda subordinada de Galiano.

— É importante que, neste momento, nós tenhamos calma suficiente para fazer a investigação. Em uma investigação, no início, é muito precipitado apontar A, B, C ou D. Quem sabe no futuro nós possamos fazer uma reconstituição para dirimir as dúvidas que surgirem com os depoimentos — afirmou Sato aos jornalistas, no começo da tarde, ao chegar ao 9º DP.

Quando o pedido foi confirmado, e aceito pelo juiz Maurício Fossen, os jornalistas passaram a deduzir que tinha sido a mãe de Isabella quem dera motivos para isso. A bancária tinha prestado depoimento naquele dia e, na saída do DP, não quis falar com os jornalistas e ainda deixou uma frase enigmática.

— Não tenho nada a declarar. Que a Justiça seja feita agora.

O depoimento de Carol não tinha nada revelador, nem sequer havia sido juntado às 136 páginas do inquérito que embasou o pedido de prisão, mas, como nem Calil nem Renata deram explicações aos jornalistas, as notícias sobre o pedido de prisão foram baseadas em suposições.

Calixto Calil diria anos depois que não atendeu a imprensa por ordens superiores. "Ele [Galiano] quis falar. Ele era meu diretor, meu superior, então deixamos ele falar. Não iríamos cortar a frente dele. Ele que foi prender o casal."

O delegado nega, sem muita convicção, que a decisão de prender o casal tenha sido ordem do diretor Galiano. Diz que ele e Renata resolveram fazer tal pedido. "Amanhã eu posso ser convocado para justiçar isso daí. Eu não faria isso, não [prender por ordens superiores]", disse o policial. Um delegado pode responder processo se prender a pedido ou ordem de alguém.

Essa afirmação de Calixto Calil, sobre o medo de ser convocado, parecia vir de um pensamento que deixou escapar em voz alta. Assim como parecia deixar escapar que não acreditava que a Promotoria fosse concordar com a prisão naquele momento. "Até eu fique surpreso. Para mim foi uma surpresa, pensei que ele [promotor] não fosse concordar, que iria pedir mais diligências. Mas ele disse: 'Eu concordo com a temporária. Eu manifesto favorável. Vamos ouvir o juiz agora.'"

Também admite que não tinha sequer uma convicção completa da culpa do casal. "Na prisão temporária, não estava muito seguro não. Eu confesso. Mas estava começando a ficar desconfiado deles."

Por fim, ainda sobre o embate entre Galiano e o conselho da polícia, afirmou que ficara sabendo dessa reunião.

— Eu sou um soldado. Cumpro ordens — resume o policial.

O PIOR DOS CRIMES

A delegada Renata não quis falar comigo sobre esse e outros episódios da investigação. Quando foi questionada sobre o assunto meses depois, durante uma audiência na Justiça, ela negou interferência de qualquer superior.

— A minha representação foi decisão minha, convencimento meu — respondeu ao ser questionada pela Promotoria.

Policiais são chamados a depor na Justiça algumas vezes para esclarecer alguns pontos da investigação que não estão no processo.

O próprio comportamento da delegada indica, porém, que não era ideia dela pedir a prisão do casal naquele dia. Conforme ela mesma diria em depoimento à Justiça, naquela quarta, além dos depoimentos agendados, Renata havia combinado de acompanhar novos trabalhos de peritos do IC no London. Seriam realizados exames complementares no apartamento do casal, inclusive com reagentes químicos capazes de detectar manchas de sangue invisíveis a olho nu. Os trabalhos se dariam à noite porque precisavam ser realizados no escuro, já que os resultados de alguns desses exames se dão pelas cores e intensidade de luzes. "Eu ia acompanhar, mas foi exatamente no dia que a gente compareceu aqui no Fórum para pedir a temporária", diria a policial na Justiça.

Policiais contaram a jornalistas que Renata havia se colocado contra a prisão, por falta de elementos suficientes, mas acabou acatando ordem de superiores.[1]

A única explicação da polícia para a prisão do casal foi dada pelo delegado Galiano apenas no dia seguinte, na quinta-feira, momentos depois de o casal se apresentar espontaneamente a um juiz no Fórum de Santana.

O policial assumiu o papel de porta-voz da polícia e mergulhou no mar de microfones, flashes e câmeras de TV em transmissões ao vivo. Falou sobre a prisão dos suspeitos, mas sem explicar exatamente os detalhes. Foi genérico, evasivo e, de certa forma, contraditório.

---

[1] "Polícia diz que não errou, mas já admite 3ª pessoa". *Folha de S.Paulo*, 12 abr. 2008.

— Os motivos do pedido da prisão são vários. Existem várias contradições que precisamos esclarecer, mas não falaremos nada sobre os fatos. A prisão temporária é justamente para esclarecer esses pontos. A polícia precisa ser técnica e trabalhar em cima de provas. Nós não podemos entrar em polêmica e cometer qualquer injustiça. Nós precisamos de prudência, cautela, ou vamos comprometer toda a investigação — alegou o diretor.[2]

---

[2] "Casal se entregou à Justiça após negociar por garantia de segurança, diz delegado". *Folha de S.Paulo*, 3 abr. 2008.

# 14

# Doutores da rua

A RUA DR. ALEXANDRE FERREIRA PODE até ser considerada suja, feia e mal planejada, mas é repleta de pessoas honestas e trabalhadoras. Muitas das quais não escondem que a esperança de uma vida melhor pelo esforço pessoal, pelo trabalho, vem do exemplo de superação deixado pela família Nardoni.

Ali, a notícia da prisão do filho de dona Cida e seu Toninho foi devastadora. Foi como se, em um único golpe, o eixo da Terra tivesse sido modificado e todas as memórias mais antigas e doces começassem a despencar do céu. Muitos dos vizinhos ali dizem que, entre as suas lembranças mais ternas, estão as festas realizadas pelos Nardoni, que, mesmo no tempo de vacas esqueléticas, colocavam uma caixa do aparelho de som na garagem e dançavam até altas horas. Uma festa regada a pão de mortadela e refresco em pó em comemoração a qualquer coisa.

"A simplicidade não os deixou. Apenas a condição de vida que mudou. Hoje, eles têm uma condição de vida privilegiada, mas continuam simples como sempre foram", diz Sandro, filho de Carmem, que cursou faculdade de direito seguindo, segundo ele, o exemplo de Antônio Nardoni.

Os moradores ainda guardam fotos dos tempos em que Alexandre e Cris eram pequenos. Em uma delas, Cris está vestida de Papai Noel, segurando um presente dourado, para desejar boas-festas naquele ano de 93 e um ótimo 94. "Com carinho e amor, uma recordação da garotinha que gosta tanto demais de vocês todos", diz a dedicação à tia Carmem e ao tio Jervázio.

Há até uma lembrança do primeiro aniversário de Isabella, com uma foto de um período em que tinha pouco cabelo, ainda sem franja.

Outro registro é a foto do aniversário de 7 anos de Alexandre, quando dona Cida fez um grande bolo ovalado e, sobre ele, desenhou uma pista de corrida de Fórmula 1 sobre um gramado verde. Pela pista também oval e marrom, cercada por bandeiras coloridas, foram distribuídos quatro carrinhos de corrida. A confeiteira não deixou de colocar também um carro de bombeiro e uma ambulância branca de prontidão em pontos estratégicos do autódromo, feita de farinha e açúcar.

O tema do aniversário, explicam os amigos, atendia o desejo do menino que, desde muito cedo, nutria paixão por carros velozes. Na festa estavam os filhos de dona Paula, assim como a própria, muito anos antes de o rapazote procurá-la para pedir, educadamente, a mão de Patrícia em namoro.

"Eu fiquei quatro dias internada", diz a ex-sogra sobre a prisão do casal. "Eu tenho asma nervosa. Fiquei tão chocada, tão nervosa, que fiquei quatro dias internada. Eu dizia: 'Eu não acredito, não acredito.' Até hoje não acredito que foi o Alexandre que fez aquilo. Ele era tão carinhoso com aquela menina. Nossa, ele amava aquela menina. Tratava a menina como uma princesa. De repente acontecer aquilo? Não foi de sã consciência. Se foi ele, foi um acidente."

"Eu não acredito que foi nem ele nem ela", também me diria Patrícia, a ex-noiva de Alexandre. "Eu olho para o Alexandre como se não fosse real tudo isso. Não acredito, não condiz com ele. Eu posso dizer: eu convivi, não só no namoro, mas eu cresci e convivi com ele dos meus 6 anos de idade até o dia da tragédia. O sonho da vida dele era ser pai. Ele tinha 18 anos e, pode ver nas cartas, ele falava que queria ser pai. Eu quero ter filho, quero casar, ter uma família. Como uma pessoa que sempre falou isso poderia fazer isso que dizem?"

Na casa de dona Carmem, a sensação, como dizem, também é de um luto duplo — pela morte de Isabella, que conheciam bem, e pela prisão de Alexandre, que conheciam ainda mais. "A gente sofreu muito", diz Valdineia, filha de Carmem e outra que estava na festa de aniversário. "No começo, eu lembro, eu dizia: 'Gente, eu preciso tirar isso da minha cabeça.' Não conseguia nem dormir. Uma história dessas com uma pessoa tão próxima. A gente nem consegue acreditar. Eu pensava: 'Isso daí foi um sonho, um pesadelo, eles não estão vivendo isso, vão acordar'", contou-me ela cercada pela família.

Dona Carmem também fala sobre sua incredulidade. "São gente fina mesmo. Gente muito boa", diz ela sobre os Nardoni. "Tem horas que fico pensando: o Alexandre ia fazer isso? Tem horas que eu acho que foi, porque não apareceu outra pessoa. Mas como ele ia fazer isso? Não, não ia fazer isso. O modo que ele amava aquela filha. Não. Não foi ele não."

"Tem um fato que está gravado na minha cabeça", continuou Valdineia. "A imagem da Isabella sentadinha na calçada. Ele jogando bola, o Alexandre jogando uma pelada na rua com os moleques. O seu Toninho também estava. Eles sempre faziam isso. O Alexandre vinha, abraçava, beijava a menina, e voltava para o jogo. Tinha um carinho muito grande por aquela menina. Até hoje, para a gente, é difícil acreditar no que aconteceu."

"As pessoas acham que os Nardoni são uma família de monstros porque estão apoiando um monstrinho. Isso não é a realidade", conclui Valdineia.

Monstro também foi a forma utilizada por Alexandre para descrever a pessoa que assassinou sua filha numa carta enviada e divulgada por seus advogados após a prisão. "Quando me dei conta que tinha perdido a Isabella, senti naquele momento que meu mundo acabou. Não sei como caminhar. Todos estão me julgando sem ao menos me conhecer, não faria isto com ninguém muito menos com minha filha. Amo a Isabella incondicionalmente e prometi a ela, em frente a seu caixão, que enquanto viver não sossego, até encontrar este monstro."

A carta era escrita de próprio punho em papel de caderno, com um adolescente coração estilizado no canto inferior direito. A caligrafia era praticamente a mesma daquela usada nas declarações de amor a Patrícia, embora tivesse menos erros de português do que naquela época.

"Tiraram a vida de minha princesa de uma maneira trágica e não me permitem sentir falta dela, pois me condenam por algo que não fiz. Minha filha, como os irmãos dela, são tudo na minha vida, estou sem rumo", continuou. "Tenho muito mais a dizer, mas espero que um dia me escutem como um pai que sofre por sua filha e não como um monstro que não sou."

Em trecho da carta de 33 linhas, Alexandre também faz referência à família. "Minha mãe está à base de calmantes por falta do nosso botão de rosa, como ela diz. Meu pai chora quando se lembra dela e quando assiste a cada reportagem. Minha irmã e minha mãe choram pelo que estão fazendo", escreveu.

Ainda nessa mensagem, divulgada por praticamente todos os grandes veículos de comunicação do país, o pai de Isabella tenta responder as críticas por ter se furtado a aparecer e explicar o ocorrido. "Nós não tínhamos feito nenhuma declaração ainda porque acreditávamos que o caso seria solucionado. Nós não somos os culpados e ainda encontrarão o culpado. Dessa forma não precisaríamos mostrar a nossa imagem porque o nosso sofrimento é muito grande."

O ex-morador da rua Doutor Alexandre Ferreira, então inquilino de uma das celas do 77º distrito policial, no bairro de Santa Cecília (região central), finalizou com uma frase de efeito: "A verdade sempre prevalecerá."

Anna ficaria detida no 89º distrito policial, no Portal do Morumbi, zona sul da capital. De lá também mandaria notícias por meio de uma carta, igualmente escrita à mão e no mesmo papel de caderno adolescente, na qual declarava amor à enteada e tocava em ponto culturalmente importante.

"Sei que a palavra madrasta pesa ao ouvido dos outros, mas para a Isa sei que eu era a tia Carol. Amo ela como amo os meus filhos", escreveu, em referência à visão negativa que se tem da madrasta — estereótipo do mal personalizado nos contos infantis (incluindo as histórias da Disney).

"Eu, o Alexandre e minha sogra fizemos o quarto dela como ela sempre sonhou. Compramos o baú da Hello Kitty. Ela adorava as Princesas da Disney e compramos um abajur. Mas, acima de tudo isso, o carinho era o que mais contava."

"Então o que tenho a dizer é que a Isabella era tudo para todos nós. Tenho fé que encontraremos quem fez esta crueldade com nossa pequena. Não tínhamos dado nenhuma declaração porque acreditávamos que o caso seria solucionado. Somos inocentes e a verdade sempre prevalecerá", finalizou da mesma forma que o marido, coincidência que seria criticada.

Parecia algo ensaiado demais.

# 15

# Confissão perdida

Os efeitos da prisão do casal Nardoni, a despeito das verdadeiras motivações, seriam imediatos e devastadores aos rumos da investigação.

Aldo Galiano e os policiais do 9º distrito mantiveram o controle do caso, continuariam dando as cartas, mas aniquilaram a única chance que a polícia tinha de esclarecer totalmente o crime — com uma possível confissão do casal. Era isso que vinha sendo tratado em negociações secretas entre delegados do departamento de homicídios da capital e o pai de Alexandre.

Longe das câmeras e microfones, Antônio Nardoni havia se reunido com o delegado Laerte Idalino Marzagão Júnior, chefe de uma das delegacias de homicídios e com quem o advogado tinha certo grau de amizade havia anos por conta de um amigo em comum, para tratarem do assassinato de Isabella.

A versão existente na cúpula da Polícia Civil à época, segundo entrevista com dois delegados e outros policiais ouvidos para esta obra, era a de que Toninho procurou o colega e sugeriu a possibilidade de apresentar o filho para uma confissão espontânea. Recebeu a garantia de que, se isso acontecesse, se o rapaz confessasse o crime, não haveria prisão imediata nem pedidos durante o curso da investigação — desde que não viessem a cometer novos crimes.

O acordo teve o aval de todos os chefes de Marzagão Júnior: em escala ascendente, foram comunicados sobre a possibilidade de um acordo o chefe da divisão de homicídios Marcos Carneiro Lima, o diretor do departamento Carlos José Paschoal de Toledo e o delegado-geral Maurício José Lemos Freire. Todos ficaram sabendo da possibilidade do acordo e concordaram com ele.

"Lembro que o Marzagão chegou a falar comigo. Ele disse: 'Eu tenho contato com o pai do rapaz. O pai se dispõe a falar a verdade se o caso vier para o DHPP e a gente tocar por aqui. Eu disse: 'Fala para ele que, se ele se dispuser a fazer isso daí, a gente aceita [o acordo], contando a verdade, tudo.' Mas acabou, não sei por qual motivo, o pai desistindo", confirmaria Carneiro anos depois.

"Existe a possibilidade de não fazer o flagrante nos casos de apresentação espontânea. Muita gente se esquece disso. Por que faríamos isso? Porque eles não são bandidos contumazes. Eles teriam cometido um único crime. A polícia precisa ter sensibilidade para diferenciar isso. Caso ficassem em liberdade e voltassem a praticar outros crimes, como atentar contra as provas, coagir testemunhas, ou coisa que o valha, aí sim caberia a prisão. Porque a prisão é o último recurso, quando não se tem outra possibilidade. Fazendo uma análise pelo comportamento da pessoa, aquilo foi uma tragédia. Tragédia que marcou eles para o resto da vida. E marcou muita gente também."

O delegado Paschoal de Toledo lembraria ainda mais detalhes. "Fui procurado pelo Laerte Marzagão. Disse-me que fora procurado pelo Nardoni pai, a quem supostamente conhecia. Segundo Marzagão, Nardoni pai declarara que o filho fizera uma besteira. Ele chegou a sugerir ao Marzagão que o filho poderia confessar o crime desde que não fosse preso. Fui imediatamente à delegacia geral e cientifiquei o Maurício daquela possibilidade. Ele me autorizou a prosseguirmos. Não me recordo com exatidão por que acabou não dando certo. Creio que as tratativas foram atropeladas pelos pedidos de prisão do casal. De outro lado, a repercussão da mídia sobre os fatos era enorme, o que colaborava, acredito, para aumentar a pressão sobre o Nardoni pai e sua hesitação."

Responsável pelas tratativas, Marzagão também confirmou o encontro com Antônio Nardoni e o teor das negociações, embora alegue ter esque-

O PIOR DOS CRIMES 141

cido detalhes e fale do caso de maneira superficial. "Não lembro muito dos fatos à época. Salvo engano, nós tivemos um contato com o pai de um dos suspeitos. Pessoa que eu conheci anos atrás, mas sem qualquer relação de amizade. Pode ter havido contato para que fosse apresentado e confessado o crime. De acordo com o termo da lei, não existe prisão por apresentação espontânea quando acompanhada por advogado estabelecido no caso. Foi isso que disse a ele. Mas não houve negativa nem assunção de culpa. O fato é que não foi apresentado", disse o policial.

Marzagão, que refuta elos de amizade com os Nardoni, também havia negado inicialmente a existência da conversa entre eles. Só passou a admiti-la quando foi informado sobre as versões dos outros delegados e do próprio Antônio Nardoni. Pediu ainda que seu nome não fosse mencionado aqui.

O pai de Alexandre confirma ter procurado o policial, confirma ter se reunido com ele, mas nega a possibilidade de uma confissão. Alegou ter ido buscar informações sobre os rumos da investigação, dados os rumores de que o caso poderia ser transferido para o departamento de homicídios.

Jamais se tornou pública, porém, a possibilidade de a investigação ser encaminhada ao departamento de homicídios e tais rumores, se existiram, não chegaram ao conhecimento de muita gente. Marzagão nega peremptoriamente que tivessem se reunido para falar da possível transferência das investigações, como diz Antônio. Trataram só da possibilidade de confissão, segundo diz.

É impossível dizer o que Alexandre contaria aos policiais, muito menos ter certeza de que realmente confessaria alguma coisa. Certo, porém, é que, se havia alguma chance de se obter uma confissão, ela se perdera com o pedido de prisão e com a manutenção do caso distante do departamento de homicídios.

Depois disso, os policiais do 9º distrito tentariam, por conta própria, obter uma confissão, mas sem sucesso. Teriam que caminhar com as próprias pernas para conseguir provar a culpa do casal e dizer o que realmente aconteceu. Mesmo com a polícia estando diante de uma estranha história, caberia a ela provar a culpa dos dois — e não ao casal provar que era inocente.

Os termos e até mesmo a existência dessa reunião entre Marzagão e Antônio Nardoni jamais se tornaram públicos. Seriam mantidos em sigilo entre os principais delegados da época, até por conta de sua frustração. Nem mesmo o delegado Calixto Calil tomara conhecimento dela, segundo diz.

Calixto Calil também não ficaria sabendo, diz ele, de outras tratativas secretas que seus policiais daquele distrito mantiveram com Antônio Nardoni, segundo o próprio. "Por duas ou três vezes", segundo conta, ele entrou escondido no 9º distrito em um carro policial para conversar reservadamente com investigadores. Recebeu nesses encontros insinuações de que teria ajuda nas apurações se soubesse a maneira certa de se portar. Uma das providências era contratar um advogado indicado por eles. "As coisas não evoluíram, mas a ideia era essa. Na época, sugeriram que eu estava com o advogado errado. Indicaram um outro advogado, que, segundo eles, saberia tratar melhor as coisas."

As suspeitas de possível pedido de propina por policiais do distrito também existiam na cúpula da polícia. Alguns dos investigadores do 9º DP eram vistos com maus olhos — graves suspeitas se confirmariam pouco depois.

"Que tentaram me tirar dinheiro, tentaram", disse Antônio em entrevista a mim. "Eu não paguei porque, na verdade, porque eu acho que não tinha razão para pagar. O Alexandre não tinha feito nada errado, a Carol também não."

Não há provas de que essas conversações tenham ocorrido e se realmente os policiais queriam extorquir os Nardoni. Mas é fato também que, após a prisão do casal, ao fim de possíveis negociações, investigadores do 9º distrito colocaram o pai de Alexandre entre os alvos da apuração e passaram a abastecer os jornalistas de informações negativas também sobre ele.

Investigadores também passaram a afirmar extraoficialmente que acreditavam na participação de Toninho na limpeza do apartamento, o que caracterizaria alteração da cena do crime, e ainda que ele teria ordenado ao casal jogar a menina pela janela e simular um roubo.

# O PIOR DOS CRIMES

Essas suspeitas nunca se comprovaram, pelo contrário, mas Antônio não conseguiria se livrar das suspeições de ter sido o mandante do crime, conforme a cobertura do caso e apuração para esta obra. Jornalistas de diversos veículos passaram a receber informações negativas sobre Antônio Nardoni, em conversas extraoficiais.[1]

Colocando-se muitas vezes como porta-voz do casal, também se tornaria *persona non grata*, sendo hostilizado pelas ruas da cidade.

---

[1] "Polícia investiga conduta do pai e da irmã de Alexandre". *Folha de S.Paulo*, 23 abr. 2008.

# 16

# Coelho Gabriel

O PEDREIRO GABRIEL DOS SANTOS NETO estava na cidade de São Paulo havia cerca de sete meses. Vinha do interior da Bahia e quase nada conhecia da nova cidade. Para se deslocar na capital, precisava de ajuda, até porque não conseguia decifrar os letreiros dos ônibus. Nunca havia entrado numa escola em seus 46 anos de vida e só sabia assinar o próprio nome como um desenho treinado à exaustão.

Quando decidiu se instalar em São Paulo, contrariando o conselho de amigos, Gabriel tinha basicamente dois únicos objetivos: ganhar dinheiro para ajudar parte da família que ficara na Bahia e a filha, que tinha vindo antes para São Paulo e tentava levantar a própria casa em Diadema. Nos finais de semana, ele dava assistência a ela; nos outros dias, trabalhava na construção civil, tendo como companheiro nas noites solitárias um rádio de pilha de sete faixas. Como não tinha alugado casa ou quarto de pensão na capital, por economia, dormia em um dos cômodos do sobrado, ainda em obras, que ajudara a levantar na rua Salvador Romeu, e que ficava exatamente atrás do edifício London.

Sua vida era muito simples, regular e sem atropelos. Por isso, Gabriel diz ter se espantado ao ser detido e levado à delegacia por dois policiais.

Os investigadores do 9º distrito não explicaram, mas a condução coercitiva do pedreiro (sem mandado judicial) ocorria porque ele, sem saber, havia indicado uma falha nas apurações do caso Nardoni e reabria a possibilidade de ter havido uma terceira pessoa na cena do crime.

Essas informações estavam em reportagem publicada no dia 10 de abril, véspera do julgamento do pedido de *habeas corpus* do casal.

Gabriel havia dito, no dia anterior, que encontrara arrombado o portão do prédio em que dormia no domingo do assassinato de Isabella. Essa informação indicava duas coisas: primeiro que, mesmo onze dias após o crime (seis depois da prisão), a polícia não tinha procurado os moradores ao fundo do London para buscar informações que pudessem ajudar no esclarecimento do crime. Segundo, e principalmente, indicava que alguém havia rompido o portão de madeira existente na construção. Poderia ser a polícia, à procura de um suspeito ou criminoso em fuga. Naquele momento, ninguém (incluindo o comando da PM) sabia do acesso do sargento Messias e sua equipe ao prédio em obras.

A reportagem era baseada no seguinte diálogo que ele teve comigo no dia anterior em um canteiro de obras em que ele trabalhava:

— No final de semana, eu estava lá em Diadema. Lá na casa da minha filha. Então, eu cheguei e pensei que tinha gente que tinha entrado lá dentro. O portão estava assim [arrombado], tal, tudo. Aí, depois, os vizinhos falaram: "Não, foi a polícia que entrou aí, tal, tudo.' Tanto que eu não vi. Também não vi nada. Eu estava em Diadema. Eu cheguei no domingo à tarde. Eu saí na sexta.

— Como foi essa conversa com o vizinho? — perguntei.

— Eu só perguntei: "Ô, Russo, gente roubou a obra aqui." Eu nem quis entrar, não — continuou ele com a frase sem sentido.

— Não quis entrar por que o senhor viu o portão aberto?

— Tava aberto. Aí, eu falei assim, ele estava de lado: "Gente entrou aqui na obra, mas só que não roubou nada." Tinha muito azulejo, muito material lá. Mas só que não roubou nada. Achei até que era gente pra levar mulher lá para dentro, às vezes abre um buraco. Não roubou o rádio, não roubou nada.

— Um rádio? — estranhei.

— Um radiozinho que eu tenho para escutar música. Aí, ele falou assim: "Gabriel, eu não sei não, mas aconteceu um problema no prédio aí. Pode ser até polícia que entrou aí para corrigir alguma coisa." Aí, eu disse: "Só que não roubou nada." Só entrou. Eu não vi movimento de nada.

— Mas ele não viu a polícia?

— Não.

— Disse: "Pode ser?"

— Pode ser. Também não viu nada não.

— O vizinho ouviu algum barulho?

— Não ouviu também não. Eu perguntei para ele: "Você não viu movimento na obra?" Ele disse: "Não, Gabriel, mas *pru* quê?" Eu disse: "Não, porque eu saí daqui sexta-feira e, hoje, quando eu cheguei aí, que foi domingo, aí, gente entrou dentro da obra aí, mas não roubou nada." Aí ele disse: "Ô, Gabriel, pode ser também alguma polícia. Ontem, aconteceu um negócio aí, no prédio, pode ser algum polícia que entrou *tumém* pra puder corrigir aí." Aí, eu disse: "Tava só o portão aberto, mas não roubou, mas não roubou nada também não."

A reportagem publicada naquele mesmo dia tinha ainda o depoimento da enfermeira Christiane Brito, também moradora da rua Salvador Romeu, vizinha à esquerda do sobrado, que afirmava ter escutado barulho na construção, reforçando o testemunho de Gabriel.

— Teve um ladrão que entrou aqui na obra. Mas não roubou nada. Por volta da uma e meia da manhã, por aí. No horário, eu escutei a mulher gritar. Dava para escutar. Daqui dá para escutar tudo. Foi só isso — disse-me a enfermeira.

Quando os policiais pararam em frente ao 9º distrito, Gabriel viu o "rebanho" de repórteres cercar o carro. Os homens da lei dispensaram a entrada lateral — aquela elogiada pela ONG holandesa — e, fato único naqueles dias de apuração, preferiram passar com a testemunha entre a multidão de jornalistas famintos por notícia. Um dos repórteres mais desesperados chegou a dar uma "gravata" no pedreiro para tentar obrigá-lo a falar.

O pedreiro só precisava confirmar o que havia dito no dia anterior, e a polícia, por sua vez, investigaria as informações para afastar qualquer suspeição e, assim, chegaria ao sargento Messias. Mas não foi o que aconteceu.

Enquanto Gabriel prestava depoimento no 9º distrito, os jornalistas se lembravam de uma famosa piada sobre a disputa para descobrir qual era a melhor polícia do mundo. Participavam, entre outras, o FBI (dos EUA), a Scotland Yard (do Reino Unido) e, do Brasil, a polícia de São Paulo. Os organizadores soltavam um coelho na floresta e a polícia que achasse o bicho mais rapidamente ganhava.

Uma das melhores marcas foi do FBI, que usou fotos de satélite, helicópteros, análise de DNA de pelos encontrados e, seguindo os protocolos de investigação, localizou o coelho em 3 horas e 14 minutos.

Ótimo resultado, mas nem perto do que viria a obter a polícia da rainha. Usando analistas de comportamento, estudiosos da espécie dos coelhos e cenouras com sonífero, a Scotland Yard capturou o animal em 1 hora e 30 minutos. Uma marca praticamente imbatível.

Mas, a polícia paulista, com um Chevrolet Ipanema preto e branco (com o porta-malas amarrado por uma corda) e usando apenas um "tirocínio" altamente desenvolvido ao longo de anos de trabalho, conseguiu voltar da floresta em apenas 23 minutos cravados, para espanto de todos. Ao abrir o chiqueirinho da viatura, daí vem o nome, foi retirado um porco amarrado, com alguns hematomas e ainda ligado a um fio de cobre.

— Eu sou um coelho! Eu sou um coelho! Eu juro que sou um coelho! — gritava desesperado o animal.

Terminado o depoimento, Gabriel foi levado para a porta do distrito para explicar aos jornalistas o teor de seu depoimento. Não era uma entrevista, mas apenas uma declaração dada ao lado do investigador Jair Stirbulov.

— Não entrou ninguém lá. Eu não falei nada pra ninguém — disse o pedreiro, mudando radicalmente suas declarações. O homem passaria a negar o arrombamento do portão até mesmo na Justiça, mesmo diante de uma gravação em áudio da entrevista dada ao jornal (e repassada para integrar o processo).

— Nesse portãozinho tem cadeado, alguma coisa? — foi perguntado a ele, dias depois, já na instrução processual.

— Tem cadeado, mas só que de quando eu trabalho lá nunca entrou ninguém, nunca foi roubado nada, nem nunca foi arrombado.

— E nessa segunda-feira, quando o senhor chegou na obra, esse portãozinho estava aberto, estava fechado? — continuaram as perguntas (Gabriel nem diria mais que chegara no domingo, mas na segunda-feira).

— Estava "trancadinho", porque as coisas da gente ficam lá. Inclusive, só a gente tem uma cama, uma coberta lá, pra passar a semana, e as coisas da gente fica lá, tudo normal, ninguém mexe — disse o trabalhador.

Assim como o porco resgatado na floresta, ninguém pode afirmar com certeza se Gabriel foi obrigado a mudar sua versão. As frases ditas por ele no interior do distrito policial indicam, porém, o caminho.

— Doutor, eu vim da Bahia faz seis meses. Eu tenho cinco filhos por lá. Eu mando um dinheiro para eles todos os meses. Eu nem sei entrar naquele prédio. Se eu quiser entrar lá, nem sei como. Sou da roça, do mato. Eu vou matar a criança pra quê? — teria dito aos policiais, segundo reproduziu um deles.

O arrombamento do portão não foi devidamente investigado e a Polícia Civil nunca chegou ao sargento Messias — localizado por mim durante a apuração desta obra.

Com a prisão do casal, a polícia não demonstrou muito interesse em avançar em outras linhas de investigação. Parecia apenas empenhada em obter mais indícios contra o casal. E disposta a tudo.

# 17

# Sem liberdade

Alexandre e Anna foram colocados em liberdade na tarde de 11 de abril, um dia após a reportagem do pedreiro, por determinação do Tribunal de Justiça de São Paulo. Trocariam, entretanto, uma prisão por outra.

Cada um deixou seu distrito sob gritos de "assassinos", "lincha", "pena de morte", bradados por "curiosos" que, atraídos pelos trabalhos da imprensa, pediam "Justiça". "Eu não sou assassina", respondeu Anna aos jornalistas ao entrar no carro para deixar o 89º distrito, no Portal do Morumbi. A filha dos Jatobás tinha manchas roxas pelo corpo — segundo contaria, fruto de espancamento por outras presas na unidade policial.

O casal seguiu para a casa dos pais de Alexandre, na rua Marinheiro, para onde também foram os jornalistas à espera de alguma declaração do casal. Os "curiosos", com seus gritos de "assassinos", não demorariam a chegar por ali também — atraídos pelos veículos e equipamentos de reportagens. Um enorme contingente se instalava sem nenhuma data para sair dali.

"As pessoas cercaram nossa casa, tentaram invadir", contaria Cris, irmã de Alexandre. "Falaram um monte de absurdos para a gente. Disseram até que deveriam ter matado os outros dois que são filhos dele. Passavam gritando na rua, xingando. Nossa casa foi pichada. A gente quase passou fome até, porque, com a casa cercada, a gente não tinha jeito de sair. E, com o passar dos dias, a gente precisava comprar coisas para comer. A comida foi acabando. A gente não conseguia sair de casa. Aí, a família da Natália [amiga de Cris desde a infância] vinha trazer compras pra gente."

Além da notícia da prisão, uma série de reportagens veiculadas com supostos indícios, antes e depois da prisão, contribuiu para arruinar a imagem do casal. Muitas se revelariam infundadas, mas poucas receberam reparos.

Reportagens chegaram a dizer que "testemunhas-chaves" tinham ouvido Cris declarar, aos prantos em um bar, que Alexandre tinha atirado a filha pela janela. Outra dizia que as roupas de um pedreiro encontradas no apartamento de Cris, também no London, eram de Alexandre e tinham sangue da filha. "A polícia está certa de que as roupas são do rapaz, mas decidiu esperar a realização dos exames de DNA antes de questioná-lo sobre o fato."[1]

Todas informações falsas.

Também houve publicações com supostas testemunhas que teriam presenciado Alexandre agredindo a filha com um safanão durante uma festa em Guarulhos e ameaçando a menina de novo acerto quando chegassem em casa. "Evidência: câmeras do prédio do pai de Anna Carolina registraram imagens de Isabella brincando na festa. Agressão de Alexandre foi presenciada por convidados que prestaram depoimento à polícia", dizia a reportagem, reparada dias depois.

A reparação indicava a origem do problema. "Pressionados pela imprensa, delegados e investigadores andaram divulgando boatos e meras hipóteses como se fossem informações verdadeiras. Alguns equívocos que resultaram desse comportamento: dois investigadores ouvidos pela *Veja* relataram que, horas antes de sua morte, Isabella teria recebido um safanão no salão do prédio onde moram os pais de Anna Carolina. Essa festa não ocorreu e as investigações não confirmaram se Nardoni repreendeu ou agrediu a filha antes do crime."[2]

---

[1] "Peritos acham sangue nas roupas do pai". *O Estado de S. Paulo*, 6 abr. 2008.

[2] "Ainda mais acuados". *Veja*, 30 abr. 2008.

O PIOR DOS CRIMES

A reportagem ainda citava outras informações repassadas pela polícia como verdade, mas que, depois, não foram confirmadas: que o casal tinha usado uma fralda e uma toalha para estancar o sangue da menina, mas apenas a versão da fralda seria mantida pelos policiais. Também há menção sobre um suposto sangue que teria sido encontrado na sola do sapato da madrasta — que não existia também.

Os veículos de comunicação também deram espaço a um taxista que afirmava ter transportado a madrasta um mês antes do crime e, apesar de nunca terem se visto antes (nem depois), ouviu dela palavras sobre um profundo descontentamento com a presença da enteada na vida do casal e, ainda, planos de "dar um jeito" na menina. Após dar entrevista a TVs, a polícia tomou o depoimento do homem, mas os próprios policiais duvidaram da sanidade mental dele. Esta foi a dúvida que parece ter tido o juiz Maurício Fossen, que, na audiência de instrução, questionou o homem se ele fazia uso de medicamentos controlados.

O taxista admitiu que havia procurado a polícia porque se lembrou do assassinato da filha de apenas 4 anos de idade em Ferraz de Vasconcelos (Grande São Paulo), em 1992 (talvez 1993, ele alegou ter dúvidas), crime que havia contado com a participação da mãe da criança.

A série de reportagens negativas era tão intensa que até o então presidente da República, Luiz Inácio Lula da Silva, pediu cuidado à polícia na condução das investigações.

Nenhuma reportagem foi mais prejudicial ao casal do que a entrevista concedida por eles aos jornalistas Valmir Salaro e Robinson Cerântula, exibida no *Fantástico*, da Rede Globo, dias após saírem da prisão.

Ambos diziam ser "totalmente inocentes", que amavam a menina, mas a insegurança e nervosismo de ambos foram interpretados como sintomas de que estivessem mentindo. Anna saiu-se ainda pior. Por ter interrompido a fala do marido várias vezes para ajudá-lo a explicar melhor determinada ideia, passou a ser vista como dominadora e manipuladora do marido. Especialistas em análise comportamental chegaram a dizer que o choro dos dois era dó deles mesmos.

Os gritos de "assassino" à porta ocorriam a despeito do alerta feito pelo desembargador Caio Eduardo Canguçu de Almeida, que mandou soltar os Nardoni, de que não havia provas suficientes no processo para tais afirmações.

"Qualquer decisão que se profira não pode vir fundada em simples e falíveis suspeitas, em desconfianças ou deduções cerebrinas, ditadas pela gravidade e clamor decorrentes de um crime", disse o magistrado em sua decisão.

Sobre as alegações da polícia para pedir a prisão, aceitas pelo juiz de primeira instância, de que os suspeitos poderiam atrapalhar as investigações, o desembargador disse também não haver provas quanto a isso. "Tanto que nem a autoridade policial, nem o magistrado apontado como coator indicam fatos que caracterizassem quaisquer daquelas condutas. Limitaram-se ambos a informar a necessidade de colheita de outras provas, o que, sobre traduzir o óbvio, não sugere, necessariamente, especialmente em face do comportamento até aqui preservado pelos pacientes, que cogitem, um ou outro, de inviabilizá-las."

Canguçu também lembrou que, a despeito da aprovação popular, a lei só permite prisões temporárias em casos especiais, como "quando o indiciado não tiver residência fixa ou não fornecer elementos necessários ao esclarecimento de sua identidade". O que não era o caso. "Os tribunais de todo o país, sensíveis a tal entendimento, não se furtam à proclamação de que, 'quando o réu é primário, tem bons antecedentes, não apresenta periculosidade para a sociedade e comparece normalmente ao ser convocado pela autoridade policial, fica evidente a carência de justificativa para a manutenção de sua prisão temporária."[3]

---

[3] Citando "STJ — 6ª Turma — HC 6610/PA, rel. min. Anselmo Santiago".

Na parte final de sua decisão sobre os Nardoni, o homem, prestes a completar 70 anos de idade, fez uma reflexão sobre a humanidade.

"Será que o desamor exagerado desses estranhos tempos que correm terá chegado a um extremo tal que pudesse levar um pai, ou sua companheira, a tão cruelmente eliminar uma graciosa filha de apenas cinco anos e que, certamente, muito os terá amado? Ou será que o estrepitoso evento terá levado às agruras da suspeita e da investigação alguém que as coincidências, algumas vezes imprevisíveis e inevitáveis, do destino fizeram, em algum momento, parecer autor de crime que, quiçá, não deva ser levado à sua conta?"

"Estes autos, por ora, talvez retratem mais uma história daquelas onde quem pudesse merecer reprimenda acaba favorecido por uma incontrolável e desastrosa vocação do homem para a insinceridade, para a inverdade, para a dissimulação. Queira Deus não venham aumentar a estatística dos feitos onde a Justiça concreta não pôde ser feita e onde o mal terá prevalecido sobre o bem. Mas, de qualquer forma, pelo que puderam oferecer até aqui, não ensejam a preservação da prisão temporária inadequadamente proclamada. Resta-me, porém, e tão somente, o consolo e a esperança de que algum dia a verdade sobreleve. Ou para apontar o real culpado por tão doloroso procedimento ou para afastar, definitivamente, suspeitas que recaiam sobre quem não as mereça."

Ao decidir sobre a soltura dos Nardoni, Canguçu se tornava relator do caso em segunda instância. Dessa forma, todas as novas decisões do magistrado de primeiro grau teriam esse desembargador de fiscal. Assim, se a polícia quisesse mandar os dois para a prisão, precisaria, primeiro, arrumar provas.

"Para mim, só teve uma pessoa íntegra nesse tribunal. Que foi o desembargador Caio Canguçu. Uma única pessoa íntegra. Não foi porque ele deu a liminar, porque depois ele cassou a liminar. Eu sei que ele cassou a liminar com a consciência pesada. Porque ele deixa isso registrado quando diz que ele espera, que ele roga a Deus, que ele não esteja fazendo o maior erro da vida dele, diria Antônio Nardoni a mim.

# 18

# Festa surpresa

UM POLICIAL OLHOU PARA O OUTRO com um sorriso sarcástico no canto da boca. O som das ruas não deixava dúvidas: um coral com cerca de duzentas vozes entoava uma versão furiosa de "Parabéns a você" em frente ao 9º distrito, com ritmo acelerado e gritos altos e fortes, em meio a pedidos de justiça e de linchamento. Alguns dos "curiosos" se ofereciam, a jornalistas, para resolverem o assunto. "Eu mesma quero asfixiá-lo e depois pisar no pescoço dele quando ele estiver caído", disse, "revirando os olhos como quem saboreia a ideia", a faxineira Maria do Rosário da Silva, 43, à jornalista Laura Capriglione.[1]

Era exatamente esse o clima que os policiais queriam encontrar quando resolveram marcar o novo depoimento do casal Nardoni para o dia 18 de abril, data em que Isabella completaria 6 anos de idade, e também quando deram ampla publicidade à data, local e horário que tudo se daria. Instalaram até banheiros químicos em frente à unidade policial à espera dos "curiosos".

Era uma clara demonstração de que os investigadores não hesitariam em usar todas as armas para tentar desestabilizar o casal e, quem sabe, arrancar deles uma confissão. Embora as provas ainda fossem insuficientes, os policiais não tinham dúvidas sobre a autoria do crime, ou, pelo menos,

---

[1] "Multidão canta, acusa e pede linchamento". *Folha de S.Paulo*, 19 abr. 2008.

quem eles apontariam como os culpados. Ninguém tinha dúvida, algo reproduzido até pelos jornais daquele dia, de que pai e madrasta sairiam dali indiciados, formalmente declarados suspeitos, independentemente do que pudessem ou viessem a falar.

Alexandre tinha ares de preocupação e Anna não parava de chorar desde que viu, da porta da casa do sogro, a multidão que tomava conta da rua Marinheiro. A quantidade de pessoas era tanta, com os ânimos exaltados, que foi necessário o apoio de equipes de operações especiais da Polícia Civil para retirá-los de lá. Os policiais usaram escudos para evitar que objetos atirados pelos curiosos atingissem os dois suspeitos e seus advogados.

Marido e mulher foram separados assim que entraram no distrito. A mulher foi colocada em uma sala perdida nas próprias dependências do distrito, e Alexandre foi levado para a sala da delegada Renata Pontes para iniciarem o interrogatório. O pai de Isabella se agitou ao ver um porta-retratos da filha sobre a mesa da policial. "A doutora estava com a foto da minha filha na mesa. Eu perguntei para ela quem tinha autorizado ela a ficar com aquela foto na mesa, mas ela não falou", diria ele, em 2010, durante seu julgamento.

Antes de iniciar o interrogatório, Renata começou a ler, ainda sob o som das ruas, um texto que havia trazido de casa. "Era um texto bonito, todo emotivo", explicaria Calixto Calil, que acompanhava a leitura com aprovação. Alexandre não entendeu o objetivo daquilo, mas, sem outra opção, ouviu em silêncio. A leitura era o preâmbulo de uma estratégia montada para tentar retirar Alexandre do castelo de gelo onde ele parecia estar incrustado. Ao final do texto, a delegada deu início à segunda parte do plano. Colocou sobre a mesa, bem em frente do rapaz, o último volume do inquérito. Queria que ele observasse nitidamente bem algo que acabara de ser juntado à investigação.

Os advogados se agitaram, um olhando para o outro, temendo que pudesse ser alguma prova desconhecida e comprometedora. Eram apenas fotos de Isabella. Duas dezenas em diferentes fases da vida dela, impressas em papel fotográfico, contribuição da mãe da criança aos planos da delegada.

O PIOR DOS CRIMES

159

A primeira imagem da sequência era de Isabella ainda bebê, em seus primeiros dias de vida, dormindo sobre um acolchoado branco com as mãozinhas juntas em frente ao rosto. A página seguinte também trazia a menina com poucas horas fora do ventre, nos braços da mãe, ainda na cama do hospital São Luiz. Nas três seguintes, tinha Isabella aos 2 e 3 meses de vida. Uma deitada no berço, ou algo parecido, fazendo os primeiros beicinhos para sorrir. Em outra, aparecia nas mãos de um sorridente padre católico sendo exibida na nave da Igreja aos fiéis. A terceira era dela bebê sentada entre as pernas da mãe, ambas com roupas de estampas idênticas, em uma confortável poltrona branca de amamentação.

Todas as fotos estavam no formato mais comum, 10 × 15 cm, e foram cuidadosamente fixadas no centro do sulfite, sem legenda ou qualquer interferência visual. Renata não demonstrava pressa naquela apresentação. Virava as folhas lentamente, página por página, deixando cada uma delas estacionada o tempo suficiente para que o pai pudesse resgatar a imagem de sua memória afetiva.

As fotos seguintes eram de Isabella já por volta dos 5 anos, meses antes de sua morte: andando de patinete, brincando de baldinho na praia, sentada na boia de parque aquático, saindo da piscina, dando um selinho na mãe, fingindo ser modelo em trajes longos, vestida como daminha de casamento e, ainda, pronta para uma festa caipira. Em todas as fotos, a menina aparecia sorrindo, alegre, até mesmo ao lado de um Papai Noel assustador.

A penúltima foto tinha a menina sozinha, deitada de barriga para cima e braços abertos, em uma gigante banheira de bolinhas de plástico coloridas. A imagem deve ter sido meticulosamente escolhida para estar naquele ponto, por parecer ter sido registrada momentos antes da última daquele conjunto: a 21ª. Uma chocante fotografia de Isabella já sem vida deitada sobre uma das mesas metálicas, de um cinza-escuro, do IML. Mesmo para quem nunca conheceu a criança, a imagem era altamente impactante por representar o término daquilo que todas as imagens anteriores continham: era o fim das cores, do sorriso, da alegria, dos abraços e dos beijos da mãe, das brincadeiras, das meninices e, principalmente, de uma infinidade de pequenos e grandes sonhos. Era o fim de tudo.

A foto era, agora, a de um ser inanimado, pálido, de olhos fechados e com um corte na testa do tamanho e formato da ponta de um lápis. Os lábios inchados e entreabertos estavam ainda mais parecidos com os do pai. Sobre o pescoço e o peito infantil nu, estava uma plaquinha de identificação, retangular, em preto e branco, com o número 1081/08 e a data da chegada do corpo, quando a foto foi tirada (30 de março de 2008), controle dos médicos do IML/Sede.

O golpe era duro para qualquer um. Alexandre desabou de lá onde estivesse, de qual castelo fosse, e chorou como não havia feito.

— Olha, nós somos inocentes. Isso que a senhora está me mostrando, eu não entendo por que a senhora está me mostrando isso — disse ele.[2]

Só o choro não era suficiente. Para Renata e os policiais do 9º distrito, era hora do plano B.

O interrogatório formal teve início às 11h35. Alexandre contou, a pedido dos delegados, detalhes de sua vida pessoal: como havia conhecido a mãe de Isabella, como haviam rompido o namoro, como fora a relação com a filha após a separação e mesmo como era o envolvimento dele com a vida escolar da criança. Tudo foi anotado. Alexandre falou também da atual mulher, dos outros filhos, de sua vida profissional, dos apartamentos que adquirira, da dependência financeira ao pai, da desorganização da casa e das brigas com a atual esposa.

Ele repetia boa parte do que já tinha contado no depoimento de 30 de março, naquele mesmo distrito. Os policiais tinham novas perguntas, algumas até indiscretas, sobre a vida sexual de Alexandre. Ele respondeu que, nesse tópico, sua vida era normal, com mútuo interesse da parte dele e da mulher. Os advogados que acompanhavam o consultor jurídico não

---

[2] Processo 0002241-66.2008.8.26.0001, p. 6.191.

impediram que a polícia adentrasse por um tema que, em tese, parecia não contribuir à elucidação do crime.

Todos sabiam, porém, que nenhuma pergunta era em vão. Tudo deveria ter um propósito — e, naquela circunstância, para incriminá-los.

— Quantas vezes o senhor tem relações sexuais por semana?

— Depende. Às vezes transamos todos os dias, mas tem vezes também que ficamos uma semana sem nenhuma relação.

— E no dia 29 de março, o senhor teve relações com sua mulher?

— Não. Não tivemos.

— E com outra mulher?

— Muito menos. Não tenho nenhum relacionamento com outra mulher.

— Nem eventualmente? Com garotas de programa?

— Não. De jeito nenhum.

— O senhor teve relações com sua mulher na semana do crime?

— Não me recordo. Se tivemos, não me lembro.

— Onde, em que lugar do apartamento, o senhor geralmente costuma manter relações sexuais com sua mulher?

— Na nossa cama, geralmente.

— Já manteve relações sexuais com ela sem ser na cama de vocês?

— Sim, mas não lembro quando foi a última vez que isso aconteceu. Neste ano, não lembro. Só me lembro de ter feito na cama mesmo.

Os policiais voltariam neste assunto depois. Deixariam algumas perguntas guardadas para "mais tarde". Passaram a querer mais detalhes sobre o dia do crime. Alexandre praticamente repetiu quase tudo o que já tinha falado, mas precisava, agora, dar explicações a pontos que a polícia não tinha dado importância antes. Como as roupas que ele usava na noite do crime, uma bermuda jeans e uma camiseta cinza com uma grande estampa nas costas.

— Sua camiseta estava suja? — quiseram saber os policiais.

— Não. Estava limpa, do jeito como foi entregue aqui.

— Como o senhor pode explicar, então, que tenha sido encontrado pela perícia vômito de sua filha na camiseta que usava naquela noite?

— Não faço ideia. Em momento algum ela vomitou.

— O senhor sabe que sua filha vomitou após ter sido asfixiada, ter sido esganada. O vômito dela é uma reação do organismo no processo de asfixia. Como então essas manchas podem ter sido encontradas na camiseta do senhor?

— Não faço ideia. As crianças vieram dormindo no carro.

A apresentação de resultados da perícia era outra surpresinha preparada pelos policiais do 9º distrito. Os documentos não haviam sido anexados ao inquérito, o que dificultava o trabalho da defesa, mas os delegados tinham os resultados (pelo menos diziam ter) e iriam usá-los sem qualquer pudor para tentar desmontar a "versão fantasiosa" do casal — como a Promotoria havia batizado.

— Se as crianças vieram dormindo, como diz, como se explica, então, que no assoalho do carro, na lateral da cadeirinha do bebê e no banco traseiro do motorista tenha sido encontrado sangue? Sangue que a perícia comprovou, sem dúvida nenhuma, ser de sua filha, Isabella. Como o senhor justifica isso?

— Não sei dizer. A Isabella não estava machucada quando a levei para cima.

— Tinha sangue quando o senhor chegou de volta ao apartamento?

— Tinha. Eu vi uma gota de sangue no quarto dos meninos, tinha outra gota no lençol da cama deles e também um pouco de sangue na tela.

— Só para sua informação, os peritos também encontraram sangue no chão da sala. Usaram uma substância chamada Luminol que consegue detectar sangue invisível a olho nu. Tinha sangue no chão da sala e do lado direito do sofá, sangue que havia sido limpo. O senhor sabe dizer algo sobre isso? Como isso pode ter acontecido?

— Não vi este sangue. Não limpei este sangue. A única pessoa que pode ter limpado esse sangue, se alguém limpou algum sangue, é a mesma pessoa que entrou no apartamento e jogou minha filha pela janela.

— O senhor quer mesmo dizer que acredita que uma pessoa entrou no apartamento, sem arrombar a porta, utilizando cópia de uma chave, que essa pessoa feriu sua filha na testa, provocou asfixia em sua filha, cortou a tela de proteção da janela, tendo antes aberto a janela do quarto, limpou o sangue da Isabella, recolheu os instrumentos utilizados para cortar a tela de proteção e saiu do apartamento, trancando a porta, tudo no tempo em que você permaneceu ausente?

Era exatamente isso que Alexandre dizia pensar, embora jamais tenha dito que a filha tivesse sido asfixiada ou que o sangue tivesse sido limpo.

— E como o senhor explica que havia uma gota de sangue sobre o pé direito do sapato de sua esposa, uma sapatilha, sangue que era da sua filha Isabella?

— Também não sei explicar.

— Também não sabe explicar por que havia apenas uma fralda de criança, ainda molhada, pendurada no varal na área de serviço, dentre outras roupas secas, mesmo o senhor dizendo que no sábado nenhuma peça de roupa foi lavada?

— Não, não sei.

— O senhor não acha tudo isso grave?

— Não há nada mais grave do que a morte da minha filha. Ninguém é mais importante para mim do que meus filhos. Só Deus.

Os policiais estavam prontos para retomar o assunto deixado "para mais tarde". As suspeitas eram graves e Alexandre era um homem de "não-seis".

— O senhor disse não ter tido relacionamento sexual com sua mulher na noite do crime, no dia 29 de março. Não está certo?

— Certo.

— Como você explica, então, que os peritos tenham encontrado fluidos vaginais e esperma na bermuda que o senhor vestia naquela noite e, também, na calça da sua esposa? Foi constatado que eram substâncias recentes.

— Não sei esclarecer.

— Também não sabe explicar como foram encontrados vestígios de menstruação na sua bermuda, com sangue recente? Sabemos que sua mulher estava menstruada naquela noite. Consegue explicar algo sobre isso?

— Não. Não sei explicar.

Oficialmente, a polícia nunca explicaria os motivos das perguntas. Mas alguns policiais me diriam depois que, naquele momento, acreditavam que o casal havia matado a menina e feito sexo diante do corpo dela — como se selassem o amor entre eles. Isso dava, em tese, mais força para a versão do ex-vizinho Colombo e a história do rompimento "dos laços" entre Alexandre e Carol.

Seriam os ingredientes que faltavam para o caso Nardoni se tornar um dos mais perversos na literatura policial brasileira, ao lado de assassinatos famosos como o caso Richthofen, em que Suzane e o namorado foram para o motel após matarem os pais dela, ou ainda o caso do goleiro Bruno, quando Macarrão, amigo do jogador, tatuou nas costas juras de amor eterno ao amigo após ambos participarem do assassinato de Eliza Samudio, que teve um filho do jogador de futebol do Flamengo.

Para os policiais, era algo ainda mais importante. Seria a motivação do crime: uma prova de amor doentio entre pai e madrasta.

O interrogatório de Anna Carolina Jatobá teve início às 19h48, tão logo o marido assinou as páginas redigidas com suas respostas. Anna não foi submetida a leitura edificante, tampouco a exposição de fotos. Já havia sido servido a ela um amargo chá de cadeira, na espera de quase dez horas em que ficou numa sala separada do distrito aguardando sua vez de falar.

A ex-estudante de direito também foi instada a contar como havia conhecido o marido, sua vida estudantil, sua relação com a família, as brigas com o próprio pai e com o marido. Anna nunca deve ter levado a sério a clássica frase dos filmes de Hollywood, "tudo o que disser poderá ser utilizado contra você no tribunal", e abriu o coração no interrogatório.

O PIOR DOS CRIMES

— Nas brigas com meu pai, eu gritava e ele também gritava. Com Alexandre, não. Ele parece uma tartaruga. Não gosta de briga. Quando eu começava a gritar, ele virava as costas para mim. Deixava eu falando sozinha. Isso me deixava mais nervosa ainda — diria a madrasta em seu longo depoimento.

Anna, quando estava nervosa, disparava palavras sem parar. Os policiais foram recolhendo aquelas que consideraram as mais importantes e, após ficarem satisfeitos, passaram para a fase mais dura do interrogatório. Iriam também confrontá-la com os supostos resultados dos exames periciais.

Perguntaram sobre o sangue dentro do carro, no assoalho, cadeirinha e encosto do banco, detectados pelos peritos com sendo de Isabella. Ela disse não saber explicar porque não viu Isabella machucada antes da queda.

— Foi constatada uma gota de sangue na sapatilha da senhora, no pé direito, confirmado em exame de DNA como sendo de Isabella. Sangue recente.

— Em hipótese alguma isso pode ter ocorrido. Eu cheguei no apartamento usando um tamanco, que deixei na cozinha. Saí do apartamento descalça. Na hora do desespero, nem me lembrei de colocar sapatos. Fiquei lá embaixo no prédio todo o tempo descalça. Fui para Guarulhos com meu pai descalça. Esse sapato que foi apreendido é um sapato velho. Tinha deixado na casa dos meus pais. Do tempo de solteira ainda. Não usava esse sapato havia anos.

Os policiais registraram no documento: "Ela não sabia explicar como o sangue de Isabella tenha pingado em um dos seus sapatos."

O tema vômito de Isabella na camiseta de Alexandre também foi abordado. Fato de que ela negou conhecimento, assim como negou ter limpado sangue no interior do apartamento. Também negou ter pendurado fralda na área de serviço.

— A senhora estava menstruada no dia 29 de março?

— Não. Não estava. Usei absorvente naquele dia porque escorria de mim um líquido escuro, quase preto. Mas não estava menstruada.

— A senhora manteve relações sexuais com seu marido naquele dia?

— Naquele sábado, não.

— E na sexta-feira?

— Não me lembro. Pode ter ocorrido, mas, agora, não me lembro.

— Sabe me dizer, então, por que ou como foram encontrados fluidos vaginais, esperma e sangue aparentando ser menstruação tanto na bermuda do seu marido quanto na sua calça jeans que vocês usavam na noite do crime?

— Não sei explicar isso não.

Tanto Alexandre quanto Anna, apesar das "provas" apresentadas pelos policiais, mantiveram a versão de inocência. Irredutivelmente.

O delegado Aldo Galiano Júnior confirmaria aos jornalistas no final daquela tarde (antes dos depoimentos da madrasta) que ambos estavam indiciados. Entre os principais motivos, segundo diriam as manchetes, estavam a mancha de vômito na camiseta do pai, o comportamento evasivo dos suspeitos, que para quase tudo diziam "não sei explicar", e o fato de Anna ter chamado o marido de "tartaruga".

# 19

# Missão cumprida

ANNA SE VIU SOZINHA EM UM LUGAR ESTRANHO. Mas não tinha medo. Sentia-se até bem naquele grande prédio de paredes amarelas, que ela nunca tinha visto antes e que parecia um hospital limpo e arejado.

Foi recepcionada por uma simpática senhora de meia-idade que, sem dizer qualquer palavra, a conduziu por entre corredores compridos até uma sala. Anna não sabia exatamente o que fazia ali até ver Isabella deitada em uma das camas. A criança dormia tranquilamente e por isso nem notou a presença da madrasta. A anfitriã explicou que a menina estava bem, em plena recuperação, e por isso não havia motivos para preocupação.

Antes que pudesse dizer algo, Anna assustou-se ao perceber que, repentinamente, não estava mais no hospital. Novamente sozinha, o lugar em volta era escuro, mas não desconhecido. Reconheceu a porta do apartamento 62 do edifício London. Assim como ocorreu com os policiais na tarde de 30 de março, ela foi levada contra a própria vontade ao interior do seu antigo lar. Repetia inutilmente que não queria entrar ali, que não queria mais voltar àquele lugar, mas uma força invisível a arrastava para dentro do imóvel. A sensação de medo deu lugar ao pavor quando vultos surgiram do chão da sala e dos corredores. Era, segundo explicaria depois, como no filme *Ghost: Do outro lado da vida*, em que os vilões tinham a alma sequestrada por criaturas assustadoras surgidas das sombras.

168 ROGÉRIO PAGNAN

Anna acordou assustada. Correu para o quarto dos pais para pedir abrigo. Também por conta do histórico de eventos mediúnicos na infância, todos ouviram atentos o relato da moça. Ficaram impressionados e assustados. Inclusive Alexandre, que, deixado pela mulher no cômodo em que dormiam, logo apareceria na porta do quarto dos sogros para se abrigar ali também.

— Gente, dá licença. Eu não vou dormir sozinho lá não — disse Alexandre, o "The Rambo".

O tumulto provocado pelos "curiosos" havia expulsado o casal Nardoni da rua Marinheiro para o apartamento dos Jatobá, em Guarulhos, na avenida Timóteo Penteado. Embora por ali também houvesse muitos curiosos atraídos por equipes jornalísticas de plantão e a família continuasse trancada do mesmo jeito, essa foi a forma que Alexandre e Anna encontraram para ficar próximos dos filhos. Essa convivência serviria como uma espécie de passagem de guarda de Anna Carolina para Anna mãe. Seriam os últimos dias em que a moça dormiria ao lado dos filhos. "Com essa convivência, o Cauã já foi se acalmando, foi se entrosando comigo, não sofreria tanto", disse Anna mãe.

O sono agitado da madrasta refletia a situação tensa da família naquele 7 de maio, com mais notícias ruins.

Renata Pontes tinha concluído sua investigação e, no relatório final, como já esperado, apontava Alexandre e Anna como os responsáveis pelo crime. O documento enviado à Justiça resumia o trabalho da polícia, as impressões da delegada sobre o casal e elencava as vinte principais testemunhas das 67 ouvidas pela equipe do 9º distrito ao longo dos trinta dias de apuração.

Os depoimentos do porteiro Valdomiro, do autônomo Paulo César Colombo, do gerente Rogério Stanco e do consultor Waldir foram colocados entre os principais relatos obtidos na investigação sem qualquer tipo de ressalva sobre as afirmações feitas por eles. A delegada chegou a omitir no relatório os horários errados citados pelo consultor (entre eles

O PIOR DOS CRIMES

169

o 23h23) e também o novo depoimento dado por ele, dias após se torna-
rem públicos os dados do GPS (que derrubaram a credibilidade daquela
versão), quando tentou corrigir os buracos de sua versão.

Até as impressões antagônicas do professor Lúcio e da advogada
Geralda sobre os gritos daquela noite foram colocadas como se ambos
apontassem para a mesma direção em um discurso uníssono. A delegada
criou uma tese de que os gritos ouvidos naquela noite eram de Pietro na
tentativa de evitar o assassinato. "Uma das testemunhas afirmou que o
grito parecia de uma criança chamando pelo pai, com a certeza de que
ele podia ouvi-la, de modo que indica que foi nesse momento que Isabella
estava sendo asfixiada, mediante esganadura, ocorrendo de Pietro tentar
evitar, quando gritou pelo pai, a fim de interceder. Sendo assim, deduz-se
que a pessoa que apertou fortemente com as mãos o pescoço da vítima
foi Anna Carolina", escreveu ela, sem explicar os intervalos de tempo.
Ressalta-se que, sobre a autoria da suposta agressão, a policial utiliza o
termo "deduz-se".

Grande parte da narrativa das circunstâncias do crime foi baseada nas
conclusões da perícia, mas, sem qualquer explicação, os resultados eram
quase todos diferentes daqueles relatados poucos dias antes.

Não havia, por exemplo, qualquer referência sobre a relação sexual
entre Alexandre e Anna na noite do crime. Tampouco menções a esperma, fluidos vaginais e menstruação nas roupas dos suspeitos. Só fora
citada a pequena mancha na calça de Anna, mas não de esperma, porque
continha o perfil genético da própria madrasta (não de Alexandre). Talvez
fosse o tal corrimento citado pela madrasta, mas nem isso foi sugerido
pelos peritos nas conclusões sobre a mancha.

Também não fora citada a incriminadora mancha de vômito que os
peritos disseram ter encontrado na camiseta de Alexandre, nem a gota de
sangue na sapatilha de Anna. Assim, não havia mais nada que provasse
que o casal tivera contato com a menina ferida como a polícia dizia antes.

Outra mudança importante se dava quanto à localização da fralda
de algodão, que, segundo a polícia dissera antes, tinha sido encontrada
pendurada no varal ainda molhada na área de serviço. A versão do re-

latório dizia, agora, que a tal fralda, na verdade, tinha sido encontrada pela perícia de molho dentro de um balde com água (e algum alvejante desconhecido) sob o tanque.

Não era mais certo, pelo documento de Renata, quando e onde a fralda de algodão fora utilizada. A suspeita anterior era de que tivesse sido utilizada para limpar o sangue do chão da sala, como o documento escrito por ela até menciona. Mas a parte final do relatório diz que, na verdade, o chão havia sido "lavado". Não há explicação de como essa lavagem poderia ter ocorrido.

A polícia mantinha, porém, uma tese importante. Embora de forma menos contundente, a delegada sustentava que, dentro do veículo da família, na cadeira do bebê, havia sangue que, "sem dúvida nenhuma", era de Isabella.

Em seu relatório, a delegada fez duras críticas aos investigados e apelou para um tom passional em um documento que deveria ser eminentemente técnico. Dizia ela que os suspeitos tinham uma "versão tosca, primária, inconsistente, débil, quiçá plausível à capacidade intelectual deles próprios". Dizia ainda que "mantiveram a mentira de forma dissimulada, desprezando o bom senso e discernimento de todos, mesmo que a eles não se nivele, tentando, por derradeiro, desqualificar profissionais, desqualificar provas e até as leis da física para permanecerem impunes, alheios aos sentimentos daqueles que verdadeiramente amaram Isabella; para poderem gozar de boa vida, sempre patrocinada pelo generoso e protetor pai e sogro, Antônio Nardoni, cujo dinheiro, é certo, nunca será bastante para lhes comprar hombridade".

Por fim, a delegada pedia novamente a prisão do casal "para garantir a ordem pública, para impedir a fuga dos indiciados do distrito da culpa, para assegurar a aplicação da lei penal". Como da primeira vez, também não tinha provas de qualquer plano de fuga ou tentativa de atrapalhar a investigação, como eventual ameaça a testemunhas. Em vez disso, curiosamente, fato raro na literatura policial, a polícia tentava convencer a Justiça sobre a necessidade dessa prisão fazendo perguntas.

# O PIOR DOS CRIMES

1) "Há alguma certeza, uma possibilidade que seja, dos indiciados aguardarem todo o processo em liberdade sem tentar modificar as provas já produzidas?"

2) "Para não responderem pela barbárie praticada, eles acusam o porteiro, depois levantam suspeitas contra o zelador, em seguida tentam colocar a culpa no pedreiro. Quantos talvez não aparecerão, por eles apontados, como sendo os autores do homicídio de Isabella?"

3) "O crime é hediondo, os autores tudo fizeram para esquivar-se das responsabilidades. Quase no término das investigações, já não quiseram comparecer para a reprodução simulada dos fatos. Amanhã outras formas encontrarão para protelar a aplicação da lei penal, e se soltos estiverem, diante de todas as provas de autoria e materialidade, como se dará a manutenção da ordem pública?"

Era até difícil imaginar como o casal poderia alterar provas já colhidas, mas a inédita forma adotada para pedir a prisão do casal Nardoni não encontrou, porém, resistência. O juiz Maurício Fossen — o mesmo que havia determinado a prisão no início das investigações — viu sentido naquilo e, assim como da primeira vez, concordou com a delegada. Determinou a prisão preventiva de ambos. Este tipo de prisão é ainda grave porque não tem, na prática, tempo para acabar e pode durar toda a tramitação do processo. Como de fato ocorreria.

Sobre as provas periciais já colhidas, o magistrado escreveu que, "embora se reconheça que tal prova pericial já foi realizada e que, em tese, a permanência dos réus em liberdade em nada alteraria o teor daquela prova técnica já produzida, não é menos certo que este comportamento atentatório à lealdade processual atribuído a eles constitui forte indício para demonstrar a predisposição dos mesmos em prejudicar a lisura e o bom resultado da instrução processual em Juízo, com o objetivo de tentar obter sua impunidade".

Também como num recado indireto ao desembargador Canguçu, que criticou a primeira prisão, o juiz Fossen disse que, apesar de haver elementos legais geralmente utilizados para manter suspeitos em liberdade, a situação exigia "coragem por parte do Poder Judiciário, que não deve se omitir na defesa da sociedade" e para "garantir a ordem pública, com o objetivo de tentar restabelecer o abalo gerado ao equilíbrio social por conta da gravidade e brutalidade com que o crime descrito na denúncia foi praticado".

Fossen aproveitou para elogiar sua própria decisão anterior: "Tal providência [de mandar os dois para a prisão], aliás, veio a se revelar bastante salutar, posto que exatamente durante o período que os réus tiveram sua liberdade restringida é que foi realizada a grande maioria das provas técnicas que estão servindo de base à instauração da presente ação penal." Também elogiou o trabalho da polícia ao dizer que "o inquéri-to policial que serviu de fundamento à presente denúncia encontra-se embasado em provas periciais que empregaram tecnologia de última geração, raramente vistas".

Pelas regras processuais deste país, não cabe ao magistrado — por mais capaz que seja — decidir se uma pessoa é culpada ou inocente nos pro-cessos de homicídios dolosos. Seu trabalho é organizar um julgamento justo para que seja feita a vontade do povo. Salvo nas exceções previstas em lei, são os cidadãos de bem, da sociedade onde o assassinato ocorreu, que decidem se determinada pessoa deve ser absolvida ou condenada pelo crime imputado a ela.

Cabe ao juiz togado ser neutro, imparcial, um verdadeiro fiel da balança no equilíbrio de duas forças diametralmente opostas: defesa e acusação. A lei reserva a ele julgar se os indícios contra determinado suspeito são suficientes para levá-lo a julgamento e, se condenados pelos jurados (os verdadeiros juízes), dosar a pena justa e adequada ao caso. A lei exige do magistrado zelo em suas manifestações para não influenciar os jurados, sob o risco de incorrer no chamado "excesso de linguagem", e provocar até a anulação da sentença.

Essa não parecia ser, porém, a preocupação do magistrado, que regis-trou todas as suas más impressões contra o casal:

O PIOR DOS CRIMES

"A conduta imputada aos autores do crime descrito na denúncia deixa transparecer que se tratam de pessoas desprovidas de sensibilidade moral e sem um mínimo de compaixão humana, ainda mais em se tratando do fato de que a vítima seria filha de um deles e enteada do outro, a qual estava sob a responsabilidade dos mesmos, e que, se não por esta razão jurídica, ao menos pelo dever moral, deveriam velar por sua segurança, o que, no entanto, foi desprezado por eles, posto que além da acusação de esganadura contra a menina, a qual teria provocado um quadro de asfixia mecânica, como apontado na conclusão do laudo pericial juntado aos autos, foi ainda brutalmente atirada pela janela do 6º andar do prédio onde a família residia, sem nenhuma piedade."

\* \* \*

Mesmo já sendo noite, período proibido por lei para o cumprimento de mandados, os policiais prepararam grande aparato para colocar o casal Nardoni atrás das grades tão logo tomaram conhecimento da ordem judicial.

A negociação com a família foi rápida e, assim como da primeira vez, os dois se entregariam sem criar dificuldades. Não esperariam amanhecer e acabariam com o inferno que havia se tornado a avenida.

A família e os advogados queriam apresentar Alexandre e Anna a um juiz, como da primeira vez, para evitar constrangimentos desnecessários, mas a polícia se comprometeu a levá-los à delegacia da maneira mais discreta e segura possível. Tinham uma garantia. Podiam confiar na polícia.

Ao menos vinte carros das Polícias Civil e Militar, incluindo um caminhão dos bombeiros, apareceram na frente do prédio da família Jatobá, em Guarulhos, para ajudar na prisão e no isolamento de curiosos que interditavam a avenida Timóteo Penteado. Os PMs estimaram a presença de oitocentas a mil pessoas no local. Só na garagem do prédio entraram cinco veículos da Polícia Civil e ao menos quinze homens, a maioria do grupo de operações especiais, criado para enfrentar as situações e criminosos mais perigosos do país.

Os policiais informaram aos jornalistas extraoficialmente que eles tinham preparado para eles uma surpresinha. A imprensa teria um "presente".

Os repórteres só entenderiam qual era a tal "surpresinha" quando as viaturas de polícia carregando o casal tomaram a avenida Timóteo Penteado. Tanto o carro com Alexandre, quanto o que levava Anna Carolina não tinham as usuais películas escuras nos vidros traseiros. Foram retiradas pelos policiais para facilitar o registro de fotógrafos e cinegrafistas.

As imagens dessa condução foram transmitidas ao vivo por algumas emissoras, que se valeram de helicópteros a motolinks para conseguir um close dos suspeitos dentro dos carros até a sede do 9º distrito.

Na porta do distrito, antes de serem levados ao IML para realização de exames médicos, os policiais deram um novo "presente" aos jornalistas e colocaram o casal junto no "chiqueirinho" de um carro policial estacionado em frente ao DP. Foram expostos como troféu de caça.

"Missão cumprida", disse o delegado Calixto Calil aos jornalistas quando os suspeitos foram conduzidos para suas prisões.

# 20

# Sem honras

O ELEVADOR SOCIAL DO CONDOMÍNIO EDIFÍCIO JULIANA, no bairro Água Fria, zona norte de São Paulo, ficou pequeno para tantos homens juntos. Alguns fardados, outros de terno e gravata e, ainda, outros apenas de jeans e camiseta.

Mesmo à paisana, foi o tenente Fernando Neves Braz que conduziu o grupo pelo quarto andar naquela tarde de 30 de maio de 2008 e também indicou o apartamento onde tocariam a campainha.

Foram poucos segundos para que a porta fosse aberta pela dona de casa Juliana Valim de Souza Braz, que se assustou com o retorno do marido acompanhado de tantos estranhos.

— Vocês aguardam um segundo? — solicitou o tenente Neves, calma e educadamente, conforme seria lembrado depois.

O tenente da PM era o mesmo que dias antes havia comandado a varredura no London. Ele coordenou as vistorias nas garagens, apartamentos e nos entornos do condomínio — além de ter sido anfitrião de Renata Pontes ao prédio. Recém-chegado do interior, o policial concedeu entrevistas a emissoras de rádios, TVs e jornais sobre seu trabalho e sobre a impossibilidade de ter havido uma "terceira pessoa" no apartamento dos Nardoni. Naquela manhã, porém, era ele o suspeito.

Os homens presentes à busca no apartamento de Neves concordaram com o pedido, incluindo os PMs da Corregedoria, porque a entrada desacompanhada havia sido combinada momentos antes. Neves argumentara que a mulher tinha o costume de dormir até mais tarde e, mesmo estando perto das 10h20, era provável que ela ainda estivesse em trajes mais íntimos. Por isso, o PM pediu aos colegas para entrar na frente e avisá-la sobre a chegada do grupo, para que colocasse roupas adequadas.

Neves entrou no apartamento aparentando tranquilidade. O delegado da Polícia Civil Ricardo Guanaes Domingues, detentor da ordem judicial para as buscas, segurou a porta com a mão direita para evitar que ela fosse eventualmente trancada. Queria estar pronto para agir caso o policial investigado tentasse destruir alguma prova importante, e foi exatamente isso que imaginou quando percebeu, pelas vozes propagadas no ambiente, que o oficial da PM passara direto pela esposa sem nada falar sobre suas roupas.

Guanaes então abriu imediatamente a porta e viu o oficial embrenhar-se por um cômodo à esquerda do corredor, o quarto do casal.

— Tenente, volta. Tenente, volta, volta. Tenente, volta — gritou o delegado enquanto avançava em direção ao quarto, seguido pelos outros policiais.

Aquela invasão provocou gritos desesperados da mulher.

O tenente ignorou os chamados e, dentro do quarto, retirou da cômoda uma pistola carregada. Empunhou a arma e apontou na direção do delegado, que imediatamente recuou, encostou o corpo contra a parede para tentar abrigar-se de eventual ataque, e também sacou a arma.

— Ele está armado — gritou o delegado Guanaes aos outros policiais, que se alvoraçavam no interior do apartamento.

O clima era absolutamente tenso.

— Sai que eu vou te matar! Sai que eu vou te matar! — gritou o PM.

— Tenente, me dá sua arma. Não tem mandado de prisão contra você. Eu vou te ajudar. Não tem motivos para isso — respondia o delegado.

— Sai que eu vou te matar. Sai que eu vou te matar.

O PIOR DOS CRIMES

— Me dá sua arma, tenente. Isso é bobeira, tenente. Me dá sua arma. Eu vou te ajudar. Eu falei que vou te ajudar.

— Sai que eu vou te matar.

A adrenalina de todos aumentou quando Neves passou correndo do quarto em direção ao banheiro social, onde se trancou. O delegado chegou a pensar em puxar o gatilho, mas desistiu. "Não teria sentido algum atirar."

A dúvida de todos era o que Neves buscava no banheiro. Outra arma? Fugir pela janela? Uma posição melhor para atirar? A resposta foi dada com um único disparo. "Ficou claro que ele estava se matando. Foi tudo muito rápido."

O corpo foi encontrado em uma poça de sangue, de "decúbito dorsal", encostado na porta. Foi a forma escolhida pelo oficial da PM para fugir de explicações sobre seu suposto envolvimento com pedofilia.

Dias antes, ele tinha sido flagrado em comprometedores telefonemas com o operador de telemarketing Márcio Aurélio Toledo, autodeclarado pai de santo, suspeito de comandar uma rede de pedofilia na capital — onde a polícia apreendera muitas provas desse tipo de crime. Nas conversas monitoradas, Neves, que se dizia chamar Fábio, demonstrava interesse por crianças de 6 a 9 anos.

Na casa do tenente, os policiais não encontrariam nenhum material criminoso. Só notaram em seu computador muitas imagens do caso Nardoni. "Achamos muitas coisas. Como ele trabalhou no caso Nardoni, achamos muita coisa relacionada a isso. Notícias de jornais. A maioria delas em que ele aparecia. Enquetes relacionadas ao caso Nardoni. Isso tinha", diria o delegado anos depois.

A notícia da morte do oficial da PM que chefiou as buscas por suspeitos no dia da morte de Isabella — poucos dias após o encerramento do inquérito pela delegada Renata Pontes e naquelas circunstâncias — reacendeu as críticas da defesa do casal Nardoni sobre a investigação da polícia. Para a equipe de advogados, os trinta dias tinham sido insuficientes para afastar todas as dúvidas que o caso ainda tinha. A suspeita contra Neves era mais uma.

O episódio do tenente suspeito de pedofilia levou os advogados a sustentarem a tese, com ajuda do perito George Sanguinetti, de que Isabella teria sofrido violência sexual antes de ser morta — até porque a criança tinha ferimento na vulva. "Sim, quem matou Isabella foi um pedófilo. As lesões encontradas no seu órgão genital são iguais à de uma criança abusada sexualmente. Ela caindo sentada, como afirmou a perícia paulista, não teria lesões como as que ficaram em seu corpo", afirmou Sanguinetti ao repórter Kleber Tomaz[1] quando anunciava a pretensão de lançar um livro com as supostas contradições do caso.

Essa era uma dúvida que se arrastaria pela fase de instrução do processo. Caberia ao juiz Fossen que essas suspeitas fossem afastadas ou confirmadas. O tenente teria alguma ligação com a morte da menina?

A fase de instrução começa no momento em que o juiz aceita a denúncia apresentada pela Promotoria contra determinada pessoa. Se ele considera que existem elementos suficientes para um processo formal, inicia-se a colheita de depoimentos de todos os envolvidos — como se os testemunhos tomados na fase policial tivessem valor relativo por terem sido feitos longe dos olhos de advogados, o contraditório. Como, em tese, não defende nenhum dos lados envolvidos, o magistrado pode assim tirar dúvidas deixadas pela investigação policial.

Além das suspeitas levantadas pela morte desse policial, o juiz Fossen teria outros pontos que precisariam ser esclarecidos. Um deles estava no depoimento do porteiro Valdomiro da Silva Veloso.

O que a polícia parece não ter se dado conta é a falta de uma pessoa importante na versão do funcionário. Ao falar da movimentação de pedestres na entrada do prédio, Valdomiro mencionou a "moça do 73"; o filho de seu Lúcio com a namorada, que chegaram às 18h; e, por fim, a família Curuchi.

O porteiro, portanto, não mencionou a entrada do gerente de Rogério Stanco, dono da caminhonete preta, pouco depois das 23h30. Os policiais só souberam da entrada dele no prédio pelo depoimento de Anna, que,

---

[1] "Em novo livro sobre o caso Isabella, médico diz que pedófilo matou garota". *GI*, 7 mai. 2010.

O PIOR DOS CRIMES

no primeiro dia de investigação, falou sobre o veículo preto; e, depois, pelo depoimento do zelador Luiz, que confirmou aos policiais a existência do veículo e a identidade do dono.

Lógico que isso poderia ser apenas uma falha na memória do porteiro, mas há ainda outro importante problema nessa versão.

Stanco foi ouvido no dia 1º de abril e disse ter chegado ao London por volta das 23h30 em sua Montana preta, acompanhado da mulher, com o som do carro ligado "em volume médio", tal qual Anna havia dito aos policiais.

Como possuía três veículos para duas vagas de garagem, Stanco precisava deixar um deles estacionado em frente ao prédio. A mulher teria preferido não ajudar nas manobras e subiu ao apartamento. Além da Montana, o gerente tinha ainda uma caminhonete Mitsubishi L200 e um Fiat Uno, sendo este último o escolhido para tomar sereno. Ao deixá-lo na porta do prédio, segundo o depoimento do rapaz, ele "adentrou pelo portão social", "passou pela guarita", "acessando a área interna do edifício em direção ao elevador social".

Pelas contas feitas por Stanco, todo o trabalho de tirar o Uno da vaga, colocar a Montana, levar o Uno para fora, estacioná-lo em frente ao prédio e subir ao apartamento não deve ter demorado "mais do que dez minutos". Assim, por suas contas, ele entrou em casa às "23h40, no máximo".

Descreveu assim seu acesso ao apartamento: "Que imediatamente ao adentrar no apartamento, dirigiu-se à sacada, abrindo a porta, para soltar seus dois cães que estavam ali presos, momento em que avistou já vários policiais próximos à piscina do prédio; que, quer salientar, seu apartamento dá visão para os fundos do prédio, onde se localiza a piscina e área de recreação do prédio; que, de pronto, estranhando o fato, interfonou para a portaria, onde recebeu a informação do porteiro de plantão de que uma criança havia caído do sexto andar."

O grande problema dessa versão é que, por volta das 23h40, os policiais sequer tinham sido acionados pelo professor Lúcio. Mesmo que tenha havido um eventual erro de noção de tempo — na verdade, os dez minutos foram a partir das 23h36, chegada dos Nardoni —, e, dando-se uma margem de erro de quatro minutos, as manobras teriam terminado às 23h50. Ainda assim, não seria possível ter seguido "imediatamente" "à sacada" e avistado PMs nos fundos do prédio porque a primeira ligação para o 190 só seria concluída às 23h51m20s.

Utilizando o registro telefônico do consultor de segurança Waldir, que deixou o London à 0h01m47s, a PM chegou com muitos homens para cercar o prédio após a meia-noite. Assim, há uma lacuna de dez a vinte minutos entre o morador deixar o carro na rua e chegar ao apartamento. Um tempo muito grande para quem morava no primeiro andar do condomínio.

Assim, considerando como verdadeira a versão registrada pela polícia, o gerente ficou sumido por cerca de quinze minutos no interior do edifício. Os Nardoni são suspeitos de ter cometido o crime em menos de treze minutos.

Assim, como morava no primeiro andar, ele só encontraria policiais cercando o prédio se tivesse subido ao apartamento quase dez minutos depois de o corpo ter caído no gramado do London.

Essa é uma lacuna que a polícia jamais poderia deixar aberta porque ela mesma ouviria uma moradora sobre um barulho forte, como uma porta corta-fogo batendo, percebido à meia-noite cravada. Tinha certeza sobre o horário porque ministrava remédio ao filho pontualmente. Sem esquecer também que o sargento Messias tinha ouvido de um PM o relato de um homem fugindo entre os carros, algo que deve ter dito aos policiais do distrito — embora não conste nos depoimentos deles.

A própria versão do seu Lúcio precisava de esclarecimento.

Por que o professor não mencionara que o filho também estava no apartamento naquela noite? Só há registro de que tenha falado da mulher quase dormindo. O rapaz realmente estava ou esteve lá com a namorada? Ou Valdomiro não dissera a verdade? Segundo seu Lúcio diria a mim anos depois, o porteiro não disse a verdade ou se confundiu: "Não, não esteve. De jeito nenhum. [Meu filho] Não esteve lá não." A única pessoa que estava no apartamento naquela noite e que não consta dos registros oficiais era a netinha dele, com 3 anos à época e coincidentemente se chama Isabella.

O PIOR DOS CRIMES

Outra questão: como ele sabia que a criança, só de olhá-la na grama, era do 6º andar, como diria à PM antes da chegada de Alexandre ao térreo? Logo no início do telefonema com Roseli Poleze, antes de Alexandre aparecer perto do corpo da menina, seu Lúcio disse o andar de que a vítima havia caído. Como? "Eu reconheci a menina", explicou a mim.

Questionado sobre essa lacuna, Calixto Calil não soube esclarecer. Disse que apenas Renata seria capaz de explicar. A delegada não quis, porém, falar comigo sobre sua investigação.

Outra dúvida que poderia ser dirimida por uma ordem judicial era sobre quem realmente esteve no bar chamado Taberna Sherwood na noite do crime, que, segundo funcionários haviam dito à polícia, seria Cris.

Ficou provado que não era a irmã de Alexandre, mas não ficou esclarecido se era mentira dos funcionários ou se realmente surgiu alguém com versão semelhante naquela noite. Se existia essa pessoa, quem seria?

O empresário Rogério Ferraz, um dos donos do bar à época e que esteve na polícia naquele dia, diz que realmente havia uma moça chorando naquela noite e que, a pedido da polícia, ele e o gerente foram prestar depoimento. Nessa oportunidade, entregou a relação de pessoas presentes à festa e até algumas fotos da moça que saiu chorando do estabelecimento. "A gente mandou fotos para o distrito, de quem foi a menina que falou, e não tinha nada a ver com a família deles. Era aniversário. A polícia pediu tudo na época."

Ocorre que nem a lista nem as fotos foram anexadas ao inquérito.

Essa incerteza deixava abertura para especulações.

A motorista Patrícia Penna, ex-noiva de Alexandre, afirma que Carol, mãe de Isabella, não estava em um churrasco na noite do crime, como diz, mas sim no Taberna Sherwood. Disse que recebeu informações sobre isso, em meio a tantas outras sobre a moça. O tal estabelecimento ficava a 900 metros do apartamento dos Nardoni, o que possibilitaria chegar rápido ao local do crime.

Além de Patrícia, outras pessoas também trazem dúvidas sobre a versão da mãe biológica. Há, inclusive, registros em redes sociais com suspeitas semelhantes. Em uma publicação de 2 de abril de 2008, quando a notícia do churrasco não tinha se tornado pública, a então estudante Renata Grossi, em mensagens à amiga Sandra Melo, pelo extinto Orkut, lamentava a morte de Isabella. Sandra foi noiva de Felipe, tio de Isabella, com quem teve uma filha, Gabriella, nascida em 22 de março de 2005.

"Oi, Sandrinha.

Não parei de pensar no q aconteceu... tomara Deus q o culpado seja preso logo...
Eu q não conhecia fiquei mal, imagino vc... que triste, né?
A mãe dela estava no bar onde meu irmão trabalha na av. Nova, ele que foi buscar o carro pra ela, pq ligaram para ela e avisaram...
Bjos, fica com Deus."

Segundo pessoa ligada às duas, o irmão de Renata, Márcio Grossi, trabalhava, na verdade, em um bar localizado na avenida Nova Cantareira — e não na avenida Luís Dumont Villares, onde fica o Taberna Sherwood.
Tudo ficaria sem explicação.

Parte 4

# Perícia

# 21
# Tamanho da mão

ERA A PRIMEIRA VEZ EM 33 DE ANOS de profissão, aos 62 de idade, que o médico Laércio de Oliveira César abandonava a sede do Instituto Médico Legal para investigar o local de um crime. Iria ao edifício London, manhã de 30 de março, para ver onde Isabella havia sido encontrada.

Não deixava de ser um contrassenso para quem tinha na essência de sua profissão "contar" o que morto tem a "dizer", ou seja, descrever as circunstâncias de uma morte sem precisar recorrer a testemunhas, mas ele estava muito incomodado com a situação para pensar sobre isso.

A começar pela sensação de não estar "ouvindo" bem. Os registros oficiais indicavam um tipo de morte, uma queda do 6º andar, mas o corpo da menina lhe "contava" outra coisa. A quantidade de ferimentos parecia muito pequena para quem havia caído de cerca de 20 metros de altura — nenhuma fratura importante, nem traumatismo craniano ou uma grande hemorragia. Havia poucas escoriações no corpo e um pequeno trauma no pulso.

Além disso, na opinião dele, o cadáver estava arroxeado demais para um choque traumático. "Desconfiamos que não era bem a queda. Como tinha uma graminha também na virilha, na coxa da menina, pensamos: 'Será que foi desovado lá? Será que o crime foi feito em outro lugar?' O que chamava a atenção também era a cianose da menina. Ela estava cianótica. Um choque traumático, perda de sangue, dá palidez. O cadáver estaria pálido. Não cianótico. Cianótica é aquela coloração arroxeada, anóxica. Ela estava roxa", disse a mim.

A cianose é a coloração azul-arroxeada do corpo provocada pela oxigenação insuficiente do sangue. Resultado, por exemplo, de uma asfixia. Uma pessoa enforcada geralmente apresenta esse tipo de coloração, o que para o legista é um indicativo do que aconteceu. Há, porém, uma série de possibilidades que podem levar a esse quadro, como intoxicação por gases tóxicos, doenças cardiorrespiratórias; enfim, n motivos que exigem cuidados do profissional para não tirar conclusões precipitadas. Talvez, o que tenha acontecido.

Também havia um componente de ordem emocional que potencializava o incômodo. O médico tinha um filho com idade equivalente à da vítima e, por isso, não via sobre a mesa apenas um objeto inanimado de trabalho, mas também a imagem de um ente querido. "Tive de ser firme para continuar."

Por certo, Laércio nem deveria ter assumido aquela missão. Como o corpo havia dado entrada por volta das 5h no IML, os dois legistas de plantão —Paulo Sérgio Tieppo Alves e Carlos Penteado Cuoco (Tico e Teco, como eram conhecidos pelos colegas) — tiveram tempo suficiente para concluir o trabalho, mas, por motivos desconhecidos, nem começaram. Permaneceram, porém, a pedido de Laércio, para acompanhar a análise do corpo e, ao final, assinarem juntos o laudo — documento que, previa Laércio, despertaria muito interesse da imprensa.

O médico tinha experiência em casos rumorosos. Em novembro de 2003, participou da apuração envolvendo o casal de namorados Felipe Caffé, de 19 anos, e Liana Friedenbach, 16 anos, torturados e mortos por um grupo de criminosos liderado por adolescente também de 16 anos conhecido como Champinha. Laércio analisou o corpo do moço.

Já em dezembro de 2007, poucos meses antes de surgir o caso Nardoni, o legista foi responsável pela análise do corpo do lutador de jiu-jítsu Ryan Gracie, de 33 anos, encontrado morto em uma cela do 91º DP, na Vila Leopoldina, após ser preso sob a suspeita de roubo de veículo. Tinha morrido de parada respiratória provocada pelo excesso de medicamentos

O PIOR DOS CRIMES

ministrados por um psiquiatra contratado pela família na tentativa de acalmá-lo em meio a um surto.

Laércio chegou ao London no final da manhã — horas antes de Calixto Calil falar com os jornalistas — acompanhado do colega Tieppo. Foram de carona em uma viatura do 9º distrito, cedida pela delegada, a pedido da dupla. Puderam, assim, analisar o gramado onde a menina havia sido encontrada e que, conforme ficaram sabendo, estava úmido naquela noite em razão de uma leve garoa. Isso, para os médicos, poderia explicar em parte a quantidade reduzida de ferimentos, mas não descartava totalmente a simulação de queda.

Os médicos tentaram encontrar no gramado alguma "pedrinha, um pedaço de pau" que justificasse o ferimento na testa da menina. Sem sucesso. Tieppo, mais jovem, ficou encarregado de fazer a inspeção entre as gramíneas, mas nada detectou que pudesse ter ferido a vítima.

A dupla subiu, então, ao interior do apartamento, onde encontrou uma sala cheia de policiais, entre eles a delegada Renata Pontes, o titular do 9º distrito, Calixto Calil, e até o delegado seccional interino da zona norte, João Rosa.

Talvez tenha ocorrido aí o grande erro de Laércio: sem medir muito as consequências, ele compartilhou com os policiais suas primeiras impressões.

Disse que suspeitava que a criança tivesse sido asfixiada antes de ser jogada pela janela e pudesse já estar desfalecida (quase morta) quando isso aconteceu, o que, para o médico, ajudava a explicar as poucas fraturas. Ele citou apenas uma pequena fratura no punho direito. Disse ainda que, para ele, o ferimento na testa da menina poderia não ter relação com a queda, mas, sim, com uma possível agressão ocorrida antes. Ainda na avaliação dele, o tamanho e a profundidade da ferida seriam capazes de produzir a pouca quantidade de sangue encontrada no apartamento. Eram condizentes.

O legista assustou-se com a reação dos policiais, que, de pronto, disseram que prenderiam o casal. Era bem provável que Laércio colocaria no laudo aquela impressão sobre a possível asfixia e tudo mais, mas precisava analisar melhor todos os elementos disponíveis antes de emitir uma conclusão. Assim, Laércio pediu aos delegados que tivessem paciência e adiassem aquela decisão. "O laudo ainda vai ser emitido. Vamos ter calma."

Havia um ponto importante que não estava sendo considerado pelos policiais. Mesmo que as lesões fossem de agressões à menina antes de ser jogada pela janela, elas não eram capazes de indicar a autoria delas. Mesmo que o médico estivesse certo, isso não provava que o casal era responsável pelo ataque. Um desconhecido poderia ter agido quando o pai retornou à garagem — como o próprio sustentava. A possibilidade não estava descartada. "Quando a Renata falou: 'Olha, vou prender esse casal pelo laudo de vocês. Pelo laudo.' Eu disse: 'Puxa vida. Tenta conseguir mais prova, gente.' Polícia Civil, vai investigar. Inteligência."

O médico diz ter sentido certo arrependimento, mas acreditava que a polícia tinha muito tempo para arrecadar outras provas, pois, afinal, seu laudo não ficaria pronto em menos de trinta dias. Renata Pontes foi avisada disso.

Laércio mal pôde acreditar ao ficar sabendo que a delegada Renata Pontes, três dias depois, pediu a prisão do casal usando aquela conversa informal e ainda por cima citando os nomes deles no documento.

Pelos senhores médicos legistas, dr. Laércio e dr. Paulo, foi esclarecido que o ferimento na testa não tem relação com a queda, tendo sido causado, portanto, antes da precipitação do corpo. O sangue encontrado no apartamento pode ser em razão desse ferimento, do qual houve certamente sangramento, mas não de forma abundante, visto que não foi atingida nenhuma artéria. Referido ferimento, contuso, pode ser causado, por exemplo, por uma quina de mesa, uma ponta de chave de carro, uma ponta de ferro, ou seja, não se trata de ferimento provocado por instrumento cortante ou perfurante. A criança apresentava, outrossim, sinais claros de asfixia, tais como coloração arroxeada cianótica, nas orelhas e face, lesão dos músculos do pescoço, do lado esquerdo; profusão da língua para fora dos dentes e estando presa entre os dentes, assim como sinais de asfixia no pulmão e coração.

O PIOR DOS CRIMES

Laércio fica indignado ao se lembrar do episódio, mesmo anos depois. "Pô! Naquele momento?", reclamaria ele. "O laudo nem estava feito ainda. Vai que eu mudo? Eu poderia mudar de opinião."

Mas o estrago estava feito.

E, pior, não demoraria para que aquelas primeiras impressões, sobre os sinais de asfixia, encontrassem outra explicação possível.

Um dos indícios de que isso ocorreu se tornou público dias após a prisão dos suspeitos, quando o diretor do IML, Hideaki Kawata, chefe de Laércio, deu entrevista sobre o assunto. Ele disse que não tinha dúvidas de que a morte da menina ocorrera em razão da queda e que os sinais encontrados no pulmão e coração da menina (as petéquias) poderiam ser de uma parada cardiorrespiratória, resultado da própria queda, e não da asfixia por esganadura.[1] Essa possibilidade foi repassada a Kawata pelos próprios legistas antes do laudo, segundo diria. "Eles que me passaram", me diria o diretor. Laércio não nega isso.

As petéquias são manchinhas que aparecem quando há morte agônica, dificuldades de respiração, o que pode ocorrer até em mortes naturais. Parecem pequenas cataporas que surgem nos alvéolos.

Essa declaração do diretor era sinal de que, embora não houvesse uma admissão pública por parte da polícia, Laércio e seus colegas passaram a admitir outra possibilidade para as marcas encontradas no corpo da vítima. O politraumatismo também conseguia explicar quase todos os sintomas. Além disso, surgiram testemunhas, entre elas a mãe da vítima, que viram a menina ainda viva no gramado agonizando por cerca de vinte minutos.

Outro indicativo da quantidade de dúvida dos legistas seria registrado também no atestado de óbito de Isabella, que descreve a morte como "causa indeterminada", informando que o resultado definitivo dependia de exames complementares. Se houvesse alguma certeza entre os legistas, uma dedução lógica, a *causa mortis* teria sido apontada imediatamente.

---

[1] "Vestígios no carro não são de sangue." *Estado de S. Paulo*, 8 abr. 2008.

As incertezas levaram, inclusive, ao retardamento da emissão do laudo do IML. A demora tornou-se tamanha que o próprio superintendente da Polícia Científica, Celso Perioli, mandou chamar o médico Laércio para cobrar explicações diretas, como o legista mesmo confirma.

O experiente legista teve que admitir ao chefe:

— Doutor, de fato, estou com dúvidas ainda.

Um dos problemas de se atestar a asfixia de Isabella era a inexistência de muitos sinais clássicos de esganadura, como o próprio Laércio admitiria a mim. "O ossinho não estava quebrado, o hioide. Não tinha fratura de hioide. Não tinha outros sinais, como alguns sinais de alguns autores, sinais de França, sinais não sei do que lá. Faltava um monte de outros sinais, esses sinais digitais."

Os sinais de França a que o médico se refere são as clássicas marcas de dedos que ficam no pescoço da vítima, na garganta dela, na parte da frente, quando há uma grande força aplicada. Isso não havia na criança. As únicas marcas encontradas foram na nuca, equimose, que poderia ter sido causada pela pancada da queda. "Essa equimose significa que houve ali uma contusão, uma compressão. Um agente contundente. Então, foi um impacto, uma compressão, uma torção. Enfim, é uma força de uma superfície, que não é pontiaguda. É um instrumento contundente que causa uma equimose", explica o próprio Laércio.

Na reunião com Celso Perioli, Laércio, segundo ele mesmo conta, prometeu a entrega do documento e adiantou os possíveis problemas:

— Essa esganadura que eu falei para ele, pro doutor João Rosa, vai ser mantida. Apesar de eu saber que isso daí vai dar rolo.

"Essa era minha dúvida. Nós ficamos com essa dúvida, se nós íamos dar a causa da morte mesmo. Ou só o politraumatismo."

O IML passaria a sustentar, mesmo já sabendo do provável "rolo", que houve asfixia da criança. Mas Laércio nunca diria, isso é importante ressaltar, que foi a madrasta quem apertou o pescoço e deixou marcas na nuca da vítima. O médico diz não ser possível afirmar com certeza quem fez isso, mas, para ele, é mais provavel que tenha sido a "mãozona" de Alexandre. E explica sua lógica: "Mulher geralmente tem unha comprida. Se for mulher, a mão na frente, pode arranhar."

Para ele, não havia sinais de unhas na nuca do corpo analisado. "Falaram que tinha que ter marcas ungueais. Marcas das unhas. Não teve marca ungueal. Porque a pessoa pode estar sem unha. O esganador. Unhas cortadas. Ela poderia estar usando uma luva. Se põe um pano, por exemplo, né?"

Nos anos de apuração deste livro, não encontrei ninguém que duvide da honestidade e competência de Laércio e dos colegas na realização dos trabalhos, mas, por outro lado, também não achei outro médico que concorde com a avaliação deles sobre o caso Nardoni, em especial sobre a asfixia. Outros profissionais, inclusive do próprio IML, não concordam com tal assertiva. Um deles é o cirurgião André Morrone, então assistente de Perioli à época da investigação, que estudou os laudos por conta própria. "Sobre a asfixia, eu não vejo elementos. Não vou olhar o resto das provas criminais. Mas, olhando a parte médico-legal, eu não vejo evidência disso. No politrauma, sem dúvida", disse o médico em entrevista para este livro.

Ainda segundo Morrone, a "comunidade pericial" ficou inquieta com as afirmações feitas no laudo. "Todo mundo ficou meio assombrado."

"Posso dizer que não era uma unanimidade o que estava sendo escrito ali, e os dois lados sabiam disso. Isso eu posso te garantir", disse, já fora da polícia de São Paulo. "Às vezes, o que menos interessa é a verdade."

# 22

# Não é sangue

O RESULTADO QUE A PERÍCIA DIZIA ter conseguido no caso Nardoni seria conhecido no laudo de reprodução simulada e, ainda, em uma animação gráfica, com desenhos em 3D, produzida por empresa particular a pedido da polícia e exibido pelo dominical *Fantástico*, da Rede Globo, em julho de 2008.

O filminho seria repetido à exaustão até o dia do julgamento e se moldaria à memória coletiva como se fossem imagens de uma câmera oculta instalada no interior do apartamento dos Nardoni.

A história contada pela perícia diz que Isabella foi agredida pela madrasta ainda no interior do veículo, já na garagem do London, com um objeto desconhecido, talvez a chave tetra da família, causando-lhe um pequeno corte na região frontal esquerda da cabeça. Ocorrera, então, um pequeno sangramento que deixa manchas "no assoalho do veículo, na face posterior do encosto do assento do condutor e lateral esquerda da cadeira de transporte de bebê".

As gotas são limpas com uma fralda de algodão de Pietro, a mesma usada pelo pai para estancar o sangramento da vítima até o interior do apartamento. As manchas no carro só seriam detectadas após uso de reagente.

A menina foi então levada no colo pelo pai, que, com uma das mãos livres, comprimiu a boca da vítima para que não chorasse ou gritasse, provocando ferimento no lábio. Já no interior do apartamento, ainda no colo do pai, a fralda é retirada da cabeça da menina e ocorre novo gotejado no piso do imóvel.

As imagens do filminho encomendado pela perícia destacam o primeiro pingo na entrada do apartamento, debaixo do beiral da porta, na soleira, e, na sequência, novos pingos caídos de altura estimada de 1,25 metro, o que só poderia ser possível no colo do pai, que mede 1,80 m. Esses detalhes eram importantes porque comprovariam a agressão iniciada fora do apartamento por não ser possível uma gota na soleira sem que a porta estivesse aberta.

Na sequência, sem motivo, Alexandre levanta a filha pelas axilas e a arremessa violentamente contra o chão, causando-lhe os ferimentos constatados na região da bacia, da vulva e do pulso direito. Mesmo com tanta dor, a vítima não se contorce e fica sentadinha, praticamente imóvel, de pernas flexionadas ao lado do sofá. É quando gotas caem sobre as pernas da menina, sujando as calças.

Os peritos não explicam, no laudo, porque trocaram de lado a tábua de passar roupas. Ela fora encontrada no corredor, no primeiro dia, do lado esquerdo de quem entra no apartamento — mas, na reprodução simulada, foi transferida para o lado direito, junto à mesa de jantar. Talvez por não se encaixar na dinâmica montada pela perícia e interferir no suposto rastro de sangue. Um procedimento não recomendado em qualquer parte do mundo.

Na sequência, os laudos afirmam terem sido encontradas, com uso de reagente, manchas de sangue em maior quantidade no chão, ao lado do braço direito do sofá, onde a perícia diz que a menina ficara sentada. Não há, porém, na calça da menina, nenhuma sujeira na parte de trás. Só na parte frontal.

O filminho segue afirmando que, depois de ser atirada no chão pelo pai, Isabella passa a ser asfixiada pela madrasta, que usa as próprias mãos. Neste momento, são ouvidos os gritos de "para, pai".

Os peritos não deixam claro quanto tempo durou a asfixia. Atestam, porém, que, depois dela, Alexandre e Anna discutiram por cerca de dois a três minutos e, na sequência, cortaram a tela de proteção da janela do dormitório dos filhos, utilizando uma tesoura multiuso e uma faca. Exames feitos na tesoura detectaram fios compatíveis com o da tela de proteção.

Para jogar a filha pela janela, a perícia diz que Alexandre teria pisado sobre a cama dos meninos, deixando marcas de solado de sandália nos lençóis e, após segurar a menina com os braços de fora, fica com marcas da tela de proteção em sua camiseta. Para passar o corpo da menina pelo buraco, teve ajuda da mulher. A menina escorreu, então, pelo lado externo da parede, quando deixou marcas com os dedos das mãos nas pastilhas do prédio. Um rastro.

Segundo o laudo, Isabella não teria sofrido nenhum ferimento grave em razão da queda dos cerca de 20 metros de altura. Só dentro de casa.

Alexandre desce ao térreo, enquanto Anna Jatobá permanece no apartamento efetuando as ligações telefônicas, ao mesmo tempo que limpa parcialmente as manchas de sangue. Em seguida, lava a fralda utilizada na cabeça da menina e na limpeza do carro. Isto justificaria o fato de Alexandre Nardoni chegar primeiro ao térreo, conforme declarações das testemunhas.

A versão contatada pela polícia era tão convincente, as provas pareciam tão irrefutáveis, que nem mesmo o desembargador Canguçu de Almeida se sentiu encorajado a reverter a nova prisão preventiva determinada por Fossen. Ao analisar novo recurso apresentado pela defesa do casal, o homem outrora preocupado com os desamores dos novos tempos não viu problema em deixar alguém na prisão mesmo sem o trânsito em julgado.

Um dos motivos para tal mudança, segundo o desembargador me diria anos depois, foram as provas periciais. O sangue de Isabella que a perícia dizia ter detectado na lateral da cadeirinha de transporte no carro usado pela família era, para ele, uma prova instransponível. Indicava que as agressões contra a vítima tiveram início fora do apartamento e, assim, de inteira responsabilidade do casal.

Essa conclusão seria uma das principais descobertas sobre o assassinato de Isabella — se fosse, no entanto, verdadeira.

Os exames de DNA realizados no material recolhido no interior do veículo jamais indicaram que se tratava de sangue, muito menos sangue de Isabella Nardoni, segundo a perita Norma Sueli Bonaccorso, responsável pelo laboratório de DNA da Polícia Científica à época das apurações do caso Nardoni e que, anos depois, viria a ser a superintendente da Polícia Científica de São Paulo (ela comandaria a instituição entre março de 2013 e janeiro de 2015).

Professora de Medicina Forense e de Criminalística, e responsável por estudo utilizado pelo Ministério Público de São Paulo sobre a aplicação de DNA na elucidação de crimes, Norma afasta até mesmo a tese de que o resultado foi inconclusivo para sangue, como algumas pessoas sustentavam: "O que podemos dizer com certeza é que é positivo para um material biológico humano, porque nossos reagentes são específicos para humanos, mas diferente de sangue. Não é sangue. Com toda a certeza não é sangue. Deu negativo para sangue. E posso dizer que Isabella não contribuiu para essa mistura. Eu não tenho o perfil dos filhos da madrasta e, por isso, tecnicamente, não posso afirmar que o perfil é de um deles. Eu não sei. Tecnicamente, não posso afirmar isso peremptoriamente. Mas posso afirmar que não é da Isabella."

Ao analisar os resultados encartados no processo contra o casal Nardoni, Norma explica que o material biológico recolhido pela perícia pode ser baba ou catarro de alguém (há mistura de mais de uma pessoa) que esteve no carro. Mas, de todos os perfis genéticos analisados no processo, o de Isabella é o que tem menos coincidências. Comparando o material recolhido no veículo com o perfil genético de Isabella, apenas sete de quinze *loci* são iguais. Isso representa um grau de probabilidade de 47%.

Se comparado com o perfil de Alexandre, a coincidência é maior em um *locus*. São oito locais iguais entre a sequência do perfil do pai e da "baba". Isso garante um grau de semelhança de 53%. Mais da metade de coincidência.

Já a paridade entre o perfil de Anna Carolina e o perfil encontrado na cadeirinha infantil chega a 87%: das quinze casas, treze são idênticas. Ou quase o dobro daquele verificado com o perfil da menina. Se os cientistas

## O PIOR DOS CRIMES

tivessem de apontar um doador do material biológico, Isabella seria a última da lista. Anna Carolina, por outro lado, seria a mais próxima de preencher a cartela toda.

A existência de perfil masculino no material genético encontrado indica maior possibilidade de a baba ser de um dos filhos de Alexandre e Anna, que conviviam naquele espaço diariamente. Mas Norma não dá isso como 100% certo porque não foi recolhido sangue dos meninos para análise do perfil genético de cada um deles. O que tudo isso quer dizer então diante dos vestígios encontrados na cadeirinha? "Não quer dizer nada. Quer dizer apenas que a madrasta, ou algum parente dela, usou o carro."

Ainda quanto aos resultados da perícia, pouquíssimas pessoas notaram que também não era verdadeira a versão de que havia um rastro de sangue pelos corredores do apartamento até o quarto dos irmãos, onde a vítima foi, em tese, defenestrada. Isso também consta da versão da polícia e da Promotoria, ilustrado ainda pelo vídeo em 3D encomendado pela perícia.

Conforme a versão da perícia, a primeira gota detectada no apartamento estava na soleira da porta, indicando que a vítima já estava ferida. Os peritos chegaram a afirmar que conseguiram provar que as gotas caíram de uma altura de 1,25 metro. Como a vítima tinha 1,15 metro, seria prova irrefutável de que a menina foi carregada pelo pai, que media cerca de 1,80 metro de altura.

Na análise dos próprios laudos é possível ver, porém, que não existe qualquer prova de que havia sangue nos corredores do apartamento, muito menos na soleira da porta e de uma altura aproximada de 1,25 m. A única gota com sinais característicos de queda dessa altura está no lençol do quarto dos meninos.

De acordo com o primeiro perito a entrar no apartamento, Sérgio Vieira Ferreira — que deveria, em tese, ser o principal responsável pelo laudo —, só havia uma mancha visível no chão do apartamento, aquela em frente ao quarto dos meninos. Mas nem para esse pingo há comprovação de ser sangue.

Isso também vale para as supostas manchas invisíveis encontradas ao lado do braço do sofá, onde, supostamente, a menina teria sido jogada pelo pai e, depois, sentada, asfixiada pela madrasta. Nenhum material foi recolhido ali para ser analisado em laboratórios e, assim, não é possível dizer que havia sangue no local.

Para sustentar que havia um rastro de sangue no apartamento, os peritos utilizam — além das próprias palavras — fotos borradas, registros de suposta reação do Luminol aos pingos que foram supostamente apagados pela madrasta antes de descer para o térreo.

Ocorre, porém, que, segundo os próprios peritos, imagens por si sós não têm validade científica para comprovar a existência de sangue.

O Luminol é, *grosso modo*, o nome genérico de um produto usado pela polícia que, quando em contato com o ferro existente na hemoglobina do sangue, ainda que de uma mancha invisível a olho nu, produz reação química que libera uma luz azulada fluorescente — semelhante à luz de um vagalume.

Quando há quimiluminescência, os peritos recolhem o material daquela região e enviam para análise em laboratório. Assim foi feito no interior do veículo da família, onde os peritos desconfiaram da presença de sangue no banco do motorista, no carpete de forração do veículo e na cadeira de transporte de criança, porque houve reação nesses determinados pontos.

O envio ao laboratório é obrigatório porque o Luminol não é totalmente confiável, uma vez que reage com o ferro existente no sangue, humano ou não humano, mas também com outros materiais que contenham ferro, como banana, cenoura, alho, feijão-verde, gengibre, além de uma série de produtos de limpeza domésticos e outros elementos, como ferrugem. Enfim, uma quantidade de itens presentes em grande parte das casas brasileiras.

"Por isso o exame do sangue é importante. Você não pode dizer que é sangue só porque brilhou. Por mais treinado que seja seu olho, mesmo que você tenha certeza de que é sangue, tem que mandar para o laboratório. O Luminol não é teste específico, ele é indicativo", explicou-me Maria Paula Valadares, que é doutora em biotecnologia pela USP, perita da polícia de São Paulo e também ministra aulas de aplicação de Luminol para os colegas. Ela continua a explicação: "O Luminol pode ser indicativo de que ali tem sangue. Mas tudo o que o Luminol mostra você precisa provar depois que é sangue. É um indicativo. Você não sabe sangue de quem. Você tampouco sabe se é sangue. Você não tem como ter certeza. O Luminol sozinho nunca diz que é sangue humano. Vai indicar que ali poderia ter sangue. O perito então coleta — com um cotonete especial, chamado swab — uma amostra daquilo que o Luminol está mostrando e envia para o laboratório, porque o laboratório, além de dizer se é sangue, tem condição de coletar o DNA daquilo. Se você está na casa do autor — ou possível autor — de um crime e encontra o sangue da vítima na casa dele, você colocou a vítima na casa do cara."

Norma Bonaccorso tem exatamente a mesma opinião sobre a coleta e sobre a limitação do reagente para a perícia. "São testes de orientação. Podem indicar a possibilidade de ser sangue. Indicam componentes que tenham ferro, mas ketchup, por exemplo, também tem ferro. São testes de orientação que devem ser confirmados."

Há ainda outros pontos sem comprovação científica existentes na animação 3D encomendada pela polícia.

A versão dos peritos diz que o ferimento na testa da criança, causador do sangramento, foi possivelmente provocado por uma chave tetra no interior do veículo. Mas, não há nenhuma prova de que isso tenha ocorrido, até porque a polícia não enviou a chave da casa para exame. Além disso, os médicos legistas dizem que são infinitas as possibilidades de objetos que podem ter causado o ferimento. "Foi um instrumento contundente. Se foi chave, anel, não dá para dizer. Assim como se foi por mesa, cabo de faca, cadeira. As opções são infinitas. Só dá para dizer que não foi faca. Não foi gume. Não houve perfuração, como de agulha. Estão descartadas faca e tesoura. De resto, pode ser um monte de coisa. Até o celular. Televisão. É infinita a possibilidade", diria o legista Laércio.

Poderia ser a mesa de vidro, também não analisada.

ROGÉRIO PAGNAN

Por fim, também não ficou comprovado que havia sangue na fralda apreendida pela polícia no apartamento do casal, não se sabe se no varal ou dentro de algum balde com água. Os peritos dizem que havia resíduo de sangue nela com base em aplicação de reagente Luminol, que não serve para isso.

Assim, muitas provas utilizadas pela polícia para sustentar a culpa do casal, e convencer todos os tribunais da prisão do casal, nunca existiram.

Além do rastro de sangue inexistente, o laudo possui falhas gravíssimas sobre as outras teses utilizadas para sustentar a "dinâmica dos fatos", que interferem diretamente na compreensão de como se deu o crime.

Uma delas se refere à camiseta utilizada por Alexandre na noite do crime. Segundo sustenta o laudo, a perícia encontrou na vestimenta dele marcas que somente seriam possíveis se ele estivesse segurando pelo buraco da tela um peso equivalente a 25 quilos, algo próximo do que a filha pesava à época.

Os peritos dizem ter realizado quatro sequências de testes para tentar entender as sujeiras encontradas na camiseta. Verificar em que posição Alexandre precisaria estar em relação à tela para que os losangos da rede de proteção imprimissem os desenhos que supostamente foram encontrados.

De acordo com as fotos anexadas no laudo, um dublê de Alexandre foi utilizado no teste. Ele se debruçou, vestindo uma camiseta branca, contra uma rede de proteção furada ao meio. Os cordões da rede foram sujos com grafite para que pudessem imprimir seu formato no tecido.

Não há nenhum registro se todos os aspectos técnicos foram observados para realização dos experimentos, como as dimensões do buraco em que o dublê colocava a cabeça, as proporções da janela e, ainda, a altura da cama em relação ao parapeito. Visualmente, nada disso foi respeitado.

Um aspecto técnico certamente menosprezado foi a base de apoio do dublê. Se Alexandre se ajoelhou sobre a cama do filho para conseguir jogar a vítima pela janela, como a perícia diz, seria importante usar algo similar no teste. Mas isso não foi levado em consideração, já que, onde é possível ver, o rapaz aparece sobre uma mesa. Em algumas imagens, tem-se a impressão de que ele está de pé ao lado da janela, mas não é possível ter certeza pelo corte da foto.

De acordo com os documentos do processo, no primeiro experimento, o dublê aparece com a cabeça para fora do buraco e com os braços juntos ao corpo. No segundo, coloca a cabeça e metade do corpo para fora, apoiando um dos braços no parapeito. Ambos os resultados foram considerados incompatíveis na avaliação dos peritos. Já no terceiro e penúltimo teste, o dublê passa os dois braços pelo buraco e segura um peso de 25 quilos, situação que os peritos dizem ter chegado a um resultado bem "aproximado" das marcas encontradas na camiseta de Alexandre. O último teste, segundo o laudo, foi realizado na "mesma situação do teste anterior", mas conseguiu apresentar "total compatibilidade entre os padrões do teste e da camiseta questionada". Neste, porém, o rapaz não segura nenhum peso. Assim, o resultado dos testes indica que as marcas encontradas na camiseta de Alexandre só seriam possíveis se ele não estivesse segurando a filha.

Isso é absolutamente diferente do discurso sustentado pela perícia.

O professor Nelson Massini, um dos principais peritos do país, disse, em entrevista para este livro, que é até difícil opinar sobre o resultado apresentado: "O que eles fizeram não é nada científico. Tem a marca lá, realmente, tem a marca, tudo bem, é viável. Mas não leva a nada, não tem nada de científico um troço desses. Não tem um equipamento. Foi tudo à base do chute mesmo. Quer dizer, eles acharam uma camisa com uma marca e disseram: 'Vamos fazer essa marca coincidir com algum teste que a gente vai fazer.' Eu nem sei como eu conseguiria criticar aquilo porque tudo é uma ficção. Eles foram tateando. Foram seguindo a imaginação fértil de quem está analisando."

Outra possível falha do laudo está no suposto rastro deixado pela vítima no lado externo do prédio quando atirada pela janela. A perícia diz que, ao ser defenestrada, Isabella fez marcas com as mãos no azulejo.

O problema dessa tese é que os riscos supostamente feitos pelas mãos da vítima foram encontrados distantes do orifício feito na tela. A fresta em que a vítima fora supostamente atirada está à direita de quem olha de dentro do quarto, a cerca de 20 centímetros de altura do beiral (cálculo dos peritos). No laudo, porém, o orifício por onde a menina teria sido arremessada aparece bem abaixo à esquerda, rente ao canto inferior. Para sustentar a tese dos riscos, os peritos tiveram de alterar o local do orifício.

Um leigo pode nem ver sinais compatíveis com as mãos da vítima porque a medida dos dois azulejos riscados gira em torno de 20 centímetros. Seria uma mão muito grande para uma criança de cinco anos de idade. Além disso, os rastros vão serpenteando pela parede abaixo, de forma incompatível até mesmo com a reprodução simulada feita pela perícia. A vítima despencaria para trás, em queda livre, sem contato com a parede. A não ser em uma circunstância.

O perito Sami El Jundi, da Universidade Federal do Rio Grande do Sul (UFRGS), ao analisar as imagens, diz que os riscos podem até ser das mãos da criança na queda, embora ele questione a falta de manchas importantes na parede, como o tórax e o abdômen da vítima, que obrigatoriamente teriam de tocar a parede. Considerando que eram mesmo marcas da mão da menina, isso indicaria que ela estava consciente quando caiu da janela e tentou se agarrar em algo.

"Quanto às manchas à direita, elas poderiam ser produzidas por uma mão direita estendida, mas, novamente, requereria uma mão espalmada e com os dedos abertos, uma posição forçada, ativa, que requer que a vítima estivesse necessariamente consciente", diz ele em parecer produzido. E continua: "É opinião deste parecerista que todos os elementos indicam a ocorrência de uma precipitação acidental, produzida pela própria vítima, ao se pendurar da janela de seu quarto, com objetivo ignorado."[1]

O problema da tese de queda acidental é não conseguir explicar como a menina se feriu na testa, já que o sangue encontrado na cama e no parapeito da janela é, de fato, da menina, e por que os objetos utilizados para

---

[1] Trecho de parecer escrito pelo especialista a pedido do autor.

cortar a rede (possivelmente tesoura e faca) não estavam próximos ao corpo, na grama do prédio, ou no quarto de onde ela caiu. Isso também remete a outro problema do laudo: onde foram achadas a tesoura e a faca supostamente utilizadas para cortar a tela? Os peritos dizem que estava sobre a pia da cozinha, mas não há registro fotográfico disso.

\* \* \*

No documento em que justifica sua decisão de manter o casal preso indefinidamente, o desembargador Canguçu diz que havia "fortes indicativos" de que Alexandre e Anna "procuraram eliminar parte da prova que poderia incriminá-los, tentando, consoante conclusão pericial, ao menos remover as marcas de sangue existentes no local ou na vítima, para o que se valeram de uma fralda que, a seguir, trataram de lavar na expectativa de fazerem desaparecer qualquer detalhe que pudesse comprometê-los ou prejudicá-los em sua versão exculpatória". E, surpreendentemente, diz ainda: "Da mesma forma, e com igual propósito, teriam logrado obter declaração a um jornal da capital do pedreiro Gabriel dos Santos Neto, segundo a qual teria ocorrido um arrombamento, seguido de invasão, no prédio vizinho àquele em que é localizado o apartamento do qual foi jogada a vítima, declaração, contudo, posteriormente desmentida pelo próprio Gabriel, quando de sua oitiva perante a autoridade policial. E, se assim procederam, deram claro sinal de que se predispõem a invalidar a prova, detalhe justificador da preservação da custódia, para o fim de assegurar a precisa formação do conjunto probatório."

Outra mentira contada a Canguçu. Como essa informação sobre falsa entrevista não consta de nenhuma parte do processo, e tanto a polícia quanto a Promotoria nunca sustentaram isso em suas alegações, não é possível saber quem usou de inverdades para iludir o magistrado. Ele não quis contar.

Já as outras mentiras tinham nome e sobrenome.

# 23

## Salada de fruta

UMA DAS MAIS IMPORTANTES LIÇÕES QUE os jornalistas aprendem desde cedo na profissão é ter o máximo de cuidado em fazer comparações.

Não se pode, nunca, fazer projeções utilizando banco de dados diferentes. Por exemplo: mesmo que tratem do mesmo fenômeno, não se pode dizer que os homicídios dolosos de um Estado cresceram comparando os dados da Secretaria da Segurança de um ano com os da Secretaria da Saúde de outro. As informações de ambas as secretarias estão corretas, mas são incomparáveis entre si porque foram produzidas por regras de interpretações diferentes sobre homicídios e, portanto, geram bases muito distintas. Assim, é comum ouvir nas redações que não se pode comparar banana com laranja.

Ao longo da investigação do caso Nardoni, a polícia recolheu informações de vários bancos de dados diferentes: tinha horários do rastreador implantado no carro da família Nardoni, dos gravadores de conversas registradas pelo serviço de emergência da Polícia Militar e do Corpo de Bombeiros e, ainda, dos registros repassados por companhia de telefonia sobre ligações feitas. Fontes de dados totalmente diferentes e, por isso, inconciliáveis.

Um olhar mais atento pode ter percebido que, quando o professor Lúcio ligou para a Polícia Militar, o primeiro registro feito pela PM, o gravador de voz utilizado pela soldada Roseli Poleze marcava 23h49m59s.

Pouco tempo depois, na sequência, quando o analista de canais José Carlos Pereira ligou para acionar os bombeiros, o gravador marcava 23h50m01s.[1] Diferença de apenas dois segundos e, obviamente, um erro provocado pela comparação de fontes diferentes.

Para deixar a situação ainda mais complicada, a PM enviou ofício para a Polícia Civil informando que a ligação feita pelo seu Lúcio ocorreu, pelos registros de seus computadores, às 23h52. Assim, se for utilizado esse horário do ofício, a ligação de José Carlos teria ocorrido dois minutos antes de seu Lúcio acionar o socorro policial. Seria uma falha ainda maior.

Como não houve quebra dos sigilos telefônicos de testemunhas, apenas dos suspeitos, não é possível dizer qual horário dos registros da PM está mais correto em relação ao horário oficial de Brasília ou, até, se todos estão errados. São, portanto, dados imprecisos e servem mais para que haja uma noção de tempo. Dão uma ideia do momento em que as ligações ocorreram.

Importante lembrar que também são imprecisos os dados enviados pela seguradora sobre o veículo utilizado pela família na noite do crime. Não é possível dizer em qual horário o veículo foi efetivamente desligado. O último registro do aparelho se deu às 23h36m11s, quando o motor ainda estava em funcionamento (em K) e a família adentrava a garagem do edifício London.

Desprezando todas essas restrições, a perícia estabeleceu esses horários como sendo os marcos para precisar a hora exata da queda da menina e o tempo em que a família permaneceu no apartamento. Utilizou números fornecidos pelo gravador da PM, pelo rastreador do carro e pelo telefonema do professor — uma salada de frutas — para montar o que chamou de "cronologia dos fatos" e, sem fazer qualquer tipo de ressalva, passou a sustentar os resultados como se tudo tivesse partido da mesma base de dados e com sincronia até nos segundos.

Com o horário do gravador da PM, os peritos sustentariam que a defenestração se deu às "23 horas, 48 minutos e 39 segundos", porque

---

[1] Processo 0002241-66.2008.8.26.0001, p. 918.

O PIOR DOS CRIMES

estimaram que o corpo levou dois segundos para atingir o solo, o porteiro demorou vinte segundos entre escutar o barulho, visualizar a vítima e acionar seu Lúcio, e este, por sua vez, "demorou um minuto entre atender o interfone, visualizar a vítima e ligar para a Polícia Militar, às 23h49m59s". A perícia concluiu então: "Considerando-se que o veículo fora desligado exatamente às 23h36m11s e a vítima fora defenestrada às 23h48m37s, temos um intervalo de tempo durante o qual todo o encadeamento dos fatos se desenvolveu, culminando com a morte de Isabella Nardoni, a saber: 12 minutos e 26 segundos."

Com base no depoimento do casal, os peritos estimaram ainda que, se a versão contada por ele fosse real, seria necessário um intervalo de tempo maior, de no mínimo "16 minutos e 56 segundos". "Inequivocamente o intervalo de tempo encontrado não coaduna com as versões apresentadas pelos indiciados", diz conclusão da perícia no laudo de reprodução simulada.

Os peritos afirmam que só na última parte da história narrada — em que o pai e a madrasta percebem a falta da criança no quarto dela, constatam a queda no quarto ao lado, fazem dois telefonemas (no total de 1 minuto e 9 segundos) e descem juntos no elevador para o térreo — foram gastos exatos 6 minutos e 4 segundos. Excluindo o tempo das ligações, os quase cinco minutos restantes para a procura em dois quartos parecem uma eternidade e não é possível saber como os peritos alcançaram esses resultados porque não há no relatório apontamentos sobre as sequências que a perícia diz ter cronometrado. Não se sabe, por exemplo, quanto tempo o casal levou para percorrer os corredores até chegar aos quartos.

Uma das poucas especificações sobre tempos medidos é quanto à velocidade atingida pelos elevadores. O documento diz que, dos "16 minutos e 56 segundos", 3 minutos e 58 segundos seriam apenas nos deslocamentos do elevador, já que, afirmam os peritos, ele se deslocava numa velocidade de "dez segundos por andar, aproximadamente". Dessa forma, conforme especifica o laudo da polícia, em três deslocamentos de Alexandre para levar Isabella e voltar para buscar a família, e depois os quatro juntos, seriam gastos 1 minuto e 2 segundos em cada um deles e, no último percurso, cravados 52 segundos. Quase quatro minutos.

Para que essa conta possa estar certa, os elevadores do London precisariam ser três vezes mais lentos do que o normal. De acordo com o manual da empresa Atlas Schindler — a maior existente no mercado —, "a grande maioria dos edifícios residenciais apresenta um fluxo de usuários que é bem atendido por elevadores com velocidade de 1 m/s e capacidade de 6 a 9 pessoas".[2]

Se forem considerados os cálculos da empresa de elevadores, de uma velocidade estimada de um metro por segundo, os oito andares percorridos pelos Nardoni — do subsolo ao sexto andar — seriam inferiores a trinta segundos, considerando-se a altura estimada de 24 metros (3 metros por andar). Um total inferior a dois minutos nos deslocamentos de Alexandre sozinho ou com a família.

Há problema até para entender as contas utilizadas pela perícia porque, se o elevador se desloca a uma velocidade aproximada de dez segundos por andar, como diz, o tempo gasto do subsolo ao sexto andar deveria ser de oitenta segundos (1 minuto e 20 segundos) e não 1 minuto e 2 segundos, já que não se pode desprezar nas contas o térreo — como aparentemente fez a perícia.

De qualquer forma, a polícia concluía que, pelo tempo entre a parada do veículo e a queda da vítima, só havia uma única possibilidade: "Para que isto fosse possível, a família toda, incluindo a vítima, deveria ter subido ao apartamento, de uma única vez, logo após o desligamento do veículo."

Ainda quanto ao tempo, um dado absolutamente importante nos achados da polícia são os telefonemas realizados por Anna para avisar as famílias sobre o ocorrido. O primeiro deles, quando ligou para o próprio pai, se deu às 23h50m32s. Na sequência, ela mesma ligou para seu Toninho às 23h51m09s, totalizando os 69 segundos (incluindo treze segundos entre uma ligação e outra).

---

[2] Manual de transporte vertical publicado no site da empresa de elevadores Schindler. Disponível em: <http://www.schindler.com/content/dam/web/br/PDFs/NI/manual-transporte-vertical.pdf>.

Se pudesse ser comparado com o registro do gravador da polícia (23h49m59s), isso indicaria que a primeira ligação de Anna se deu 33 segundos após o acionamento da PM por seu Lúcio. E, como o telefonema do professor terminou às 23h51m20s pelo horário do gravador, parte das ligações ocorreram simultaneamente. Enquanto um avisava a polícia, a outra chamava a família.

A quebra do sigilo telefônico de seu Lúcio seria fundamental para atestar com certeza quando uma ligação ocorreu em relação à outra, já que os dados seriam fornecidos pela mesma fonte, a empresa de telefonia, e, portanto, ambos os detalhamentos teriam o mesmo horário em relação a Brasília.

Poderiam mostrar até que as ligações feitas pela madrasta no interior do apartamento ocorreram antes mesmo de seu Lúcio ligar para a polícia, o que seria prova irrefutável do envolvimento do casal no crime. Essa informação, no entanto, não foi solicitada pela polícia. Sem ressalvas, a perícia usou fontes diferentes para afirmar que a ligação ocorreu exatamente "1 minuto e 55 segundos depois de o corpo ser atirado pela janela".

E concluiu: "Analisando-se a alegação de ambos com relação à presença de um ladrão no interior do apartamento; não obstante todos os indícios apontarem como inexistente esta hipótese; à luz da literatura de análise criminológica e da casuística ela é totalmente improvável. Diante do exposto, cotejando-se com as evidências constantes no Laudo de Levantamento de Local, com os achados do Laudo Necroscópico da vítima e as declarações prestadas pelas testemunhas, as relatoras são levadas a admitir que as únicas pessoas relacionadas às agressões que levaram à morte a pequena vítima Isabella de Oliveira Nardoni foram Alexandre Alves Nardoni e Anna Carolina Trotta Peixoto Jatobá."[3]

---

[3] Consta do laudo de reprodução simulada número 01/030/28.176/08, contido no processo.

# 24

# Ficção científica

Muitos jornalistas ficaram impressionados com os resultados que a polícia de São Paulo dizia ter obtido na investigação do caso Nardoni. Alguns deles até produziram reportagens comparando o trabalho do Instituto de Criminalística ao seriado norte-americano CSI e às histórias de cientistas forenses que conseguem esclarecer os crimes mais intrincados com a ajuda das técnicas e tecnologias mais avançadas da ciência. Dentro da própria polícia paulista, porém, essas reportagens sobre o "CSI Brasileiro", como chegou a ser batizado, eram vistas da mesma forma que o seriado norte-americano: tudo peça de ficção.

A realidade vivida pela Polícia Científica de São Paulo estava, porém, em um relatório sigiloso de 32 páginas produzido pelo governo paulista entre abril e agosto de 2013, ano em que o governador Geraldo Alckmin (PSDB) decidiu substituir o perito Celso Perioli, no comando da instituição havia quinze anos. Era um diagnóstico capitaneado pelo perito Antônio de Carvalho de Nogueira Neto, assistente da Superintendência da Polícia Científica, após análise de todas as 173 sedes no estado, tanto do Instituto de Criminalística quanto do Instituto Médico Legal, em 120 dias de trabalho, 19 mil quilômetros rodados e centenas de relatórios pormenorizados. Os resultados foram assustadores.

A mais completa análise da instituição diz que nenhuma equipe ou núcleo da Polícia Científica tinha número suficiente de funcionários — "o desfalque é significativo: cerca de 50%" — e que algumas unidades estavam "agonizando" por falta de funcionários. Um dos casos mais impressionantes foi registrado em uma cidade do interior onde um auxiliar de necropsia, pela falta de outros funcionários, teve de improvisar um equipamento para manuseio de corpos, algo que apelidou de "necro-guincho".

A pesquisa também detectou alguns funcionários "emocionalmente traumatizados" pelas condições do trabalho, fato agravado pelo próprio perfil da profissão. Um dos profissionais ouvidos na pesquisa, auxiliar de necropsia, se dizia "oprimido e solitário", afirmando que "fica xarope por um período e só a cachaça resolve".

O documento diz ainda que "em praticamente todas atividades do IC e IML" as normas de segurança e medicina do trabalho "relativas a agentes químicos, físicos e biológicos" eram desrespeitadas e que, se seus prédios fossem vistoriados por órgãos como o Ministério Público do Trabalho, a Vigilância Sanitária ou o Corpo de Bombeiros, seria possível que se interditassem "praticamente todas as unidades da SPTC, mesmo as que foram construídas recentemente".

Algumas fotos das dependências destinadas à realização de exames e perícias, como necrotérios e laboratórios, foram anexadas no documento para que a cúpula do governo tivesse a noção da situação precária. São imagens de laboratórios totalmente improvisados, alguns "laboratórios" instalados em pias domésticas, salas imundas e caindo aos pedaços. Uma das cenas que mais chamam a atenção é de um corpo aguardando por necropsia em uma sala — que deveria ser uma câmara fria — com o chão forrado de enormes baratas.

O relatório diz ainda:

"Os 'laboratórios' encontrados no Instituto de Criminalística destinados aos mais variados exames tais como peças diversas, instrumentos, armas, balística, químicos, biológicos, metalográficos etc., quando existentes, não cumprem nenhuma norma de trabalho e/ou de segurança, posto que estão montados provisoriamente em pias de cozinha, áreas de serviço e banheiros, não possuem sistema de exaustão, capelas, chuveiros e os reagentes ficam expostos aleatoriamente, aumentando os riscos de acidente."

O PIOR DOS CRIMES 213

E continua, sobre a possibilidade de anulação das provas usadas pela Promotoria:

"Um fator relevante deve ser lembrado: as condições físicas dos laboratórios permitem que as provas ali geradas sejam anuladas, posto que foram obtidas em condições e situações tecnicamente não recomendáveis."

O ponto mais importante do relatório é, com certeza, a revelação de que nenhum laboratório existente no estado de São Paulo, tanto do IC ou do IML, é "certificado e ou acreditado". A exceção é o Laboratório de DNA. Isso significa que, mesmo se os reagentes não estiverem vencidos, as provas produzidas pela polícia de São Paulo podem não ter valor jurídico porque a forma, os equipamentos e procedimentos de trabalho não têm aval de órgãos independentes como deveriam, a exemplo de um radar de multas de trânsito sem aferição do Inmetro.

A acreditação, como a nota esclarece, é o "reconhecimento formal por um organismo independente especializado em normas técnicas daquele setor de que uma instituição atende a requisitos previamente definidos e demonstra ser competente para realizar suas atividades com segurança".

Para não deixar dúvidas sobre a gravidade do problema, algo desconhecido da maioria das pessoas (incluindo advogados), o documento descreve: "A falta de certificação e/ou acreditação coloca em descrédito tais laudos oficiais, que, se contestados, poderão serão anulados e favorecerão os indiciados."

Em outras palavras, as provas produzidas no caso Nardoni (assim como em tantos outros casos) podem não ter validade jurídica.

Esse relatório secreto não diz, mas entre os próprios peritos de São Paulo existe a suspeita de que os reagentes do caso Nardoni estavam vencidos. Se muitos outros usados pela polícia estavam, por que aqueles não estariam?

A doutora em biotecnologia Maria Paula Valadares explica que há alguns procedimentos estabelecidos para aplicação de reagentes, em especial do Luminol, para afastar suspeitas desse tipo. "O correto é tirar uma fotografia do frasco do Luminol mostrando a data de fabricação, a data de validade e o número de lote, para colocar no laudo. Porque futuramente pode dar problema. Se o advogado é muito bom, pode tentar quebrar o laudo por aí."

Assim, a primeira forma de afastar dúvidas sobre qualquer investigação é verificar, nas fotos anexadas aos laudos, o lote e a data de validade dos produtos utilizados. Ocorre, porém, que nenhum dos laudos produzidos sobre o assassinato de Isabella Nardoni possui fotos ou referência à data de validade e lote do produto. Trazem apenas informações genéricas sobre o Luminol e afirmações de que os olhos treinados de um técnico podem indicar quando há um falso positivo. Assim, a polícia não consegue confirmar a procedência do produto utilizado em uma das mais importantes investigações do país.

A responsável pelos testes foi Rosangela Monteiro, principal perita do caso e que realizaria inúmeras palestras pelo país com tal grife ("a perita do caso Nardoni"). Anos depois, perguntada sobre se foi feita qualquer fotografia do frasco de Luminol ou de qualquer outro reagente, ela confirmaria a mim:

— Não. Nós nem fazíamos isso. A gente nem fotografava [as reações nos locais de crime]. Foi o primeiro caso que nós conseguimos fotografar. Foi o primeiro. Porque eu falei: 'Eu vou lá, e quero uma câmera digital.' O local não era feito com câmera. Nunca ninguém havia conseguido fotografar. Foi a primeira vez que usamos a fotografia digital. Com um profissional excelente, porque nenhum outro fotógrafo sabia fazer isso.

Isso explicaria ainda, conforme ela afirma, por que estavam borradas as fotos que registraram as supostas reações do Bluestar, as marcas utilizadas pelos peritos para sustentar o rastro de sangue no apartamento. Os peritos ainda não dominavam as técnicas para registrar as reações. Segundo ela, foi só a partir de então, diante do problema e do caso Nardoni, que isso foi aperfeiçoado.

São dela as principais conclusões utilizadas pela polícia e pelo Ministério Público contra o casal Nardoni. Mas, assim como em relação ao

O PIOR DOS CRIMES

reagente, alguns de seus colegas, peritos de São Paulo, fazem críticas a Rosangela — entre outras coisas, por mentir sobre seu currículo.

A perita do caso Nardoni gostava de se apresentar como mestre e doutora formada pela PUC de São Paulo. Essa foi uma das qualificações fornecidas por ela ao juiz Fossen durante a instrução do processo.

— Eu sou doutora em psicologia clássica, mestre em psicologia social pela Pontifícia Universidade Católica —[1] disse ela ao magistrado, versão também encontrada na internet em algumas palestras dadas por ela.

A PUC de São Paulo, porém, não confirma essa informação. Funcionários da instituição utilizaram o nome e os números de RG e CPF da perita para rastrear alguma matrícula dela em todos os registros existentes na universidade. Após dias de pesquisa, não conseguiram localizar nenhuma Rosangela Monteiro que tenha participado de cursos na instituição, em qualquer época ou qualquer tipo de curso.

"A possibilidade de ela ter feito algum curso aqui é quase nula. Não tem e nunca teve Rosangela Monteiro com esse CPF. Tem uma Rosangela Monteiro de Oliveira, mas com outro CPF, nada a ver", disse, em entrevista para este livro, uma das funcionárias da PUC que ajudam jornalistas a buscar informações. A assessora ressaltou que não podia dizer peremptoriamente que a informação da perita era falsa porque poderia ter havido alguma falha na busca da própria universidade. Pelos sistemas da instituição, diz a moça, é mais fácil fazer pesquisas pelo título da dissertação ou tese do aluno, pelo ano em que trabalho foi defendido ou pelo nome do orientador. "Se for mestrado muito antigo, um doutorado muito antigo, pode ser que não tenha no registro de alunos, tipo 'o banco de dados era em papel cartão'. Mas não ter aqui na plataforma, aqui da biblioteca, nossa, só se fosse um caso em um milhão, porque têm trabalhos muito antigos aqui. Em todos os lugares que eu olhei, não tem."

A própria assessora da PUC, assim como outros colegas de Rosangela na Superintendência da Polícia Científica, disseram estranhar uma doutora sem currículo na Plataforma Lattes, onde geralmente estão

---

[1] Processo 0002241-66.2008.8.26.0001, p. 1.769.

integrados todos os currículos de mestres, doutores e pós-doutores do país inteiro. Seria praticamente impossível alguém fazer tais cursos sem registro neste banco.

— Por que a senhora não colocou o seu currículo na Plataforma Lattes? — perguntei a Rosangela em entrevista para este livro.

— Plataforma Lattes? — ela repetiu, como se não soubesse do que estávamos falando.

— Sim, onde as pessoas colocam o currículo de mestres, doutores.

— Não... Não... Não... — repetia ela, como se buscasse alguma resposta que não vinha nunca. Tentei ajudar com outra pergunta.

— Não quis utilizar a ferramenta?

— Olha, nem pensei nisso. Nem me preocupei. Porque, em princípio, eu estava voltada mesmo para a psicologia, mas depois eu entrei para essa área de criminalística. Já não trabalhei mais, não mais me preocupei com isso.

A assessora da PUC havia dito também que poderia ser até mais fácil localizar um mestrado ou doutorado pelos nomes dos trabalhos, pelo ano de conclusão, orientador. Quem sabe, como estávamos no apartamento da própria perita, ela poderia ter uma cópia guardada.

— A senhora fez suas pós na PUC de São Paulo?

— PUC de São Paulo — respondeu com firmeza.

— Quando você fez o mestrado e o doutorado?

— Fiz... durante o curso... ham, hum... — disse, fazendo numa pequena pausa como se procurasse uma resposta. — Quando eu entrei na academia em 1987, eu estava terminando... — faz uma pausa, pensando — ... em 1987, peraí... — outra pausa. — Eu estava terminando o doutorado... Tive que parar, depois voltei. Tive que me ajustar nos horários porque era integral. Tive que me acertar.

— Mas o mestrado, quando foi?

— Foi logo em seguida da faculdade, foi em 1982, 1983... Eu já estava fazendo mestrado... foi na sequência. Foi tudo seguidinho. Eu não parei. Foram dois anos de mestrado e três anos de doutorado.

# O PIOR DOS CRIMES

— Quais foram as teses?

— Na psicologia social, eu fiz uma comparação... — faz uma pausa para pensar. — Eu fiz um estudo das obras de Michelangelo com uma visão psicológica. Eu sempre gostei muito de arte. Meu pai é ligado a isso. Fiz toda uma análise, principalmente sobre as obras da Capela Sistina, significado das posições, de todas aquelas coisas que ele colocou lá.

— Lembra qual foi a sua orientadora?

— Foi orientador... — disse ela, que, após outra pequena pausa, desistiu de tentar resgatar na memória. Não se lembrava nem mesmo do primeiro nome, ou apelido, do seu orientador do mestrado.

— O nome do trabalho?

— Faz tanto tempo. Eu preciso pegar direitinho, senão vou te dar os dados errados. Se você me deixar o contato, eu te passo. Um e-mail. Porque agora... tão longe — respondeu. Estávamos em 6 de maio de 2015.

— E o doutorado?

— Meu trabalho foi em cima do atendimento hospitalar. A importância da psicologia no ambiente hospitalar. Agora, exatamente os nomes, tudo certinho assim, eu não vou me lembrar. Faz tanto tempo.

Os contatos foram deixados, mas as informações nunca chegaram.

Segundo a PUC, nem poderiam mesmo. Com as datas dos cursos que a perita disse ter frequentado, os funcionários da universidade fizeram novas pesquisas em seus arquivos, incluindo de graduação — e, depois de mais de um mês de procura detalhada, informaram que Rosangela Monteiro nunca estudou naquela instituição.

São da perita as principais conclusões que alimentaram o vídeo em 3D encomendado pela perícia. As legendas do filminho dizem que, no material retirado do Ford Ka, foi encontrado "sangue" e "constatado perfil genético da vítima".

Também na fase de instrução, para explicar ao juiz Fossen o seu laudo, não deixou dúvidas do que havia descoberto:

— Eu sei que tem contribuição dela [Isabella] aqui, então me basta. Eu sei que é sangue e que é sangue humano e eu vejo Isabella aqui. Então é sangue de Isabella.[2]

Para mim, porém, Rosangela contou outra história. Quando falei que havia conversado com especialistas em DNA e que eles disseram não haver, com certeza, sangue de Isabella dentro do carro utilizado pela família, a perita simplesmente me disse que nunca fez tal afirmação.

— Eu não afirmei, em nenhum momento. Eu disse: provavelmente, ela foi ferida no carro. Porque nós não encontramos [sinais] em mais nenhum outro lugar. Eu não falo [que é sangue]. É uma questão de dedução. Eu não afirmo. Em nenhum momento eu falei assim: é sangue da Isabella. Não.

Um dos motivos para Rosangela sustentar que a criança pode ter sido ferida no carro, segundo ela, seriam os exames feitos com Bluestar e confirmados, ainda nos trabalhos de campo, por outro reagente chamado Hexagon Obti, complementar ao primeiro, criado para detectar sangue humano oculto nas fezes, mas adaptado para o trabalho pericial com certa eficácia.

Nos laudos do caso Nardoni não há, porém, registros desse reagente, nem de sua utilização. Nas sete referências feitas no documento, só há menção ao Bluestar.

— Por que não há esse registro [do uso do reagente Hexagon]?

— Não falei do Hexagon?

— Não.

— Então, sei lá. Falha. Nem sei... Talvez seja por pressão para soltar o laudo com rapidez.

Perguntei ao perito Serginho o que ele poderia dizer:

— Foi usado outro reagente ou só o Bluestar?

— Só o Bluestar. Pelo que me lembro, só o Bluestar — afirmou o perito.

---

[2] Processo 0002241-66.2008.8.26.0001, p. 1.804.

O PIOR DOS CRIMES 219

Em suma, não há provas de que a perícia de São Paulo tenha utilizado o Hexagon Obti para afirmar a existência de sangue humano no carro ou no apartamento. Só as palavras da perita sobre essa aplicação.

A versão de que a menina fora asfixiada pela madrasta também tem como base as palavras de Rosangela, com apoio da Promotoria. Que indícios científicos a levaram a essa conclusão, já que os próprios médicos legistas afirmam não ser possível dizer quem apertou o pescoço da menina? Como ela poderia afirmar isso com toda a certeza, se o próprio Laércio, legista do caso, tinha uma visão diferente?

— Eles [os médicos legistas] não têm condição mesmo de fazer isso. Então, houve asfixia. Existem vestígios de asfixia. São sinais todos aqui atrás [na nuca]. Inclusive ungueal. Tem marca de unhas. E não só da pressão dos dedos. Eu não tive um contato muito preciso com ele [Alexandre Nardoni] ou com ela [Anna Carolina] para perceber isso, mas me parece que ele tem as unhas extremamente curtas, ou ele rói as unhas. Ela não. Então, é alguém com unha. Para deixar marca ungueal, tem que ter unha. Diferente de pressão dos dedos. Tem pressão dos dedos e unhas. Muito importante é a impressão ungueal.

Quem teria dito que o rapaz tinha unhas curtas?

— Sinceramente, eu não me lembro. Foi conversa. Não sei se foi da delegada, do próprio Cembranelli, não me lembro.

Também conversei com Rosangela sobre os testes realizados por ela no que diz respeito à camiseta de Alexandre e às marcas supostamente deixadas pela tela de proteção — outra grande dúvida.

— Para fazer a marca na camiseta de Alexandre, como vocês dizem, seria necessário que o rapaz estivesse segurando obrigatoriamente 25 quilos. Se fosse necessário, por que nas fotos do quarto e último teste o rapaz não segura peso algum? Não seria necessário? — perguntei.

— Seria. Acho que nos dois [testes] ele fez — ela respondeu, titubeando. — Ou a fotografia que nós tiramos depois que ele ficou só na posição. Nos dois testes ele usou, segurando. Entendeu? É que na foto não está. É que deve ter sido depois, quando nós já tiramos [o peso].

— Então a foto escolhida não foi a ideal.

— Não é a que ele está segurando.

A perita quis dizer, portanto, que, no quarto teste, ela acha que também foi utilizado um peso de 25 quilos para conseguir a impressão na camiseta, mas não está certa disso. De qualquer forma, a foto usada é de momento posterior, um momento errado, quando o dublê de corpo não mais segurava o peso que imprimiu a marca na camiseta.

— O importante é que tenha segurado — justifica.

Uma das grandes críticas feitas ao trabalho da perícia de São Paulo era afirmar o que não era possível afirmar. Um dos pontos consistia em uma possível fuga pelos muros ao fundo do London.

— Vocês têm 100% de certeza de que não houve uma escalada nos muros do London que dão acesso aos prédios vizinhos. É isso?

— É isso. Cem por cento. O Serginho examinou. Eu examinei. A Mônica [Miranda Catarino, perita]. Nós olhamos. Não tinha marcas.

— Mas não pode alguém ter subido pelo muro sem ser detectado?

— Alguém ter subido? Não ter detectado?

— Ter andado por cima do muro...

— Acredito que não. Eu não vi vestígios disso. Se alguém fez, eu não sei. Eu não vi, nem remoção de sujidade nem marca de solado.

— Se alguém tivesse escalado o muro, a perícia teria condições de verificar isso? Acharia algum tipo de marca?

— Não é fácil subir naquele muro e, de qualquer forma, deixaria vestígios — insistiu a perita sobre o resultado do laudo.

— Eu falei com um policial militar que me contou ter arrombado o portão das obras ao fundo do edifício London e que chegou até lá pelo muro. Escalou o muro. Ele e mais dois PMs.

— Mas nós não encontramos vestígios, se ele fez isso. Não sei também se ele fez. Vestígio não tem.

O PIOR DOS CRIMES

A perita também não conseguiu mostrar em seus laudos onde está a foto do pingo na soleira que, segundo a perícia, indicaria que Isabella foi ferida ainda no carro. Não existe tal foto. Assim como igualmente não conseguiu me mostrar fotos (ou qualquer outra prova) dos pingos pelo corredor do apartamento que caíram a 1,25 m, como alega.

— Do lençol é perfeito. Quem entende, quem sabe, já trabalhou, pode fazer perfeitamente — disse ela sobre a única foto.

A versão de que a menina chegou ao apartamento ferida, carregada a uma altura superior a 1,25 m, sendo deixado um rastro em direção ao sofá do apartamento e, depois, ao quarto dos irmãos, só existe nas palavras da perita.

Se existiam pingos visíveis pelo corredor, outra dúvida minha, por que não há registro disso? Por que ela mesma não mandou fotografar no dia 2 de abril, quando foi lá com um fotógrafo escolhido a dedo?

— Minha preocupação não era ficar fotografando essas manchas visíveis. Isso deveria ter sido feito no primeiro dia, né? Eu fui lá com outro objetivo, para detectar o que não era visível. O que era visível eu já tinha.

E por que ela também não enviou ao laboratório o suposto sangue detectado no chão pelo reagente?

— Não é um procedimento padrão?

— Sim.

— Por que você não fez? Por que você não mandou para o laboratório? Não seria importante confirmar que era sangue e saber de quem era?

— Não vi necessidade de coletar isso. A não ser se houvesse alguma dúvida muito grande. De quem mais poderia ser? Tem relato de mais alguma coisa? O sangue está todo ali. O que era importante foi coletado. Não tinha necessidade de pegar do piso, porque eu tinha outros materiais.

— São só as fotos que provam o sangue no chão?

— São as fotos, exatamente — admite. Mas ressalta: — Apesar de que o que eu estou falando tem que valer alguma coisa.

## 25

# Única pergunta

EMBORA PARA UMA PESSOA COMUM POSSA parecer tudo igual, já que em ambos os casos há uma pessoa morta, para a polícia a diferença entre um homicídio e um latrocínio é gigantesca. A começar pelo foco da investigação.

Quando se trata de homicídio intencional, o ponto de partida de todas as indagações é a própria vítima. Questionam-se quais pessoas teriam motivos ou interesses naquela morte. Por menor que seja, sempre há uma ligação entre o morto e o criminoso. Esse elo pode ser disputa por herança, ciúme doentio, honra ferida e até uma pinga no bar. Assim, a primeira pergunta feita é: "Por quê?"

Muito diferente de um latrocínio, em que, na imensa maioria das vezes, o matador nem conhece a vítima. Os envolvidos podem ter se cruzado apenas naquela única vez e o desfecho trágico só ocorreu por complicações no roubo. Isso torna a apuração muito mais difícil porque o autor do crime pode ser qualquer criminoso e a investigação não começa mais pela vítima, mas pelos criminosos que agem naquela determinada região. A pergunta passa a ser: "Quem?"

Ao registrar inicialmente o crime como homicídio, a polícia indicava não acreditar em roubo seguido de morte, de um ladrão desconhecido, mas no envolvimento de alguém ligado à criança. A dedução parecia correta por muitos motivos, principalmente porque nada havia sido levado do apartamento e por ser ilógico um ladrão matar uma criança durante o roubo e jogá-la pela janela. Há uma expressão na criminologia que diz que a maior de todas as provas, a rainha delas, é a lógica.

Ao concluir a investigação do caso Nardoni, a polícia apontou uma série de testemunhas ouvidas, provas periciais, mas, em nenhum momento, conseguiu responder a principal pergunta: por quê?

Por que pessoas sem histórico de violência doméstica (principalmente contra a vítima), que nunca cometeram outro crime na vida, de famílias honestas e trabalhadoras, decidiram matar uma criança que amava o pai e era amada por ele? Como foi o planejamento ou o estopim desse crime tão bárbaro?

Por que, considerando a tese da polícia como verdadeira, o casal decidiu matar a menina naquela noite e ainda na frente dos filhos? Por que não escolheram outro lugar para cometer o crime? Os ciúmes da mãe de Isabella por Anna eram tão grandes a ponto de cometer tal crime, mas não de impedir a implantação de um quarto especialmente para a menina no apartamento novo?

Em investigações semelhantes, os policiais quase sempre verificam um histórico de violência contra a criança ou, até, de desequilíbrio mental de algum integrante da família — incluindo adeptos de magia negra —, mas nada disso foi detectado nas dezenas de depoimentos tomados, até dos desafetos.

Se Alexandre ou Anna realmente agrediram Isabella naquela noite, foi a primeira notícia de que isso aconteceu nos quase cinco anos de convivência entre eles. O que a menina fez de tão grave para isso ter ocorrido? A polícia não conseguiu achar nenhum detalhe que transformasse aquele em um sábado diferente de outro qualquer. Por que Isabella foi morta?

Nem mesmo o Ministério Público, que endossaria o pedido de prisão feito pela polícia em poucos dias, arriscou-se a apontar a motivação. Em caso absolutamente raro, a denúncia apresentada pela Promotoria contra os dois não enquadrou o crime nem por motivo torpe nem por motivo fútil.

O PIOR DOS CRIMES 225

O primeiro (torpe) seria por motivo "abjeto, desprezível", "socialmente repudiado". Já o motivo fútil seria aquele banal, cometido por fato insignificante, como um briga de trânsito.

Todos os principais julgamentos recentes do país — como o da estudante Suzane von Richthofen (matou os pais), o então goleiro do Flamengo Bruno Fernandes de Souza (matou Eliza Samudio, mãe do filho dele), o jornalista Pimenta Neves (matou a ex-namorada Sandra Gomes), o policial reformado Mizael Bispo de Souza (matou a ex-namorada Mércia Nakashima) e a bacharel em direito Elize Matsunaga (matou o marido Marcos Matsunaga) — foram denunciados por homicídio qualificado por motivo torpe. Todos.

Embora isso também possa parecer irrelevante, já que de qualquer forma a menina foi morta, a motivação é uma questão de extrema importância. Se o assassino tinha vontade "clara e manifesta" de matar, trata-se de homicídio doloso. Mas se porventura a morte não foi planejada, se ocorreu acidentalmente, durante eventual espancamento em que o agressor perdeu a cabeça, por exemplo, o crime passa a ser culposo. Sem intenção. Isso muda quase tudo, incluindo o tamanho da pena, que neste caso é menor.

"E não estamos aqui falando de uma diferença pequena!", escreveu naquele ano de 2008 o advogado Augusto de Arruda Botelho, então presidente do Instituto de Defesa do Direito de Defesa, em artigo intitulado "A lógica da inocência", uma das poucas pessoas que defenderam publicamente o casal à época.

"Dada a primariedade e os bons antecedentes de ambos, a pena da madrasta certamente não passaria, observados os preceitos legais, de cinco ou seis anos de reclusão", escreveu o advogado, conjecturando a morte da criança pela madrasta e o arremesso da vítima pelo pai. "A do pai tampouco. Imagino que dois anos pelo homicídio culposo seria uma pena devidamente amparada na lei."

No caso de homicídio doloso, qualificado, as penas vão de doze a trinta anos. "A lógica da inocência seria justamente essa: muito mais fácil confessar o crime a eles imputados e estar sujeito a uma condenação evidentemente mais branda do que se sujeitar a um Tribunal do Júri certamente já corroído pela comoção causada pelos fatos e ser, sem dúvida alguma, condenado à pena máxima prevista em lei."

Os dois não confessariam. Preferiram enfrentar um júri diante do qual, poucos duvidavam, ambos tinham pouquíssimas chances de serem inocentados. Por quê?

Parte 5

# Julgamento

# 26
# Banca rachada

POUCAS VEZES NA VIDA O ADVOGADO Ricardo Martins de São José Júnior, então com 29 anos, sentiu tanta alegria com uma chamada em seu celular.

Não era ligação de um amigo ou grande amor, o que pouco importava. O simples toque do aparelho era quase uma providência divina ao servir de justificativa para deixar a sala e, assim, livrar-se momentaneamente da tortura que a aula de medicina legal havia se tornado naquela sonolenta tarde de domingo, 30 de março de 2008. Era a reta final do curso preparatório para um concurso de delegado da Polícia Civil, organizado pela rede de ensino Luiz Flávio Gomes. Embora, além de Ricardo, tivesse apenas mais um aluno naquele espaço, a maratona educacional havia iniciado pela manhã e se estenderia por mais três horas.

A ligação ocorreu por volta das 15h, conforme os dois se lembrariam. Do outro lado da linha, estava Alexandre Jatobá, um colega de faculdade com quem Ricardo tinha muito pouca afinidade.

— Ricardo, aconteceu uma situação e preciso conversar com você pessoalmente. Onde você está? — disse Jatobá, segundo se lembraria Ricardo.

— Estou fazendo um curso aqui na [avenida] Paulo Faccini.

— Você pode vir aqui em casa?

Inscrito nos quadros da OAB havia apenas sete meses, Ricardo não tinha muita experiência na profissão e queria continuar assim. Como possuía autorização para pilotar aeronaves desde 1999, seu plano era ser aprovado em algum concurso para delegado, da Polícia Civil ou Federal, e servir no grupamento aéreo em uma delas. Até lá, decidiu atuar em pequenas causas criminais. Por isso, deixou o curso e seguiu até a avenida Timóteo Penteado, em Guarulhos.

A conversa entre Ricardo e Jatobá foi rápida. Até porque, segundo o pai de Anna dizia, nem ele tinha muitos detalhes para contar. "Ele só me disse: 'Aconteceu uma tragédia e estão culpando minha filha.' Alguma coisa desse tipo." Seguiram, então, imediatamente para o distrito policial.

Anna também era conhecida do advogado. Mas só de vista. Os dois haviam estudado na mesma sala em 2002, quando a moça cursou pela manhã o primeiro semestre na FIG, antes de transferir a matrícula para o período noturno e conhecer o futuro marido. "Nós não trocamos uma só palavra nessa época", conta ele.

Ricardo conheceria os Nardoni nos sofás do 9º DP, aonde chegou acompanhado de Alexandre Jatobá. Acabaria sendo contratado por eles para acompanhar as investigações. Seria seu primeiro caso importante e a primeira oportunidade de conceder uma entrevista para um grupo de jornalistas.

Ainda na porta do 9º distrito, logo após o casal deixar o local, Ricardo enfrentou os microfones e, visivelmente nervoso, mostrou dificuldades até para dizer que seus clientes eram inocentes. Repetia que as investigações da polícia iriam esclarecer a verdade e que qualquer afirmação naquele momento seria prematura. Fui eu que disse a ele que, como advogado, precisava informar, ao menos, se os clientes se declaravam inocentes. O advogado respondeu que sim.

Sua falta de convicção poderia dar a impressão de que ele não queria se comprometer. Nada tão prejudicial à imagem do casal quanto a permissão dada por ele para que seus clientes, ao saírem do distrito, cobrissem as cabeças para evitar o registro de imagens. Ricardo nega, porém, ser o dono da ideia, como a família diz. "Eles não queriam mostrar os rostos.

O PIOR DOS CRIMES

Eles não queriam mostrar. Eles estavam se sentindo pressionados, se sentindo amedrontados, envergonhados. Por quê? Porque se sentiam vítimas da situação. Por isso eles não queriam mostrar os rostos. Não foi algo premeditado por parte da defesa", diz Ricardo.

Menos de 24 horas depois, o homem que tinha ficado feliz com o telefonema na tarde de domingo já não conseguia mais atender a todos os chamados — a maioria, jornalistas querendo um posicionamento da defesa ou entrevista com os suspeitos. "O caso começou a ter uma repercussão intergaláctica. Senti um pouco do peso da responsabilidade. Era um caso muito grande."

Ricardo resolveu pedir ajuda. Como não tinha amigos ou parentes no mundo jurídico, resolveu procurar alguém que conhecera cerca de dois meses antes como professor de um curso sobre práticas de júri na OAB de Guarulhos. Rogério Neres de Sousa tinha um pouco mais de experiência (cerca de cinco anos de OAB), se expressava bem e demonstrava domínio sobre o assunto.

O convite foi feito por telefone.

— Você está vendo o caso aí na TV?

— Eu vi.

— Pois é. Esse caso está no meu escritório. Estou fazendo um convite. Queria que você viesse no meu escritório para conversar. Queria que trabalhasse comigo — disse Ricardo ao telefone.

"Ele não acreditou. Não tínhamos nenhuma relação de amizade", me contaria Ricardo anos depois.

O outro confirma. "Eu não lembrava do rosto dele. Tive que pesquisar no site da OAB para ver se eu lembrava. Era um curso com uns cem alunos. Não sabia quem era. Mas aceitei, mesmo tendo informações mínimas."

Rogério não seria, porém, o único advogado a ser convocado para ajudar. Com a repercussão do caso e a decisão da Justiça de mandar prender o casal, a própria família Nardoni decidiu também chamar um profissional ainda mais experiente: Marco Polo Levorin, professor do Mackenzie, mestre e doutor em direito penal e inscrito na OAB havia quase quinze anos.

Antes de formalizar o convite a Levorin, o pai de Alexandre Nardoni se reuniu com Ricardo e Rogério para comunicá-los da intenção. "Primeiro veio falar conosco. Foi muito leal. Muito honesto", diz Ricardo.

— Doutor Ricardo, o senhor se importaria de trazer mais uma pessoa para compor a equipe? Alguém mais experiente. Porque a imprensa está judiando de nós — teria dito seu Toninho, conforme Ricardo se lembra.

— Eu não me importo, desde que não haja nenhuma hierarquia entre nós. Não tenho a vaidade de querer ser o chefe. Só o que eu quero é que nós três trabalhemos juntos, sem que nenhum mande no outro.

— Ninguém vai mandar em ninguém — respondeu Antônio.

Uma reunião entre os três defensores foi marcada na casa dos Nardoni. O objetivo era acertar a forma de trabalho, acordar os detalhes da rotina de atuação para evitar conflitos futuros e criar uma espécie de triunvirato jurídico. "O Marco Polo concordou com tudo. Tudo ficou decidido."

Além da inexistência de um chefe, ficou decidido que até a assinatura de documentos se daria de maneira conjunta. Os três advogados assinariam todas as petições relacionadas à defesa do casal Nardoni. Além de evitar que um tivesse mais visibilidade do que o outro, isso garantia a todos os membros do grupo o conhecimento total das ações da defesa, possibilitando a uniformidade de discurso e impedindo as armadilhas da contradição.

Um dos pontos também acertados nessa reunião seria o local onde ocorriam os próximos encontros. Como cada defensor tinha escritório próprio em regiões diferentes — Ricardo em Guarulhos, Rogério em Perdizes (zona oeste) e Marco Polo na Liberdade (região central) —, ficou acordado que todos os endereços estavam aptos a receber a equipe. "Parece até que eu sabia que no futuro a gente teria problemas. Embora jovem, menos experiente, eu previa que a vaidade poderia nos atrapalhar. A vaidade em função de estarmos trabalhando em um caso midiático. Era justamente o meu maior medo. Medo também, por ser menos experiente, de que eu fosse passado para trás. Infelizmente, o futuro foi aquilo que eu imaginava mesmo."

O PIOR DOS CRIMES

Um dos primeiros pontos do acordo a ruir foi justamente o local de reunião. "Num primeiro momento, todos aceitavam ir ao escritório de todo mundo. Num segundo momento, eu e o Rogério tínhamos que ir ao escritório do Marco Polo. O Marco Polo não vinha mais até nós. Acabava sempre ficando condicionado, de certa forma. Ele impunha: 'Não, vem aqui no meu escritório.'"

Ricardo também diz ter sido alijado das tratativas da entrevista de Alexandre e Anna ao *Fantástico*. "Fiquei sabendo quando a entrevista já estava acontecendo. Cheguei no apartamento no meio dela."

Os problemas entre os advogados não pararam. Eram apenas os dois defensores mais jovens que mais se empenhavam nas missões de visitar o distrito policial e fazer as "diligências" nas ruas, ao passo que Marco Polo concentrava suas funções no interior do escritório. Com isso, alguns jornalistas acharam que Ricardo e Rogério fossem meros funcionários do professor do Mackenzie — impressão que este não demonstrava esforço por desfazer, na avaliação de Ricardo.

Outra quebra de acordo se daria na apresentação de um dos pedidos de *habeas corpus*. Além de assinado sozinho, Marco Polo teria dito no documento que o casal merecia responder ao processo em liberdade porque, entre outras demonstrações de boa-fé, concordaram com a retirada de sangue para realização de exames. Ocorre que este era um ponto caro à defesa, já que os suspeitos afirmavam não ter sido colhido sangue na madrugada do crime (só urina) porque o IML não dispunha de seringa.

Como, de fato, não há no processo documento autorizando tal retirada do sangue, todas as provas baseadas nele poderiam ser questionadas e até anuladas. No entanto, com essa afirmação no documento, os colegas de bancada entenderam que Levorin tinha enfraquecido o trunfo que a defesa dispunha e, ao mesmo tempo, dado munição para a Promotoria rebater tais alegações facilmente. Uma revisão dos parceiros no texto do *habeas corpus* poderia ter detectado essa falha de estratégia.

As reuniões da equipe também passariam a ficar mais tensas. Em uma delas, Levorin chegou a atacar Ricardo, segundo este, dizendo que ele não tinha condições de comandar um caso daquele, já que nunca havia sequer impetrado um *habeas corpus* na vida. O novato, por sua vez, teria respondido que, de fato, nunca tinha redigido tal documento, assim como Marco Polo também não sabia como cumprimentar um preso no parlatório de uma penitenciária.

A gota d'água para o fim do triunvirato ocorreu por conta de outro *habeas corpus*. Na data marcada para ser julgado o pedido de liberdade do casal no Superior Tribunal de Justiça, em Brasília, oportunidade que a defesa tinha para sustentar oralmente os seus argumentos e tentar convencer os ministros da desnecessidade da prisão dos réus, nenhum dos advogados apareceu ao tribunal.

"Nós sabíamos da impetração do HC no STJ. Sabíamos que tinha que ser sustentado oralmente. E tínhamos a informação de que quem faria isso era o Marco Polo. Ele havia dito para nós que faria isso. Mas, nesse dia, quando eu e o Rogério chegamos em Tremembé, ligamos para o escritório dele e recebemos a informação de que o Marco Polo tinha outro júri para fazer e não iria fazer a sustentação oral lá no STJ", confirmaria Ricardo.

Toda a insatisfação com Levorin, acumulada em meses, foi levada por Ricardo ao conhecimento de Antônio Nardoni.

— Eu sei que o senhor já tem muitos problemas e eu não queria ser pivô de mais um — começou o advogado, conforme se lembra. — Mas acontece que o senhor já está percebendo, e eu preciso lhe contar para que a gente resolva. Com o Rogério está tudo bem, mas com o Marco Polo, não. O senhor me contratou, eu não tenho problema de sair daqui demitido. O senhor não precisa nem me pagar. Eu saio daqui, não tem problema nenhum, mas eu preciso que a gente decida quem, de fato, vai continuar no caso — impôs o inexperiente advogado ao contratante.

Também insatisfeito com a decisão de Levorin de não comparecer ao STJ, Antônio Nardoni decidiu chamar outro advogado à equipe — um ainda mais experiente. Tinha esperança de que ele tivesse condições de unir a equipe. Antes de buscar um nome, porém, conta Antônio, Levorin foi consultado e não se opôs.

Depois de receber "não" de muitos escritórios renomados, que não queriam atrelar seus nomes à defesa de infanticidas, os Nardoni conseguiram convencer o criminalista Roberto Podval a assumir o caso. Embora não fosse expert em júris — tinha apenas uma dúzia deles no currículo, nem todos eles feitos como defensor principal —, o advogado tinha impressionado alguns jornalistas no julgamento do médico Farah Jorge Farah, em abril de 2008.

Podval tinha feito um trabalho considerado muito bom ao conseguir uma condenação de treze anos de prisão, pena considerada branda para um réu que confessou ter assassinado, esquartejado e ocultado o corpo da vítima — uma mulher apaixonada por ele. Tão branda que Farah, por ser réu primário, teria direito à progressão ao regime semiaberto em apenas mais um ano na prisão, já que havia ficado quatro aguardando o júri. Bastaria ter bom comportamento.

"Eu disse a ele: 'não tenho como ajudar'", conta o advogado Podval sobre as primeiras conversas com Antônio Nardoni. "Não via muito sentido em assumir a causa. Era um caso, na nossa visão, impossível de ter um resultado que não fosse a condenação. A gente sabia que estava indo para uma condenação, com repercussão nacional. A imagem era ruim, e financeiramente não era importante (algo perto de R$ 150 mil). Nenhuma razão racional levava a pegar o caso. A verdade é que vários advogados de renome foram procurados, vários consultados, mas ninguém aceitou. Ninguém queria carregar o peso dessa derrota. Uma derrota anunciada."

Podval assumiu a defesa do casal em abril de 2009, com a ajuda do jornalista Antônio Carlos Prado, diretor-executivo da revista *IstoÉ*, que intermediou a conversa entre o defensor e a família Nardoni, da qual havia se tornado amigo durante o transcorrer do caso.

O novo contrato não agradou a todos. "Eu disse para o senhor Nardoni: 'É um bom nome para tentar soltar o casal, mas não sei se é um bom nome para fazer o júri.' Pelo conhecimento que eu tinha, ele era um advogado ligado ao direito penal e empresarial. Era um advogado mais refinado, mais elitizado. É certo que, em um júri, a postura e performance talvez exigissem algo diferente", conta Rogério Neres, que nem era o mais incomodado.

Tão logo foi informado por seu Toninho sobre a contratação de Podval, sem avisar o cliente, o professor do Mackenzie anunciou a jornalistas sua saída por divergências "profissionais e processuais". "O Marco Polo foi antiético e desonesto. Primeiro, porque não foi ele quem pediu para sair. A gente conversou e concordou que haveria outra pessoa para tentar ajudá-lo, porque estava tendo essa divisão e não estava funcionando", disse Toninho em entrevista para este livro. "Eu me arrependo de ter confiado nas pessoas erradas. Eu não imaginei que o Marco Polo fosse fazer isso." Encaminhei as questões ao advogado Marco Polo, questionando o motivo de ter abandonado o caso, além de outras perguntas, mas ele não quis comentar.

A decisão de Levorin seria capitalizada pela Promotoria, que passaria a propagandear que o afastamento do advogado era mais uma evidência da culpa dos Nardoni, uma vez que o próprio defensor havia dito anteriormente que deixaria a defesa quando não mais acreditasse na inocência deles. Podval teria, assim, de reconstruir suas próprias teses. Até porque Levorin ficou com todos os apontamentos e estratégias arquitetadas até então. O professor tinha um roteiro para rebater, ponto a ponto, os indícios apresentados pela polícia. Mesmo que insuficientes para colocar o casal em liberdade, eles seriam muito úteis no convencimento dos jurados durante os debates.

A reorganização da defesa não seria nada fácil.

Na primeira reunião entre os advogados remanescentes, houve, porém, novo racha. Ricardo e Rogério abriram suas participações dizendo ao contratado que o caso era deles e, assim, se quisesse, Podval poderia ajudá-los — não comandá-los. "Eles vieram aqui e disseram: 'O caso é nosso. O senhor trabalha conosco.' Eu disse: 'Não, desculpa. Vocês não têm noção do que vocês estão falando'", confirma Podval.

A atitude dos dois surpreendeu até Toninho, também presente à reunião. O pai de Alexandre havia pedido ao criminalista que mantivesse os dois jovens defensores, em reconhecimento à dedicação de ambos no caso e para que ambos, inclusive, ganhassem experiência com um profissional com trinta anos de carreira, respeitado no mundo jurídico e que, segundo os colegas de profissão, chegava a cobrar até R$ 800 mil para impetrar um *habeas corpus*.

O PIOR DOS CRIMES

As conversas para formação de uma equipe terminaram ali. Rogério Neres deixou a reunião e, também, a defesa do casal Nardoni para sempre. A gota d'água para essa decisão foi, segundo diz o advogado, uma entrevista dada por Podval ao *Fantástico* no primeiro domingo após a reunião com o grupo.

"Ele disse: 'Não estou dizendo que o casal é inocente. Abro mão dos peritos contratados pela defesa.' A partir dessa entrevista, eu não via mais condição para mim no caso. Porque era um caso em que eu defendia a tese do casal. Cada um dizia: eu sou inocente. E nós transmitíamos essa notícia ao processo e também à mídia. Eu entendi que não seria mais possível dividir um espaço na tribuna, no plenário de um júri, com alguém que, na minha visão, não tinha a mesma convicção que eu tinha. É até natural que não tivesse essa visão diferente, porque Podval não tinha lido o processo antes da entrevista. Mas, se não tinha olhado o processo, seria melhor não ter falado."

Ricardo concordaria em permanecer, mas, dali para a frente, sem nenhum poder sobre a condução dos trabalhos e nenhuma simpatia do novo e único dono da causa. "Marco Polo Levorin, embora não tenha contatos, era um professor. Era alguém que tinha um conteúdo jurídico, cultural, para levar o caso. Por razões que não me dizem respeito, resolveram trocar. Os meninos [Ricardo e Rogério], na minha opinião, eram meninos brincando de advogados", diz Podval.

Outro pequeno desastre para a defesa ocorreu quando, às vésperas do julgamento, Podval resolveu convidar o colega Antônio Cláudio Mariz de Oliveira, famoso advogado brasileiro, para participar do júri dos Nardoni. Os dois haviam trabalhado juntos no passado e seria um importantíssimo reforço.

Esse convite se tornou público em 6 de março de 2010 pelo jornal *O Estado de S. Paulo*. O título da reportagem dava uma dimensão do peso do defensor à bancada. "Defesa quer Mariz de Oliveira — criminalista foi convidado para defender casal Nardoni." Publicada às vésperas da formação do conselho de sentença, a notícia aumentava a expectativa pelo início do júri e a possibilidade de um embate histórico entre defesa e acusação naquele que passava a ser chamado pelos jornalistas de "o maior julgamento da história do país".

"Tenho compromissos profissionais e pessoais agendados. Aceitarei o convite caso consiga remarcá-los e me convença da inocência do casal", disse o advogado, conforme reproduziram os jornalistas.

A resposta do defensor viria em uma pequena nota da coluna da jornalista Mônica Bergamo, em 12 de março de 2010.

## AGENDA

Convidado para reforçar a defesa de Alexandre Nardoni e Anna Jatobá, acusados de matar a filha dele, Isabella, o advogado Antônio Cláudio Mariz de Oliveira declinou, alegando compromissos assumidos anteriormente. Os dois vão a julgamento no próximo dia 22.

A mensagem subliminar da decisão de Mariz era só uma: o criminalista talvez não acreditasse na inocência de Alexandre e Anna.

Só notícias ruins para a defesa.

Ricardo voltaria ao escritório de Podval para repassar o material de que dispunha e, também, dar algumas dicas para a equipe de advogados que analisaria o processo e passaria um resumo para ser estudado pelo chefe da equipe. "Fiquei no escritório dele uns vinte dias tentando passar a vivência que eu tive do caso."

Toda a sua dedicação não seria, porém, reconhecida como gostaria.

No dia 22 de março, primeiro dia de julgamento, o jovem defensor daria entrevistas na porta do Fórum de Santana como membro da equipe, mas, ao tentar ocupar um lugar na bancada, seria barrado por uma oficial de Justiça.

Não poderia entrar no plenário porque todos os lugares destinados à defesa estavam ocupados, mas não só por advogados. Em entrevista para este livro, Ricardo contou:

O PIOR DOS CRIMES

"Quando eu chego, no primeiro dia de julgamento, a minha vaga estava sendo utilizada pelo [César] Tralli [da Rede Globo]. Eu fiquei de fora do plenário. Achei aquilo o maior absurdo do mundo. Eu que tinha as melhores condições de fazer aquele júri. Por ter vivido o caso, por conhecer o caso. Talvez não tivesse a experiência profissional do Podval ou de qualquer outro advogado que pudesse estar ali. Mas, modestamente falando, ninguém conhecia o caso melhor do que eu. Tanto é verdade que as perguntas formuladas para o casal e para as testemunhas, a maior parte delas, foram formuladas por mim. Porque eu sabia, não só por ler, mas por ter vivido o caso." De acordo com o TJ, o jornalista da Globo ocupou uma das cadeiras destinadas à defesa por decisão dos advogados do casal.

Ao ser procurado mais uma vez para resolver um litígio entre os advogados, Antônio Nardoni disse que nada poderia fazer. "Ele falou para eu ter calma. Como é que eu vou ter calma? Estou vendo uma injustiça dessas acontecer. Eu tenho conhecimento de que a defesa não tem as informações que eu tenho, não viveu o que eu vivi. O casal pediu que eu estivesse ali. Porque também confia em mim. Eu também pedi para participar. Acabei ficando do lado de fora, perdendo o meu lugar para um repórter."

Restou ao advogado seguir ao banheiro do Fórum e, segundo admite, chorar feito uma criança. "O júri seria o momento sublime, o momento em que nós mostraríamos a nossa capacidade."

O jovem defensor conseguiria ter acesso ao plenário em outros momentos, mas sem poder verbalizar uma única pergunta a testemunhas ou ao casal. Teve de ficar quieto. No penúltimo dia de julgamento, segundo lembra, interpelou Podval pelos corredores do Fórum. Quase uma súplica:

— Poxa vida. Você permitiu que eu viesse pro júri. Você falou que eu iria fazer perguntas. A gente conversou sobre isso. Eu não queria só formular, mas fazer as perguntas também. Oralmente, verbalizar — disse Ricardo ao colega.

Ricardo ficou feliz com a resposta. Entrou no plenário acreditando ter convencido Podval e que poderia fazer perguntas também. "Coloquei a beca e sentei na plenária. Foi o antepenúltimo dia. Formulei um monte de perguntas. E eu iria perguntar, assim que terminasse o rol de perguntas que ele formulou. O que aconteceu? Depois que terminou de fazer as perguntas que ele mesmo formulou, pegou a minha folha de perguntas, que estava comigo, e passou ele mesmo a fazer as perguntas. Aí, eu falei: 'Mas sou eu.' Mas ele não deu atenção para mim. Quando terminou, disse: 'Sem mais perguntas, excelência.'"

Podval não queria Ricardo na bancada. Com o colega ao lado, tinha mais dificuldades para reclamar de irregularidades cometidas na primeira fase do processo, que poderiam até ocasionar a nulidade do julgamento, já que Ricardo tinha acompanhado tudo sem tomar as providências necessárias. Além disso, o criminalista não estava ali para fazer amigos.

"Para mim, não ia custar nada. Pôr o menino para falar cinco minutos a mais ou a menos. Não ia mudar a minha vida. Mas não é correto, não é honesto, não posso usar esse momento, que é a coisa mais importante da vida de uma pessoa que está sendo acusada, que pode ficar anos na prisão, para deixar que uma pessoa tenha cinco minutos de glória. Não dá. Não é compatível. A gente estava ali preocupado com a vida do réu. Não estou preocupado com a vida do advogado. Acho que esse era o grande conflito da defesa. Eu até entendo, mas, se tivessem sido humildes, se tivessem ficado na deles, iriam participar... Mas não é assim. Não vai fazer seu nome em cima da condenação de alguém", explicaria Podval o motivo do veto à possibilidade de Ricardo falar.

Coube ao jovem advogado de Guarulhos assistir. Assistiu à advogada Geralda ser dispensada sem que pudesse falar dos gritos ouvidos na noite do crime, depoimento que, em tese, poderia favorecer o casal. Viu o pedreiro Gabriel ser liberado sem explicar por que mudou de versão sobre o portão arrombado. Também estava lá quando o perito Sérgio Vieira Ferreira foi autorizado a deixar o Fórum sem revelar que não havia gota de sangue na soleira da porta e contar uma versão sobre a perícia tão distante daquela apresentada por Rosangela Monteiro. Nesse caso em particular, também frustraria outros advogados, em especial a assistente da defesa especialista em laudos periciais, Roselle Soglio, que tinha preparado uma lista de dezenove perguntas a serem feitas ao perito e que poderiam até suscitar a necessidade de uma acareação com Rosangela Monteiro.

O PIOR DOS CRIMES

Ricardo também assistiu, sem nada poder fazer, à defesa permitir que a acusação usasse depoimentos como o de Paulo César Colombo e Waldir Rodrigues de Souza sem qualquer contestação.

Por fim, assistiu ainda a algo com que jamais iria se conformar: Podval utilizar apenas 44 minutos do tempo que tinha na tréplica. Tinha duas horas para tentar convencer os jurados, mas falou apenas durante quase um terço disso: das 20h16 às 21h. O jovem advogado diz que, se fosse ele, falaria até o juiz mandar parar, porque era a última chance de convencer o júri. O famoso criminalista, no entanto, talvez com o propósito de não cansar os jurados, optou por terminar seu discurso mais cedo. Ao todo, acusação e defesa tinham quatro horas e meia cada uma para argumentarem: duas horas e meia de debate, mais duas horas de réplica e tréplica (por serem dois réus). O promotor, Francisco José Cembranelli, utilizou exatas 4 horas e 36 minutos, enquanto Podval usou apenas 2 horas e 47 minutos. "Ele [Podval] é um ótimo profissional. Mas, para o caso Nardoni, ele não estava preparado. Na minha humilde avaliação. Ele não conhecia o caso suficientemente para ir a júri", disse Ricardo.

Até Antônio Nardoni ficaria com impressão parecida. Não conseguia ver lógica na estratégia adotada. Não via uma lista de pontos a serem combatidos, como Levorin tinha montado. Uma pitada de arrependimento instalou-se no pai do réu pela troca. E quase foi à loucura quando ouviu Rosangela Monteiro admitir ter desprezado uma prova — uma mancha de sangue na porta do quarto da menina — e os advogados não tratarem aquilo como um escândalo sem tamanho. Como advogado, Nardoni sabia que aquela tecla era muito importante e deveria ser batida à exaustão até se fixar na cabeça dos jurados, segundo diz.

O conselho de sentença era formado em sua maioria por pessoas que, durante dois anos, ouviram uma história sendo contada repetidamente e, por isso, havia necessidade de muito esforço para desconstruir a ideia cristalizada.

Nardoni não teve coragem de destituir seu defensor em pleno julgamento. Pensou seriamente sobre isso, mas desistiu, por fadiga emocional. Depois de tantos problemas com a defesa, das brigas entre contratados, da guerra de ego entre eles, depois de ter sua causa recusada por tantos escritórios, o homem só tinha uma resposta para sua pergunta: que escritório aceitaria assumir a causa se decidisse destituir o defensor em pleno julgamento?

Podval continuou seu trabalho.

As pessoas que assistiram ao importante criminalista trabalhar na defesa de Farah Jorge Farah, em abril de 2008, tiveram dificuldades para reconhecer o mesmo profissional no julgamento do casal. Era, nos Nardoni, um profissional sem vibração. Dava a impressão de estar contrariado em sustentar uma linha de defesa que não era de seu agrado. "Pareciam advogados diferentes. No caso do Farah, estava convicto do que estava falando. Era incisivo. Tinha documentos. No de Isabella, parecia estar apenas esperando o tempo acabar. Falava em um tom mais calmo. Não parecia querer convencer", disse a jornalista Rosanne D'Agostino, que acompanhou o trabalho de Podval em ambos os júris.

O defensor também parecia, como disseram colegas dele, ter sentido em demasia as agressões e xingamentos sofridos na porta do Fórum e passou a temer as consequências de uma vitória diante de uma nação em fúria.

Sobre a linha de defesa, conta-se que dois dias antes do início do julgamento, em reunião com seu Toninho, Podval sugeriu ao cliente que a melhor saída para todos seria a confissão de Alexandre. Argumentava que, independentemente da inocência do rapaz, a admissão de culpa poderia livrar Anna da prisão porque as provas contra ela eram frágeis. Além de deixar a mãe de seus filhos fora da prisão, o consultor jurídico poderia ser beneficiado com uma redução da pena.

A proposta não foi aceita pela família e tanto seu Toninho quanto Podval negariam a existência dessa reunião.

Mesmo com as dificuldades enfrentadas ao longo do processo, a família Nardoni teve a impressão de que Podval havia vencido os debates.

— Acho que deu — disse Toninho, com um suspiro de alívio, para dona Cida e Cris quando os jurados se dirigiam para a sala secreta.

Ledo engano.

# 27

# Só não vê

PARTE DO INFORTÚNIO DOS ADVOGADOS DO casal Nardoni teve início no exato momento em que o sistema de distribuição eletrônica do Fórum de Santana deu ao inquérito do assassinato de Isabella o número 274.

Isso significava que o processo ficaria a cargo da 5ª Promotoria do 2º Tribunal do Júri, responsável pelos casos com finais de 65 a 76, na época ocupada pelo experiente e pouco modesto promotor Francisco José Cembranelli. Em 2008, aos 47 anos de idade, o promotor tinha 24 anos de Ministério Público e, por contagem própria, mais de mil júris no currículo. Uma das poucas vezes que perdeu uma disputa, segundo ele, foi para a bela defensora pública Daniela Sollberger, que, anos depois, se tornaria sua mulher e mãe de seus dois filhos.

"Eu sempre dou a receita: 40% de muito talento; 40% de muita dedicação, um esforço bastante grande. E um pouco de sorte também: 20% de sorte. Você precisa estar nos lugares certos", diria ele, em março de 2011, sobre sua receita de sucesso ao apresentador Otávio Mesquita, de *A Noite é uma Criança*, na TV Bandeirantes. O promotor estava no lugar certo para seu sucesso.

Cembranelli assumiu o caso Nardoni em 3 de abril de 2008, quando a prisão de Alexandre e Anna já tinha sido decretada pela primeira vez, com o aval do promotor Sérgio de Assis, o primeiro a assumir o caso por designação da Procuradoria-Geral de Justiça, mas que pouco seria lembrado por isso. Um dos motivos desse quase anonimato foi a recusa de Assis em dar entrevistas sobre o tema, mesmo com um grupo de jornalistas à porta de seu gabinete no prédio de Santana implorando por uma manifestação dele.

Foi Assis também que solicitou ao juiz Maurício Fossen a decretação de segredo de Justiça ao inquérito. "Eu sou do estilo MIB — Homens de Preto. Promotor não tem que ficar saindo na imprensa. Precisa fazer seu serviço escondido, se possível apagar a memória do povo para ele nem saber que você trabalhou. Eu fui criado, educado e ensinado a trabalhar assim."

Assis lembra os ensinamentos do procurador José Augusto César Salgado, ex-chefe da Promotoria de São Paulo por três vezes e criador do "Decálogo do promotor de Justiça", que, entre outros preceitos, exige do promotor de Justiça a honestidade para fazer da "consciência profissional um escudo invulnerável às paixões e interesses" e a nobreza para não converter "a desgraça alheia em pedestal para teus êxitos e cartaz para tua vaidade".

Cembranelli se formou em direito pela FMU (Faculdades Metropolitanas Unidas) em 1984, uma faculdade particular paulistana, e foi aprovado no concurso do Ministério Público quatro anos depois, seguindo a mesma carreira do pai. Em suas entrevistas, dizia ter conseguido encontrar na profissão, nos palcos do Tribunal do Júri, um antídoto para uma timidez gestada desde 1963, quando, aos 2 anos de idade, caiu dentro de um tanque de água com cal e ficou com sequelas no olho esquerdo. O globo ocular desse olho atingido parece ter menos massa do que o outro olho, talvez pela impressão causada pela pálpebra caída sobre ele.[1]

A primeira grande exposição de Cembranelli ocorreu em 1997, quando três sem-teto foram mortos em um confronto com policiais militares que cumpriam ordem de reintegração em um conjunto habitacional na zona leste da capital, a fazenda da Juta. Cembranelli deu entrevistas ao longo do ano para comentar a investigação e o trabalho da perícia. Teve maior

---

[1] "Cembranelli aprendeu a superar timidez no júri." *O Estado de S. Paulo*, 18 mai. 2008.

O PIOR DOS CRIMES

destaque quando falou das inovações que seriam apresentadas no júri dos PMs: um curta-metragem de doze minutos com a dinâmica do crime e uma maquete que, segundo ele, seria útil para melhor visualização do ângulo dos disparos, a partir das posições dos PMs e dos manifestantes. Fórmula de sucesso.

Sobre o caso Nardoni, Cembranelli deu a primeira entrevista horas após assumir o caso, antes mesmo de ter contato com os suspeitos ou testemunhas. Montou toda sua convicção em uma rápida leitura das 136 páginas do inquérito para decretar que não acreditava na versão contada por Alexandre e Anna. "A versão do casal é fantasiosa", disse ele à jornalista Laura Diniz, do *Estadão*.

No dia 4 de abril, quando a conversa com Laura foi publicada, o promotor concederia duas coletivas a jornalistas e não só voltaria a classificar a versão do casal de "fantasiosa" como apontaria supostas contradições na versão dos suspeitos. "Tem versões deles que não foram confirmadas e outras desmentidas por testemunhas. Por isso acho que a versão deles é fantasiosa."

Um dos pontos destacados seria a versão do arrombamento da porta: segundo testemunhas, Alexandre teria dado uma versão nos primeiros momentos que não foi mantida quando falou com a polícia.

Ao contrário do que está nos documentos, o promotor disse, nesse mesmo dia, que o casal não mencionou sangue no apartamento.

"O sangue é visível para qualquer um que entra no apartamento, mesmo não sendo perito. Existem gotículas de sangue no chão, nas paredes, existem algumas gotículas no corredor de acesso, nas paredes, existe uma mancha no colchão. O lençol foi arrecadado. Enfim, qualquer leigo ali constataria isso", disse o promotor da segunda entrevista do mesmo dia. Quais paredes? "Não posso falar. Isso vai vir documentado no laudo."

Nessa mesma entrevista, o promotor descartou, em razão da altura do muro existente na divisa, a possibilidade de alguém ter fugido pelos fundos do London.

"Se fosse o Homem-Aranha, talvez. É bastante alto o muro, cerca de uns 4 metros."

Entre os milhões de pessoas que acompanharam as duas entrevistas, estava também o juiz Fossen, que não gostou deste comportamento. Em rara decisão no Judiciário paulista, o magistrado não só mandou suspender o segredo imposto por ele mesmo como deu uma bronca pública no promotor. Disse que não via mais motivo para manter o sigilo porque Cembranelli, que deveria ser "o mais interessado que as informações aqui existentes fossem tratadas com discrição, a fim de garantir o bom desenvolvimento das investigações", não demonstrava interesse em conduzir o assunto de forma discreta.

"Como se isso tudo não bastasse, emitiu ainda juízo de valoração a respeito das provas até aqui realizadas, afirmando, por mais de uma vez, que a versão oferecida pelos averiguados seria 'fantasiosa', mesmo ciente de que os averiguados ainda não haviam sido sequer indiciados", disse. "Portanto, tendo o Ministério Público divulgado abertamente informações à imprensa que estavam sob sigilo, além de ter emitido opiniões valorativas de cunho exclusivamente pessoal sobre provas, por ora, apenas parciais, entende este magistrado que deixou de existir o fundamento jurídico para que a ordem de sigilo em relação ao presente inquérito policial continue a ser mantida, já que nem mesmo o órgão ministerial — que seria o maior interessado que as informações aqui existentes fossem tratadas com discrição e em garantir o bom desenvolvimento das investigações — demonstrou possuir efetivo interesse neste sentido."

Após o puxão de orelha do juiz, Cembranelli mudou o tom. Passou a admitir outras possibilidades para o crime. "Nenhuma possibilidade foi descartada. Estamos abertos a todas as linhas de investigação para formarmos nossa convicção", disse no dia 8 de abril, um dia após a decisão de Fossen tornar-se pública pela assessoria de imprensa do Tribunal de Justiça. Para indignação de alguns jornalistas, o homem passaria a criticar "especulações que a imprensa vem divulgando", como se as declarações publicadas, com as tais especulações, não fossem aquelas ditas por ele. "É preciso ter calma", defendeu.

O discurso ponderado duraria apenas três dias, porém. Já no dia 11 de abril, quando o desembargador Caio Canguçu de Almeida determinou a soltura do casal por falta de elementos que justificassem a prisão de ambos, o promotor voltaria aos microfones para criticar a decisão do magistrado e dizer que a soltura dos dois prejudicaria as investigações, a despeito de opinião da polícia, que afirmava não ver prejuízos com os dois soltos. O homem também voltaria sua carga contra Alexandre e Anna, reforçando a tese única. "Existem elementos bastante claros e bastante contundentes que abalam a versão trazida pelo casal", disse o promotor ao repórter Cleiton Freitas, da *Folha de S.Paulo*.[2]

Cembranelli criticava a decisão do desembargador, de quem, diria depois, seria amigo de família. Disse ter visto Canguçu de Almeida pela primeira vez, ainda criança, quando foi a um estádio de futebol com o pai para assistir ao jogo entre Guarani e América. Na época, Canguçu era juiz em Barretos, interior do estado, onde o pai de Cembranelli também trabalhou.

O promotor passaria os próximos anos indo a programas de TV para falar do caso Nardoni. Não perderia oportunidade de manifestar sua opinião até mesmo em programas sem caráter jornalístico, como o próprio *A Noite é uma Criança*, na TV Bandeirantes, que se descrevia como "de humor e entretenimento", incluindo alguns ensaios de mulheres nuas. O apresentador estava tão pouco familiarizado com o assunto que chamou de "caso Nardelli".

Além do programa de Otávio Mesquita, Cembranelli não recusou convite nem mesmo para comparecer ao *SuperPop*, na RedeTV, de Luciana Gimenez, atração que apostava nos desfiles de lingerie como fórmula recorrente para alavancar a audiência. Na agenda do promotor, também não faltou espaço para uma entrevista no canal musical MTV, com Cazé Peçanha, quando aproveitou para rebater as pessoas que o criticavam por aparecer tanto: "Eu nunca procurei ninguém. Foram as pessoas que me procuraram."

---

[2] "Há elementos que ligam casal a ferimentos de Isabella, diz promotor." *Folha de S.Paulo*, 11 abr. 2008.

Após o caso Nardoni, o Ministério Público lançou uma cartilha de comportamentos a seus membros, o "Guia prático de relacionamento com a imprensa", com algumas recomendações que eles deveriam considerar. "Casos de grande repercussão inevitavelmente atraem o interesse da mídia. Não raramente, promotores e procuradores de Justiça que atuam nesses casos recebem pedidos de entrevista e convites para participar de programas televisivos nem sempre de conteúdo jornalístico. Avalie bem os convites."

Além do dia em que criticou as "especulações" da imprensa, outra rara vez em que o promotor voltou a mostrar indisposição com os jornalistas foi quando o repórter Flávio Ferreira escreveu uma reportagem sobre o resultado dos exames de DNA, que, segundo o jornalista, eram inconclusivos sobre o sangue de Isabella.

— Você está trabalhando para a defesa? — questionou o promotor, segundo se lembraria depois o jornalista.

— Nem para a defesa nem para a Promotoria — ele respondeu.

De resto, Cembranelli teve uma relação harmoniosa com a imprensa. Com seu jeito teatral e frases de efeito, passaria a ser tratado como celebridade pelas emissoras de TV e guindado à condição de herói nacional.

No início do julgamento, cartazes de manifestantes na porta do Fórum de Santana demonstravam esperança no trabalho do promotor. Não faltaram também declarações de amor e gritos de "lindo".

# 28

# Quarto poder

— EU NÃO SEI DE NADA, NÃO VI NADA. Não sei por que me chamaram — repetia a advogada Geralda Afonso Fernandes a um grupo de pessoas para, na sequência, atravessar o plenário e sentar-se em uma das cadeiras disponíveis. Nem bem se encaixava na poltrona, já se levantava e voltava a caminhar em busca de outra rodinha para reafirmar sua ignorância.

Geralda era testemunha arrolada pela defesa dos Nardoni e, assim como todos na sala, naquela manhã de 22 de março de 2010, aguardava instruções para o primeiro dia de julgamento. Ela havia chegado minutos depois de mim, por volta das 11h30, e viu comigo o lugar se encher de gente. Pelas minhas contas, quinze pessoas, a maioria policiais que participaram de alguma parte da investigação. A exceção era a própria advogada, que se dizia ignorante sobre tudo, e eu, um jornalista, convocado por ter escrito uma reportagem sobre o pedreiro e o portão da obra ao fundo do edifício London.[1] O tal pedreiro, o coelho Gabriel, estava em outra parte do Fórum, mas, naquele momento, era dado como desobediente pelo restante da turma.

Embora todos ali estivessem convocados pela defesa, sendo, em tese, capazes de prestar informações favoráveis aos réus, as brincadeiras do

---

[1] "Sobrado vizinho foi arrombado no dia do crime, diz operário". *Folha de S.Paulo*, 10 de abril de 2008.

investigador Jair Stirbulov, ao centro de uma das rodinhas, dava o ar do ambiente.

— Olha só: no prédio antigo ele morava no sexto andar. Agora, neste novo, também morava no sexto andar. E nasceu no mês seis. Seis, seis, seis. Entendeu? 666. O número da Besta — dizia ele, com uma potente voz, para, ato contínuo, dar gargalhadas da própria piada. — No prédio antigo, ele morava no seis, agora mora no seis, e nasceu no mês seis. Seis, seis, seis — repetia ele, sem dispensar nova gargalhada, para garantir que todos ali compreendessem a grande sacada que havia tido sobre os números referentes a Alexandre Nardoni.

Essas brincadeiras não deixavam de ser também um termômetro do clima que imperava pelas ruas do país. Alexandre e Anna haviam se tornado duas das pessoas mais odiadas do país e, por isso, a condenação de ambos era dada como absolutamente certa. Ninguém acreditava que os sete jurados pudessem ser convencidos da inocência dos dois, nem mesmo quem tinha essa missão.

— Eu não tenho falsas expectativas, nem esperança — disse o advogado Roberto Podval em sua chegada ao prédio do Fórum de Santana, zona norte da capital, com a frente tomada por dezenas de jornalistas e uma infinidade de curiosos atraídos pelos furgões de emissoras de TVs, com suas antenas parabólicas para transmissão de notícia ao vivo, estacionados no meio-fio.

Os "curiosos" faziam coro, clamando por "justiça" e gritando coisas como "assassinos" e "lincha". Fúria estendida até contra os advogados do casal, que foram xingados e agredidos a socos por eles. A agressão ocorreu só porque, ao contrário do Ministério Público, a defesa não recebeu autorização para estacionar dentro do Fórum, tendo que usar um estacionamento particular e caminhar por uma espécie de corredor polonês instalado na calçada. Um dos mais exaltados chegou a jogar urina quando o grupo passava, atingindo principalmente Podval.

Esse tipo de manifestação, ainda que indesejável, era um dos problemas já esperados desde o momento em que o juiz Maurício Fossen recusou a ideia de transferir o julgamento para o complexo do Fórum

O PIOR DOS CRIMES                                                251

Barra Funda, onde seria possível manter os manifestantes à distância e sem intimidações. Além disso, o complexo tinha estacionamento para 1.970 mil veículos, incluindo área para os furgões de TVs, e um dos maiores plenários do país, com até trezentos lugares para espectadores. Já o prédio de Santana tinha um estacionamento com 180 vagas e salas para audiência com apenas 77 lugares — destinados à família, às autoridades e à população.

O outro problema esperado era a impossibilidade de os jornalistas cobrirem adequadamente o julgamento. Das 77 cadeiras, 22 foram disponibilizadas à imprensa, o que era absolutamente insuficiente para atender um contingente de duzentos jornalistas cadastrados, de cinquenta veículos diferentes.

A questão poderia ser resolvida se o julgamento fosse transmitido ao vivo, por rádio, TV, internet ou apenas em uma sala com jornalistas, mas Fossen também não concordou com isso. Assim, como havia muitos jornalistas e poucas poltronas, o Tribunal de Justiça criou uma escala de revezamento entre os profissionais da imprensa. Cada repórter tinha "direito" a ficar cerca de uma hora sentado dentro do plenário, mas aguardaria outras duas horas do lado de fora até poder voltar ao plenário. A ordem de entrada na sala seria definida em sorteio.

Isso fez com que a maioria dos jornalistas tivesse uma visão fragmentada das discussões que ocorriam naquela sala, e todos precisaram da ajuda de colegas concorrentes para tentar obter uma ideia do todo. "Não dava para acompanhar decentemente o julgamento", explicaria o jornalista Afonso Benites, então repórter da *Folha de S.Paulo*.

"Foi falta de respeito muito grande. Aquilo foi uma humilhação. Falta de absoluto bom senso", concordaria Robinson Cerântula, da Globo.

Os jornalistas não podiam esperar tratamento diferente porque, meses antes do julgamento, o mesmo magistrado chegou a proibir acesso da imprensa ao processo — ainda que ele mesmo tivesse levantado o sigilo dos autos. Fossen deu ordens às funcionárias do cartório para que só a Promotoria e as partes do processo (parentes e advogados) pudessem ver os documentos. Segundo a assessoria de imprensa do TJ à época, ao ser questionado sobre tal medida, o juiz alegava que permitir acesso ao inquérito provocaria tumulto no cartório.

O clima de ódio parecia também ter contaminado parte dos policiais entre as testemunhas de defesa, que reproduziam frases como "esses dois não podem escapar", "precisam ser condenados". Pareciam testemunhas da acusação, até porque, segundo o médico Laércio, também arrolado pela defesa, os peritos se reuniram com o promotor para azeitar o discurso e a participação de todos.

"Foi antes do julgamento. Ele [Cembranelli] tinha certo receio de alguém dar uma mancada. [De acontecer] Alguma coisa. 'Olha, [esse julgamento] é um divisor de água. Nunca fiz um júri dessa envergadura. Vai vir imprensa, vai ter gente. Uma coisa impressionante'. Para sentir segurança, tudo, [o promotor] quis ouvir todo mundo lá."

Laércio não estava entre os policiais que destilavam ódio. Nem o delegado Calixto Calil — que também não distribuía, como outros policiais, frases ofensivas aos suspeitos nem manifestava interesse na condenação dos dois.

Talvez o motivo da falta de sorrisos de Calixto Calil estivesse na origem daquela frase dita a mim ao concluir um comentário sobre o julgamento: "... isso se foram mesmo os dois".

Somente anos depois perguntei a ele por que fez tal comentário.

Como aquele policial, justo ele, poderia ter dúvidas sobre a autoria do crime a poucas horas de uma iminente condenação?

"Eu não sabia o que a defesa havia preparado", Calixto Calil me disse. "Podia vir com uma prova bombástica que desqualificasse tudo. Eu não sei. O advogado estava muito quieto. Eu esperei para ver o que ia acontecer naquele júri. Tem defesa que na hora do júri tem um vídeo, tem uma foto, tem uma câmera secreta que filmou, uma testemunha-chave. No júri, vale tudo. Uma testemunha guardada até o dia do júri, que vai falar só com o juiz. Será que tem uma carta na manga? Meu receio era o que a defesa podia apresentar."

# 29
## Assistente da acusação

QUANDO SE SENTOU DIANTE DOS JURADOS na noite de 22 de março de 2010, Carol não era mais a mesma pessoa que, dois anos antes, no enterro da própria filha, defendeu até a madrasta de qualquer participação no crime. "A mãe biológica", como as pessoas passaram a se referir a ela para evitar confusão com a madrasta, havia se transformado em um dos principais cabos eleitorais para a condenação do casal. Tanto que passou a figurar no processo como assistente da acusação e contratou advogada para acompanhar todo o processo e, em especial, para participar no júri representando a família Oliveira.

Por ter sua imparcialidade comprometida, até pelo envolvimento emocional, Carol seria ouvida sem o compromisso de dizer a verdade (não corria risco de ser processada caso mentisse aos jurados). Prestaria "declarações". Suas palavras precisavam ser, assim, relativizadas pelos jurados.

Em dois anos, ela havia participado de uma série de entrevistas — em especial para TVs — para falar de suas desconfianças sobre Anna e Alexandre. Em pouco tempo, tornara-se uma personalidade nacionalmente conhecida — e sua imagem, um lembrete vivo do crime cometido contra Isabella.

Essa imagem foi reforçada no Dia de Finados de 2008, quando Carol posou para fotos diante do túmulo da filha repleto de flores. Na ocasião, estava abraçada à sobrinha Gabriella Mello de Oliveira, de 3 anos de idade, filha de seu irmão mais velho, Felipe. A garotinha estava com uma calça legging rosa e camiseta de algodão branca (com a foto de Isabella). Tinha cabelos pretos escorridos e uma franja bem aparada que davam a impressão de ser uma miniatura de Isabella.

Um dos eventos mais marcantes dos quais participou nesse período foi um show-missa do padre Marcelo Rossi, na zona sul da capital, em abril de 2008, batizada de "Paz, sim. Violência, não", quando milhares de pessoas rezaram por Isabella, incluindo artistas como Xuxa e Hebe Camargo, os cantores Chororó e Ivete Sangalo. O "pop star" da Igreja Católica convidou a moça a subir no palco, quando mostrou uma camiseta com a foto e o nome de Isabella, e pediu uma oração para a família e para a memória da criança.

Quase ninguém no país tinha dúvidas de seu sofrimento, embora não faltassem pessoas que a consideravam fria demais. Esse contingente não era nada desprezível, a ponto de ser uma das perguntas feitas pela jornalista Patrícia Poeta em entrevista para o *Fantástico*, concedida por Carol poucos meses após a prisão do casal e uma das primeiras exclusivas concedidas por ela.

— Eu escutei muitos comentários desse tipo. Eu não consigo... Aqui, por exemplo, eu estou supernervosa. Eu não consigo chegar aqui, ou em qualquer lugar, e simplesmente chorar. Chorar, muitas vezes, soa falsidade.

A maioria das pessoas tinha, porém, simpatia por ela e compaixão pelo seu sofrimento. Sua presença ali no julgamento, sem dúvida, poderia influenciar os jurados desfavoravelmente aos réus. Por isso, foi chamada pela acusação (classificada por alguns jornalistas como a principal testemunha) e a primeira e única a ser ouvida no primeiro dos cinco dias de julgamento. Pelas regras dos júris, primeiro são ouvidas as testemunhas de acusação.

Se fosse questionada diante dos jurados, certamente diria não ter dúvidas do envolvimento do casal na morte de Isabella, como já havia feito em seu depoimento à polícia. "Na sua concepção, acredita que

O PIOR DOS CRIMES

Alexandre e Anna possam estar de alguma forma diretamente envolvidos no que aconteceu."[2] Mesma opinião dada nas entrevistas à TV, sem constrangimento.

Em um julgamento, porém, pelas regras em vigor no Brasil, as perguntas feitas pelo Ministério Público e pela defesa não podem ser subjetivas ou, muito menos, indutoras de uma resposta. Só são permitidos questionamentos sobre fatos de que a testemunha tenha conhecimento. As testemunhas não podem, enfim, se fiar em conjecturas ou achismos.

Já que Carol não poderia falar de suas desconfianças sobre a morte da sua filha, a Promotoria buscou que ela dissesse isso de uma maneira indireta. Pediu que relatasse detalhes negativos da relação entre eles, como se estivessem em um programa de auditório de TV em que casos de família são discutidos em frente às câmeras. A acusação também tirou lágrimas da moça ao questionar sobre coisas da filha morta. Em um júri composto majoritariamente por mulheres, 4 a 3, isso tinha um efeito importante.

A mãe biológica falou, enfim, da noite na qual flagrou o namorado chegando de madrugada (motivo da separação), falou do "barraco" provocado por Alexandre na festa em que um primo disse "se for por falta de adeus" e também da discussão ocorrida na porta da casa de Carol quando Isabella foi colocada na escolinha sem a concordância da família paterna. Falou também da confusão sobre a ida da menina para o apartamento do Guarujá.

— Essa ida dela à sua residência — começou o promotor sobre o episódio da viagem ao Guarujá — quando saiu a primeira discussão. Ela [Anna] chegou a se descontrolar a ponto de chorar?

— De chorar, não. Ela ficou bem nervosa. Ela gritou, ela alterou a voz, eu pedi para não alterar a voz, que ela estava na porta da minha casa, que ela não tinha o direito. Além do que não estava acontecendo nada para alterar a voz. Aí, ela diminuiu o tom de voz e ainda pediu desculpas.

---

[2] Processo 0002241-66.2008.8.26.0001, p. 164.

Mesmo que não tivesse nenhuma relação com o crime, boa parte das perguntas feitas pelo promotor foi, porém, sobre a discussão quanto ao valor da pensão alimentícia que Alexandre pagava à filha. Em uma das respostas, Carol fazia o ex-namorado parecer uma pessoa mesquinha ao oferecer à filha um valor muito menor do que ele poderia pagar e, ainda por cima, rindo da cara de Carol por supostamente conseguir enganar as autoridades desse pequeno golpe.

— Às folhas 1.916, volume dez, [foi feita] uma pergunta a respeito do acordo da ação de alimentos, se foi normal, se teve uma briga — perguntou o promotor sobre uma questão feita ainda na fase de instrução do processo, em junho de 2008. — Eu queria que você relatasse exatamente como foi a discussão no Fórum, como ele saiu dali. O que pode nos relatar?

— Bom, quando nós chegamos, ele estava... estava ele, o pai dele e mais duas outras testemunhas que levou. Eu cheguei com a minha advogada, com meu pai, e ele... Nós nos encontramos, mas não nos falamos. Durante o acordo, ele alegava que não tinha condições de pagar muito, que ele era estagiário, que ele não podia pagar, que ele não podia, ele alegou por diversas vezes que não podia. Aí, foi feito o acordo por R$ 325, se eu não me engano. Aí, saindo de lá, ele já saiu rindo da situação. Por coincidência, o carro do meu pai e o carro dele estavam parados no mesmo estacionamento. Então, ele saiu de lá rindo e, quando a gente chegou no estacionamento, ele, para ele entrar no carro, ele desligou o alarme, sendo que ele saiu daqui do Fórum, do estacionamento, de Audi.

— De quê?

— De Audi. Ele estava de Audi, um Audi A4. Ele saiu rindo daquela situação porque ele achou que eu quisesse tirar alguma coisa dele. Sendo que ali eu não estava pleiteando nada que fosse para mim e sim para nossa filha. Então, eu achei que saiu daqui rindo da minha cara, sendo que ele tinha condições, ele podia e ele ficava alegando dentro da sala que não podia pagar. Eu achei aquela situação contraditória ao que ele falou aqui dentro.

Cembranelli buscou reforçar essa mesma imagem de Alexandre mesquinho ao questionar Carol sobre episódio ocorrido nas comemorações da Páscoa, que se deram poucos dias antes do assassinato da menina.

— No domingo de Páscoa, ele esteve na minha casa — começou Carol. — Passou lá, ele e a Anna, mas não quiseram entrar. Não desceram do carro. A Isabella foi até o carro e entrou no carro para conversar com eles. Aí, quando voltou, ela voltou triste e perguntei por que estava triste. Ela voltou com dois brinquedinhos, desses que vêm dentro do ovo de Páscoa. Só que ele levou o ovo embora. Aí, ela ficou triste porque ele não deixou ela trazer o ovo que ele... eventualmente, isso acontecia. De ela não trazer as coisas de lá, porque ele não queria que ela dividisse aquilo com meus sobrinhos, ou com a preocupação de que alguém comesse o que era dela. Então, ele levou embora e ela entrou triste. Ele levou embora e ela ficou triste por não ter o ovo de Páscoa dela que ele deu.

Cembranelli tinha habilidade incomum. Conseguia fazer coisas banais do dia a dia de pais separados parecerem graves desvios de conduta do casal, principalmente de Alexandre. Tinha a sorte de contar com a memória de uma mulher que parecia não ter esquecido nenhum dissabor sofrido e mantinha todos em uma lista imensa de reclamações quase inesgotável contra o ex-namorado, que davam a Alexandre também a ideia de um pai ausente.

— Em relação à escola — começou Carol sobre a vida escolar da menina —, ele também não sabia o nome da professora. Não sabia o que ela estudava, o que fazia, o que estava aprendendo. Ele não compareceu a nenhuma reunião de escola. Na matrícula que eu fui fazer na escola, eu pedi para que ele fosse comigo para assinar o contrato da matrícula, ele não quis ir. Eu pedi para ele pelo menos passar lá para assinar o contrato, ele também não foi. Então, assim, com relação ao que ele sabia, era quando ela estava lá, quando ela levava alguma lição de casa, que pedi para ele ajudar. Até depois eu ficava sabendo, através dela, que quem tinha ajudado era a irmã dele, a Cristiane, ou dona Cida. Então, assim, participativo, de me ligar para realmente saber o que se passava ou o que ela estava estudando ou passando, ele não ligava.

Carol já havia chorado seis vezes quando a defesa foi autorizada a fazer questionamentos. As perguntas buscavam minimizar os estragos feitos por aquele emocionado depoimento. Um dos desafios dos advogados era fazer isso de uma forma menos agressiva possível para não despertar antipatia dos jurados e, assim, piorar ainda mais a situação dos réus. Se isso fosse possível.

A defesa tratou de abordar a suposta ausência do pai.

— A senhora disse — começou o advogado — que Alexandre não sabe o nome da professora ou não sabia o nome da professora de Isabella. Como a senhora sabe que ele não sabe o nome da professora?

— Porque ele não tinha ido naquele período no colégio.

— A senhora presume que ele não saiba o nome da professora, a senhora não tem como saber se ele sabe ou não, se ele teria ligado para a professora, se alguma vez ele foi ao colégio sem que a senhora saiba, a senhora não tem como saber isso?

— Naquele período em que ela estava no colégio, ele não foi no colégio para ter contato com a professora ou questionar eventual... é... sei lá, alguma questão de Isabella no colégio. Então, ele não sabia o nome.

— Como a senhora sabe disso, como a senhora me afirma que ele não foi ao colégio, como que a senhora pode me afirmar isso? Eu preciso saber se a senhora presume, só isso.

— Ele não foi no colégio e, não indo no colégio, não tendo acesso ao colégio, não ligando no colégio, presumo eu que ele não sabe.

— Alguém na escola comentou se alguma vez ele teria ido lá, a senhora chegou a perguntar?

— Não. O evento que ele foi na escola, que teve contato com a professora, foi no outro ano, que ele foi levar um bolo num aniversário dela.

— Quando a senhora falou "nesse período ele não esteve na escola", que período que a senhora mencionou?

— Foi no período de 2008.

Os advogados avançaram.

— Ela chegou a ter um evento de mudança de faixa de judô também, não teve? — questionaram os advogados em contragolpe.

O PIOR DOS CRIMES

— Teve.

— O Alexandre compareceu ao evento, estava presente?

— Compareceu.

— A senhora foi também ou não?

— Não fui, porque eu tive um compromisso no dia, mas eu avisei. Eu pedi para ele que fosse, para que acompanhasse o evento, sendo que aí ele foi.

— A senhora pediu para ele, a senhora ligou para ele e ligou para a Anna Carolina, sabe dizer?

— Não.

— Não se lembra se falou com ele?

— Não.

Os advogados insistiram se Carol havia falado com o próprio Alexandre porque, minutos antes, a mesma bancária havia dito que a madrasta não permitia que os dois se falassem por conta de ciúmes. Uma pequena contradição.

— A senhora é ciumenta ou não? — questionou a defesa.

— Ciumenta?

— É?

— Não.

— Que horas era quando a senhora brigou, que foi citado aqui quando vocês terminaram, quando a senhora teria ido até a casa dele, ele teria dito à senhora que ia chegar cedo e não chegou. Eu pergunto à senhora: quando a senhora foi, que horário a senhora chegou e onde a senhora ficou?

— Quando ele chegou, quando eu estava lá, era por volta de três e meia, vinte para as quatro da manhã.

— A senhora foi à casa dele às três e meia, vinte para as quatro, pegou o carro e foi à casa dele?

— Exato, ele chegou por volta das quatro da manhã e o meu carro estava parado um pouco para trás da casa dele.

— A senhora ficou aguardando ele chegar, é isso, na porta da casa dele?

Carol respondeu balançando a cabeça.

— Por meia hora mais ou menos?

— Por meia hora, vinte minutos, mais ou menos.

Parecia improvável que Carol tivesse chegado à porta da casa ao namorado vinte minutos antes de flagrá-lo voltando de madrugada, mas os advogados não insistiram na pergunta. Tinham criado a dúvida.

Também levantaram dúvidas sobre a imagem de perfeição da mãe biológica, de sua quase santidade, ao tocar no assunto do aborto supostamente planejado por ela. Era uma estratégia arriscada, mas buscava mostrar que Alexandre desejou a filha talvez mais do que a própria mãe.

— A senhora chegou a esconder da sua mãe o início da gravidez, a senhora chegou a esconder que estava grávida? — começou a defesa.

— Quando nós ficamos sabendo da gravidez, como eu era muito nova, eu estava no colégio ainda, estudando, eu estava no terceiro colegial, então, eu fiquei um pouco receosa assim. Até por ser muito jovem, não foi assim por medo da minha mãe não aceitar ou dos meus pais não aceitarem, mas eu fiquei um pouco receosa comigo, pela situação que eu estava passando, sendo que, quando a minha mãe ficou sabendo, eu estava grávida de três meses.

— Alexandre incentivou a senhora a ter esse filho?

— A dizer "tenha esse filho"?

— Sim — insistiu a defesa.

— Na verdade, assim que nós ficamos sabendo que eu estava grávida, houve um desespero por conta da situação, de eu ser nova, de a gente não estar preparado para aquela situação, mas nunca houve um desincentivo para que não tivesse Isabella, nunca houve.

— Da parte da sua mãe, houve um desincentivo e foi Alexandre que intercedeu para que você tivesse o filho? — insistiu a defesa.

— Não, nunca houve isso, com meus pais, não. Ficaram assim desesperados, como eu disse, por eu ser nova, isso quando eles ficaram sabendo e tudo. Mas a minha mãe nunca, ninguém foi contra o nascimento dela, jamais.

A defesa iria direto ao ponto planejado com a questão.

— Não houve um episódio, em que a senhora saiu com um amigo, tinha ido comprar um remédio e o Alexandre foi interferir para que a senhora tivesse o filho. Foi brigar com a senhora, tirar a senhora dali, onde ele falou: 'Tenha o filho porque é nosso'? Houve esse episódio ou não?

— Houve um episódio em que eu encontrei, sim, com um amigo, na época era um amigo muito próximo meu. Eu estava bastante desesperada com a situação. Foi logo depois que eu soube da...

— Desculpa interrompê-la, mas meu único interesse nisso tudo é só no sentido do quanto ele quis e incentivou a senhora a ter o filho. Que queria que tivesse o filho, o quanto intercedeu para que tivesse. É só essa a minha questão.

A defesa havia conseguido arrancar dela indiretamente uma admissão dos planos de aborto, mas o juiz Fossen interveio.

— Houve essa situação do remédio? — perguntou o juiz.

— Não, não houve — disse Carol firmemente. — Eu não fui comprar remédio nenhum para que não tivesse o filho. Eu fui conversar com esse meu amigo por conta do desespero, ele era o amigo mais próximo que eu tinha na época. Sendo que, depois, o Alexandre foi me encontrar, mas não houve...

— Quando o Alexandre encontrou a senhora — retomou a defesa —, ele incentivou a senhora a ter o filho, ele estava ao seu lado para ter o filho?

— Sim. Ele nunca foi contra eu ter o filho.

Uma das tarefas mais importantes dos advogados é sentir a reação dos jurados e tentar decifrar os assuntos sobre os quais eles parecem mais interessados. Assim, tentar de alguma forma introduzir informações necessárias para deixar a versão menos desfavorável aos réus. Foi por isso que a defesa tratou de abordar a questão dos ovos de chocolate na comemoração da Páscoa.

— A senhora pode me dizer mais ou menos a que horas foram na Páscoa, nessa Páscoa, na casa da senhora levar os ovos para Isabella?

— O horário precisamente eu não sei, mas eu sei que foi...

— Foi à noite, à tarde?

— Foi à noite, já era tarde.

— Depois das nove, antes das nove?

— O horário eu não sei, eu não sei dizer, mas já era tarde. Não foi assim no período da tarde para escurecer. Já foi mais tarde.

— A senhora disse que eles entregaram os ovos e que não deixaram ela levar. A senhora estava no carro com ela no momento que entregaram os ovos?

— Não. Eu levei ela até lá fora. Ela entrou no carro e depois ela voltou apenas com o brinquedinho, com a surpresinha que vinha dentro do ovo. Não veio com o ovo, sendo que ela me disse que ela não voltou com o ovo porque levaram lá para a casa deles.

— Sabe quantos ovos ela tinha ganhado?

— Se não me falha a memória, foram dois.

— Sabe se um quem teria dado foi a Anna Carolina e o outro o Alexandre, sabe dizer?

— Quem deu ou de quem veio, isso eu não sei.

— A senhora sabe dizer se ela teria dito naquele momento que preferia que os ovos ficassem na casa do pai porque ela queria comer junto com os irmãos, a senhora sabe dizer alguma coisa sobre isso?

— Não, não foi o que ela me relatou.

— O que ela falou para eles, isso a senhora não sabe?

— Não sei.

Discussões laterais acabaram ofuscando informações importantes sobre a personalidade do casal e, também, sobre como era a convivência. Uma delas era que Isabella "sempre foi muito bem tratada por eles".

— A mãe dele, assim, tinha um amor por ela muito grande. Ela era a primeira neta, menina, o pai dele também, então, sempre foram bastante atenciosos com ela. Inclusive, depois do nascimento de Pietro, que era outro filho do Alexandre, assim, dona Cida diz que a Isabella era a primeira neta, tinha aquele carinho todo, eles comentavam que tinha até uns ciúmes da Jatobá pelo fato de dona Cida dar uma atenção maior para a Isabella.

— A Isabella chegou a comentar alguma vez que teria sofrido maus--tratos, que foi maltratada seja por Alexandre, seja por Anna Carolina?

— Não — respondeu Carol.

O PIOR DOS CRIMES

Em outro ponto, os advogados também tentaram demonstrar que Isabella chegava a preferir ficar com a madrasta em vez da avó, dona Rosa.

— Consta dos autos também que, quando ela não quis ir [com dona Rosa], ela não quis ir porque ela queria ficar com a Anna Carolina, que havia pedido para a senhora. Aí, eu não sei, não está relatado como é que foi esse episódio. Ela pediu para a senhora para ficar com a Anna Carolina e a senhora ligou para ela, a senhora pode me contar se isso aconteceu? — perguntou a defesa.

— Claro. A minha filha ligou avisando que ela não queria sair com ela, que ela queria ficar em casa. Aí, eu liguei para ela para saber por que ela não queria ir. Ela disse que não queria ir e nós respeitamos a decisão dela. Aí, eu perguntei o que ela queria fazer, aí ela falou... Eu falei que à noite ela iria para a casa do pai dela, aí ela falou assim, ela me pediu, ela falou: "Mamãe, eu posso ir para lá agora?" Eu falei que poderia. Aí, eu liguei para a Anna e ela, depois que deixou o Pietro no colégio para ir ao passeio, passou e pegou Isabella.

— A senhora ligou para Anna Carolina e disse: "Olha, a minha filha quer ficar com você"? Ela queria ficar com ela, ela expressou isso? O pai estava trabalhando, então ela falou que queria ficar?

— Ela disse que gostaria de ir para a casa do pai, ela não expressou a vontade de estar com um ou com outro. Ela disse: "Eu gostaria de estar lá." Até porque ela sabia que o pai estava trabalhando, aí ela perguntou se a Anna poderia buscá-la. Aí, eu falei que ia ligar para saber e avisei.

— Quando a senhora ligou para ela, a senhora perguntou para Anna se ela poderia ir buscar a Isabella na sua casa, é isso?

— Exato.

— O que Anna respondeu?

— Que iria levar o Pietro no colégio e que, quando voltasse, passaria lá para pegá-la.

— Foi o que ela fez?

Carol balançou a cabeça positivamente.

# 30

# Estrela do dia

A GRANDE ESTRELA DO SEGUNDO DIA de julgamento chegou ao Fórum de Santana logo pela manhã. De caminhãozinho.

Encomendada pelo Ministério Público, paga não se sabe como (não há no Diário Oficial informação obrigatória sobre a origem), a maquete do edifício London foi instalada no meio do plenário — entre as bancadas dos jurados e da defesa — e impedia que parte da plateia conseguisse ver o juiz Fossen e o promotor Cembranelli sentados em um balcão na cabeceira da sala. Tinha 1,30 m de altura e, sobre a mesa, atingia mais de 2 metros, numa área estimada de quase 3 metros quadrados. Era impossível não notá-la. E até não admirá-la.

Os detalhes conseguidos pelo maquetista chamavam a atenção. A fachada da miniatura era absolutamente igual à do prédio original, de cor branca e cinza-escuro. Também foram reproduzidas a portaria do edifício, com as escadas de acesso ao jardim, e as áreas de convivência, como piscina e churrasqueira, além dos muros adjacentes. Havia destaque para o apartamento 62, onde o crime supostamente fora praticado, que tinha um reprodução dos móveis e paredes transparentes para facilitar a visualização. Este era, segundo a Promotoria, o principal objetivo da maquete: "facilitar o entendimento."

Não demorou para que Cembranelli levasse para a frente dela a primeira testemunha daquela terça, Renata Pontes. A delegada responsável pelo caso fora convocada pela acusação para explicar o desencadeamento das investigações e as certezas dela sobre a culpa do casal.

O promotor pediu que Renata mostrasse na miniatura do interior do apartamento onde estavam os pingos de sangue que viu na noite do crime quando esteve lá pela primeira vez.

— A senhora pode dizer?

— Eu saí pelo elevador à esquerda, cheguei aonde o policial estava, aqui na porta de entrada, ele abriu a porta do apartamento e já me orientou: "Doutora, cuidado que tem pingo de sangue logo na entrada."

— Logo perto da entrada? — questionou Cembranelli.

— Isso, que era pequenininho; então, talvez, a pessoa entrando não pudesse observar. Aí, no primeiro momento, olhei a cozinha, olhei a área...

— A cozinha é à direita?

— À direita. Logo na entrada, à direita, você tem a visão da cozinha. Na sequência, tive a visão da área de serviço e do banheirinho da área de serviço. Depois, retornei, olhei, você tem uma visão geral do que tem na sala.

— Estando na sala, isso?

— É, estando na sala, logo no início da sala, você tem uma visão geral da sala de jantar e, na sequência, a sala de televisão. Depois, eu observei algumas coisas, que tinham bastantes objetos, papéis, essa observação. Eu reparei em algumas gotinhas de sangue que ainda tinha nessa entrada.

— Logo após a porta?

— Logo após a porta e algumas gotinhas indo em direção ao corredor.

— Dos quartos?

— Dos quartos, sendo que foi esse sangue...

— O corredor está à direita também?

— O corredor à direita, até foi esse sangue que era possível visualizar, nada mais que isso nesse ambiente. Aí, na sequência, eu olhei o quarto e...

— Seguindo pelo corredor, entrou no quarto?

— À esquerda, entrei no quarto, que é o quarto dos meninos. Vi duas camas encostadas, uma na outra. Era possível visualizar chegando próximo, um pouco mais próximo da tela, era possível visualizar manchinhas

O PIOR DOS CRIMES

de sangue e, também, sobre o lençol manchinhas de sangue. Aí, depois, eu saí desse quarto e fui ao quarto da Isabella, observei o quarto e...

— Então, as manchas visíveis eram semelhantes ao que está aqui — disse Cembranelli, mostrando os desenhos feitos no chão da maquete.

— Eram gotejamentos.

— Aqui a senhora não viu, aqui ao lado do sofá?

— Do lado do sofá não era visível, não tinha sangue.

— A senhora tem informação de que posteriormente o Instituto de Criminalística, aplicando um produto que é aplicado no mundo inteiro em locais de crime, chamado Bluestar Forensic, apurou manchas de sangue nessa sequência, manchas que haviam sido removidas?

O juiz Maurício Fossen interveio.

— Qual sequência, doutor?

— No corredor — respondeu Cembranelli, voltando à delegada. — A senhora teve conhecimento disso, ou não?

— Correto.

A acusação criava, assim, com desenhos feitos numa maquete e com a chancela de Renata, aquilo que os laudos não conseguiam confirmar. Uma sequência de pingos de sangue da entrada do apartamento ao quarto dos meninos.

Antes de falar sobre o sangue, Renata tinha explicado ao juiz detalhes da investigação e da forma suspeita, para ela, que os investigados tinham apresentado a lista de pessoas que eventualmente poderiam ter cometido o crime — ou que tinham se comportado estranhamente naqueles dias. A policial disse aos jurados que a cada dia de investigação, a cada nova pessoa ouvida, informações recebidas da perícia ou IML, sua certeza ia aumentando.

— Então, absolutamente todos os dias do meu trabalho, durante a investigação, quando todas as pessoas saíam da delegacia por volta de uma hora, duas horas da manhã, eu relia tudo que tinha feito, todos os depoimentos, todos os relatórios de ordem de serviço. Fazia ponderações e, aí, eu concluía. "Olha, isso não foi isso. O que mais pode ser feito?"

Então, eu já traçava quais as diligências do dia seguinte para sempre ter uma convicção, uma certeza de estar trabalhando no caminho certo, estar fazendo as diligências de uma forma coerente, não estar deixando de apurar alguma coisa que tenha sido informada. E, enfim, no decorrer desse trabalho, veio a confirmação. Eu tive 100% de certeza, convicção absoluta quanto à autoria dos dois nesse crime hediondo e fraude processual.

A Promotoria também ressuscitaria as discussões na noite do crime sustentadas inicialmente pelo segurança Waldir e a mulher dele, mas depois abandonadas ao longo da investigação e transformadas em "diálogo".

— Foi o casal que ouviu uma discussão momentos antes? — perguntou o promotor, em referência à queda da menina no dia do crime.

O juiz Fossen ampliou a pergunta.

— A senhora se recorda o que esse casal teria ouvido quando a senhora colheu o depoimento deles?

— A Luciana, que foi que chamou primeiro a atenção, ela ouviu primeiro que o marido... primeiro, ela ouviu uma voz de mulher brava assim, salvo engano ela não ouviu o conteúdo da discussão, mas dava para ver que a pessoa estava brava, discutindo. Ela ouvia mais a voz da mulher e pouco a voz do homem, mas era possível ver que era alguma coisa de uma pessoa nervosa, brava e falando, aí, na sequência, depois, ela ouviu...

— Ela mencionou que ouviu, então, uma discussão? — perguntou o juiz, para que os jurados tivessem certeza da resposta dada.

— Isso. Uma discussão, mas praticamente só a mulher é que gritava e falava, era mais perceptível, era mais audível a voz da mulher do que a do homem.

Estrategicamente, a Promotoria não chamara nenhuma dessas testemunhas para que elas mesmas contassem o que de fato ouviram. Isso acabava com os riscos de elas não mais sustentarem a versão tão importante para a acusação, um dos eixos principais da história contada na denúncia.

O autônomo Paulo César Colombo também não foi chamado, mas suas bombásticas palavras supostamente ditas na delegacia apareceriam no julgamento como se não tivessem sido desmentidas pela testemunha.

O PIOR DOS CRIMES

Colombo, como lembrou a assistência da acusação diante dos jurados, era morador do edifício Vila Real e teria dito: "Numa das discussões do casal, pude ouvir Anna Carolina dizer que ele, Alexandre, teria ferrado ela, Anna Carolina, que tinha dois filhos dele e que estava mal casada, uma vez que tinha uma ex-mulher e que, infelizmente, haviam laços que não seria desvinculados."

Renata não confirmou que Colombo tivesse dito isso. Não que estivesse negando o teor do depoimento, mas a delegada alegou que, embora tivesse a assinatura dela no depoimento do autônomo, não teria sido ela, mas sim o delegado Calixto Calil, quem havia feito tal trabalho.

— Esse depoimento do Paulo César Colombo foi colhido no dia 31 de março. Embora esteja o meu nome no depoimento, nesse dia eu não fiz. O doutor Calixto [Calil] é quem... é quem fez todas as oitivas nesse dia. Eu só pude chegar na delegacia por volta das 15h. O escrivão, salvo engano, era o Paulo Rogério. Ele é quem fez esse depoimento, acompanhado do doutor Calixto. Eu li o depoimento, tenho conhecimento do depoimento, mas não fui eu que estive lá nesse momento, embora equivocadamente, por conta de eu estar presidindo o inquérito, o escrivão tenha colocado o meu nome no depoimento automaticamente. Mas foi um equívoco, o doutor Calixto [Calil] é quem fez esse depoimento.

Se o delegado Calixto também fosse ouvido diante dos jurados, poderia dizer que isso não era verdade, como a mim afirmaria tempos depois.

— Cada um que fazia com seu nome. Se vinha no meu nome, eu assinava. Se vinha no dela, ela assinava. Ela ouviu, ela assinou.

— Mas Renata disse ao juiz e aos jurados que foi o senhor.

— Se ela assinou, ela ouviu. Se está no nome dela, ela assinou.

— Então, não foi o senhor?

— Não, não, não...

Calixto Calil foi, porém, dispensado pela defesa.

Os advogados do casal concentraram suas perguntas em pontos que pudessem demonstrar a fragilidade da investigação. O primeiro foco foi a preservação do local com questionamentos sobre o número de PMs que entraram no apartamento onde a menina foi defenestrada desde o acionamento da polícia até o instante em que o local passou a ser preservado para os trabalhos da perícia.

— O senhor tem que questionar isso à Polícia Militar. Eu não sei com precisão isso daí — respondeu ela com má vontade.

Renata também foi questionada do porquê da realização de exames nos suspeitos pelo IML logo após o crime e, ainda, dos motivos de Anna ter sido levada sozinha para a "pressão psicológica" na tarde de domingo, já que ela dizia não ter considerado os dois como culpados do crime no início das investigações.

A maior quantidade de questões à policial foi direcionada a uma aparente contradição. A polícia, em vários momentos, afirmou suspeitar da chave tetra da entrada principal do apartamento como possível instrumento de ataque, aquilo que possivelmente provou o ferimento na testa na menina e o sangramento detectado. Por que, então, questionou a defesa, a polícia não enviou a tal chave para a realização de exames em busca de sangue ou pele da vítima?

— A senhora chegou à conclusão de que o ferimento de Isabella poderia ter sido causado pela chave? Houve isso?

— Não, não houve essa conclusão. Foi citado a título de exemplo. Não tinha como tirar essa conclusão de que houvesse... já teria isso no laudo necroscópico, não teve essa conclusão — disse a policial, iniciando explicações e questionamentos que pareciam mais confundir do que esclarecer. Tanto que o juiz Fossen interveio para tentar resumir o entendimento e ajudar os jurados.

— Por isso a senhora decidiu não fazer o exame na chave?

— Eu achei desnecessário. Eu pensei: "Eu vou pedir um exame que não vai me fornecer nenhum elemento, seja um resultado ou outro, um elemento que vai ser inconclusivo, não vou poder apontar nem que foi a chave, nem que não foi", porque, realmente, qualquer que fosse a conclusão: "Ah, foi a chave." Continuaria dentro de probabilidade. Eu achei por bem não pedir o exame só para ver se é possível ou se não é possível.

O PIOR DOS CRIMES

— Desculpe, excelência, dada a resposta da testemunha, eu preciso insistir: a senhora me disse que não faria o exame porque qualquer que fosse o resultado não seria conclusivo. Eu pergunto: não era possível que a perícia, que o exame de laboratório desse um resultado positivo e afirmativo no sentido de que havia sinais de pele naquela chave? Era possível isso? A senhora sabe que não? Seja objetiva — insistiram os advogados.[1]

— Eu não considerei essa possibilidade tendo em vista a natureza do ferimento, pois foi um ferimento leve.

Renata confirmaria ainda ter sido servido café no apartamento do casal pela vizinha, dona Rose, mas negou que seus homens tivessem comido os ovos de chocolate da família, chamando essa versão de "absurda e ridícula".

As questões mais complicadas para a delegada foram deixadas para o final. Os advogados questionaram pontos do relatório final em que Renata utilizou informações da perícia para sustentar que o casal era culpado.

— A senhora relatou aqui sobre a fralda. Eu pergunto à senhora: aquela fralda que estava no balde, que estava sendo lavada, ficou determinado que era sangue que estava na fralda?

— Eu não tenho essa precisão, mas, salvo engano, por conta de ter sido lavada, embora tenha sido revelado o sangue através do reagente químico, talvez não tenha sido suficiente o resultado daquele sangue revelado através do reagente químico, não tenha sido suficiente para um resultado conclusivo a respeito do DNA. O que me recordo de tudo que eu li, assim por conta do volume, da investigação, o que me recordo é exatamente isso.

— A senhora relatou também, às folhas 783, que o sangue observado na lateral da cadeirinha de transporte de bebê que se encontrava no interior do veículo teria o perfil genético da Isabella. Isso a senhora afirma?

— Sim, correto, baseado no laudo de DNA — disse Renata.

— Por fim, o laudo de DNA. A senhora me disse, a senhora relata e afirma no seu relatório, que o sangue da cadeirinha, o sangue que estava

---

[1] Processo 0002241-66.2008.8.26.0001, p. 5.659.

lá, era o de Isabella, isso de acordo com o exame de DNA. Eu queria que a senhora olhasse o exame de DNA e dissesse: onde é que está constatado no exame de DNA que o sangue que estava lá era de Isabella? Eu confesso para a senhora que não achei.

— Tá, então eu vou dar uma explicação para o senhor. Tanto o laudo necroscópico quanto o laudo de exame de DNA, e alguns laudos do Núcleo de Física, infelizmente, eu não tenho a capacidade técnica de dominar assuntos de genética, de física e de medicina legal. Talvez lendo os laudos sozinha, a minha compreensão não seria tão clara. Baseado nos laudos, no que foi concluído pelos peritos e obtendo a informação deles de uma forma mais didática, me foi explicado pela equipe da perícia do Instituto de Criminalística que, na cadeirinha do bebê, o que foi coletado e foi levado para exame, tinha o material genético de Isabella. Porém, citaram, por exemplo, que poderia haver a saliva do bebê que estava na cadeirinha, do Cauã, havia uma mistura.

— Está citado no laudo, na conclusão do laudo, que eles apontam a existência? Eu confesso, eu não vi isso no laudo.

— Eu leio o laudo, eu não tenho uma compreensão clara de genética, como eu não tenho de fato.

— A senhora pode dizer quem informou para a senhora sobre essa informação, que passou essa informação para a senhora?

— A equipe de peritos do Instituto de Criminalística.

— A senhora sabe quem da equipe ou qual equipe estava lá para falar isso?

— Quem passou, exatamente, não. Eu ouvi as informações e as explicações sobre o que tinha se revelado através da perícia de todos os peritos juntos, estavam me explicando, mas eu não sei exatamente quem explicou.

# 31

# Doutora no assunto

— DOUTORA ROSANGELA, BOM DIA. AGRADEÇO a presença, a sua atenção. Eu vou, a partir de agora, começar a fazer as perguntas da Promotoria endereçadas à senhora, que aqui representa o Instituto de Criminalística de São Paulo — o promotor Cembranelli cumprimentou a perita Rosangela Monteiro, na manhã de quarta-feira, terceiro dia do julgamento.

Os jurados ficaram atentos às palavras da mulher apresentada como a principal perita do caso e quem "coordenou exames e elaborou laudos".

— Vou começar pelo fim — continuou o promotor. — A senhora deve se recordar, quando da instrução criminal, que a última pergunta que fiz foi a respeito das suas credenciais, para que a senhora as apresentasse a fim de que todos pudessem saber da sua formação, de tudo aquilo que fez, tudo aquilo de que participou. Eu gostaria que a senhora, diante dos jurados, apresentasse essas credenciais, por favor.

Por volta dos 60 anos, cabelos loiros e pele bem cuidada, Rosangela ajeitou-se na cadeira ao centro do plenário e inundou o lugar com sua clara, firme e potente voz — amplificada por um microfone implantado pelos técnicos do tribunal.

— Estou completando trinta anos de atuação na área forense. Iniciei pelo Instituto Médico Legal como técnica em laboratório, onde permaneci por seis anos, sendo que há 24 anos estou como perita criminal do

ROGÉRIO PAGNAN

Instituto de Criminalística do Estado de São Paulo. Além de formação técnico-profissionalizante em criminalística, sou também especialista em criminalística. Por formação acadêmica, eu sou psicóloga, com mestrado em psicologia social e doutora em psicologia clínica — assim a perita iniciava a apresentação de um extenso currículo que terminou com um "não sei se lembrei de tudo".

— É o suficiente — disse, na deixa, o juiz Fossen.[1]

Talvez Cembranelli preferisse a forma como ela se apresentou há dois anos antes, quando imprimiu a marca PUC nos títulos acadêmicos, mas os jurados certamente ficaram convencidos de se tratar de experiente perita e detentora dos mais elevados graus de conhecimento acadêmico. Doutora no assunto.

A intenção da Promotoria em convocar Rosangela era para que ela pudesse explicar e convencer principalmente sobre como havia conseguido encontrar os indícios que ajudaram a solucionar o crime. A mulher demonstrava ser o tipo de pessoa que, ao falar com tanta energia e convicção, consegue convencer — mesmo quando tem dúvidas ou não está dizendo a verdade.

Antes de falar a pedido da Promotoria, quando cumprimentou Cembranelli e apresentou brevemente seu currículo, ela já tinha respondido algumas questões feitas pelo magistrado Fossen. Explicou que entrou no caso a pedido do primeiro perito, Serginho, que esteve no local do crime na madruga e manhã de domingo, 30 de março de 2008. Serginho tinha feito o trabalho de campo e ligou para a chefe de núcleo para pedir auxílio na realização de exames complementares — por ela ser, segundo a própria, a mais capaz da Polícia Científica de São Paulo em desenvolver tais experimentos.

— Atualmente eu sou a única... eu não vou dizer a única que utiliza, mas a mais experiente, tanto que eu dou assessoramento a outras cidades do estado e a outros estados da Federação.

— Então o perito de lá ligou querendo discutir a questão com a senhora? — questionou o juiz Fossen.

---

[1] Processo 0002241-66.2008.8.26.0001, p. 5.772.

O PIOR DOS CRIMES 275

— Sim, fez os exames iniciais, entrou em contato comigo e nós chegamos à conclusão de que realmente deveriam ser realizados exames complementares, além desse suporte técnico no sentido de interpretação, de análise de mancha de sangue, que sou eu que faço; eu também realizo todos os exames em que há necessidade de reagentes específicos para detectar manchas de sangue que foram removidas, que nós chamamos de manchas latentes, tá?, e as luzes forenses. Então, na realidade, quando há necessidade desse tipo de exame, sou eu que faço. Eu faço em veículo, em peças de roupa e locais.

— Outra questão que foi levantada aqui no plenário foi a questão de quando o perito de plantão chegou ao local — quis saber Fossen. — Ele chegou a mencionar para a senhora ou consta no relatório dele se, quando ele chegou ao local, estava preservado pela polícia ou não?

— Perfeitamente, perfeitamente preservado. Esse foi um dos locais mais bem preservados em que eu atuei, em que nós atuamos. Nós temos muitos problemas com relação à preservação. Até isso já foi mudando mediante todo um trabalho de conscientização do policial, um trabalho com todo mundo que tem contato com o local. Esse foi um dos locais mais preservados em que eu já trabalhei, tanto que nós conseguimos todos esses vestígios.

Fossen ainda pediu na sequência:

— A senhora poderia dizer, não todos, mas a senhora poderia dizer que materiais mais importantes foram coletados e levados para análise?

— Sangue, né? Nós coletamos o sangue do piso, coletamos os lençóis que continham manchas de sangue, marcas de solado de sapato, foi coletada a tela. Até o exame não foi realizado ali no momento. Depois, foi coletado para exames complementares no instituto, coletamos também a fralda que estava no balde, lavada, e até esse também foi um dos motivos pelos quais o perito me procurou. Nós coletamos material do veículo também. Então, isso foi o que nós coletamos durante o exame — resumiu a perita.

Rosangela explicaria ter usado nos testes realizados no local o reagente Bluestar, para apontamento de sangue, e, em complemento a ele, o Hexagon Obti, para confirmar se era sangue humano.

— Foi identificado sangue humano?

— Sim, sangue humano. A mesma coisa no veículo. Onde eu usei o Bluestar, eu uso o Hexagon, que é complemento do Bluestar. Então, isso já foi definido, nós já sabíamos que era sangue humano. Independente disso, coletamos e encaminhamos para o laboratório, para o Núcleo de Biologia e Bioquímica, para avaliar esse material e ver se tinha condições de extrair um perfil para que fosse identificado de quem era o sangue.

Cembranelli tratou de levar a testemunha para perto de sua maquete para que, assim como Renata Pontes, mostrasse aos jurados onde os pingos de sangue foram vistos por ela na noite de 2 de abril — data em que a perícia esteve no London durante a noite para realizar os testes com reagentes.

— Nós observamos manchas a partir da soleira da porta, algumas no corredor, tá, algumas manchas em maior quantidade próximas a este sofá, algumas gotas neste corredor de distribuição. Eu estou ainda no corredor de acesso à sala de jantar e estar, são dois ambientes. Então, nós já observamos manchas logo no início, próximo à porta, algumas gotas ainda neste corredor, tá, próximo à mesa de jantar e a uma tábua de passar roupa que ali existia e em maior quantidade próximas a um sofá que estava aqui disposto também na sala de estar. Seguindo pelo corredor de distribuição, nós encontramos duas ou três gotas, sendo que, entrando aqui no dormitório, nós encontramos mais algumas.

O promotor avançou.

— Também é verdade que foi coletado com a gaze alguns resquícios desse sangue, que era uma pequena quantidade e que, levado para o laboratório, foram feitos tanto um teste primário como o teste principal, sendo que deu positivo para sangue e positivo para sangue humano? Isso é verdade?

— É verdade. Isso consta do laudo. Então, o colega que foi inicialmente ao local teve o cuidado de não remover todas, porque nós precisávamos também coletar um pouco desse sangue. Não seria só levar o lençol, que, evidente, a mancha estava ali, ela não iria se apagar,

O PIOR DOS CRIMES

então a gente consegue levar para o laboratório. Agora, aqui do piso, ele teve o cuidado de coletar um pouquinho aqui da entrada, que era uma machinha pequenininha, e outra aqui no corredor, tá, e levar para o laboratório. Consta o resultado, deu sangue e sangue humano. Só não foi possível, diante da exiguidade, se não comprometeria toda a cena e a dinâmica existente das manchas, não se chegou a um resultado, não deu para extrair o perfil para ser comparado com o da vítima.

A perita explicaria os exames realizados no interior do veículo, em que disse ter usado o Bluestar e o Hexagon, e os resultados alcançados.

Fossen interveio, para deixar a resposta mais clara.

— Foi identificada a procedência desse material ou não?

— De duas amostras não foi possível, não chegou a resultado nenhum em virtude de serem ínfimas e, ainda mais com o reagente que dilui, realmente, não tem condição. Uma delas, que era na lateral, que estava localizada na lateral esquerda dessa alça da cadeira de bebê, nós chegamos a um resultado onde apareceu uma mistura tanto de perfil genético de Isabella como perfil genético de uma pessoa de sexo masculino, que pelas características dos alelos seria de um dos irmãos dela — afirmou Rosangela aos jurados.

A perita também foi didática, e convincente, sobre a existência de pingos nos corredores do apartamento até o quarto, e que eles caíram de uma altura não inferior a 1,25 m, em razão do formato peculiar que apresentavam. Assim, só poderiam ter caído da testa da menina, que se encontrava no colo do próprio pai. Disse que poderia até afirmar que o pai estava em baixa velocidade nesse transporte.

O promotor também pediu à mulher que atestasse em seu testemunho que, por sua perícia, ninguém tinha fugido pelos fundos do prédio — dada a altura dos muros, que superava os 4 metros. E, ainda, a falta de asseio de Anna para cuidar da própria casa. Rosangela disse ter visto até "absorvente interno usado espalhado pelo imóvel em meio a brinquedos".

Sobre a fralda de algodão supostamente encontrada dentro de um balde com água e alvejante, a perita disse aos jurados que tal pano não foi usado pela madrasta para limpar o chão do apartamento, mas para estancar o sangue quando a menina foi ferida no carro e transportada até o apartamento. Por isso, tinha três pingos que, pelo desenho, revelavam até a forma dobrada como foi utilizado para estancar a pequena hemorragia. A perita disse que nenhum laboratório conseguiu comprovar a existência de sangue naquela fralda, mas ela, com seus reagentes, conseguia afirmar isso.

— Esse exame foi feito e não foi possível, tá, chegou-se só à conclusão de que era um sangue. Era um exame de orientação. Depois que essa fralda retornou, aí então eu utilizei o reagente. Nós obtivemos a resposta para sangue humano — ela explicou.

— Isso está no laudo? — quis saber Fossen.

— Em um só laudo consta tudo isso, porque os exames de laboratório, quando eu solicito, não são laudos. Para mim, são relatórios. Então, depende de uma interpretação do perito que solicita.

Sobre a camiseta de Alexandre, diz que fez métodos experimentais, "experiência científica", com uma camiseta de algodão semelhante à apreendida, usando um dublê com peso e altura semelhantes ao pai de Isabella, e uma tela com buraco e altura parecidos com os da janela.

Para explicar melhor aos jurados, a perita fez uma apresentação de fotos em um telão. A sequência foi projetada para mostrar que o primeiro e o segundo testes deram resultados incompatíveis com a marca na camiseta. Ao chegar ao terceiro teste, que o laudo indicava ser quase incompatível, a perita fez um apanhado dos testes anteriores e ressaltou que aquela posição já seria a ideal para corresponder às marcas.

— Então, o que nós colocamos? Além da camiseta, além da tela, eu pedi ao modelo que segurasse um artefato de 25 quilos. Eu gostaria que voltasse a outra foto. É interessante essa expressão dele, porque é um rapaz forte. Olhem a dificuldade que ele tem em segurar um artefato com 25 quilos e como ele joga o corpo em direção à tela, contanto que nós tivemos que segurar. Ela estava fixa naquele artefato, mas ele pressionou tanto o corpo em direção à tela que nós tivemos que segurar, porque ela até se deslocou da posição original, sendo que nós tivemos que segurar diante do peso do próprio corpo dele em direção à tela para poder sustentar os 25 quilos. Então, vamos lá.

O PIOR DOS CRIMES

Quando apareceram as fotos do quarto teste, em que o dublê não segura peso algum, a perita começou a falar:

— Veja a posição em que o corpo do indivíduo e a camiseta têm que estar — disse ela, sem mencionar a ausência do peso de 25 quilos.

Rapidamente o promotor pede ao assistente:

— Próxima foto.

— Agora sim. Agora nós chegamos ao resultado, totalmente compatível com o que existe na peça questionada, já com as fotos da camiseta com as supostas impressões obtidas pelo contato da tela com a camiseta. A conclusão a que eu pude chegar é que não basta só encostar na tela. Efetivamente tem que se jogar o peso do corpo contra essa tela a ponto de praticamente deslocar o artefato, porque o peso do indivíduo tem que estar todo contra ela, sendo que isso só é possível segurando o peso de pelo menos 25 quilos. Não é possível em outra situação. Então, a marca é indiscutivelmente... em decorrência dessa posição única e exclusiva, não existe outra possibilidade e, ainda, segurando-se algo com 25 quilos.

Ninguém notara o movimento. Inclusive a defesa.

O mais perto que passou disso foi o questionamento sobre a não utilização no teste de uma superfície macia, como do colchão da cama dos meninos, e sim uma mesa dura. Os advogados ouviram que isso tinha pouca interferência no resultado final de seus testes científicos. Importantes eram as marcas e a certeza de que a camiseta pertencia a Alexandre.

— Sim, ela é do Alexandre. Então, ele defenestrou a vítima — garantiu a perita, frase essa que seria reproduzida por grande parte dos jornalistas.

Os advogados também não questionariam a inexistência dos títulos da perita, o fato de não ter havido coleta de sangue no chão dos corredores até o quarto (inclusive pela gaze), de não haver registros fotográficos de pingos na soleira da porta e muito menos que seria impossível dizer que eles caíram de uma altura de 1,25 metro.

As perguntas iniciais da defesa à perita foram conduzidas pela advogada Roselle Soglio, especialista em perícias e convidada por Podval a compor o grupo por conta dessa qualificação. Um dos questionamentos feitos por ela foi sobre a inexistência da menção ao reagente Hexagon Obti nos laudos.

— A senhora mencionou para a gente aqui o uso do Hexagon Obti, que é para sangue humano, certo? Por que é que a senhora não fez constar no seu laudo inicial que tinha utilizado o Hexagon Obti?

— Porque nós tínhamos... rotineiramente, ele faz parte do Bluestar, para nós do Núcleo de Crimes contra a Pessoa, mas num dos laudos complementares foi consignado, eu não sei a que resposta...

— Foi em resposta a quesitos? — interveio o juiz.

— Sim.

— Mas eu fiz um levantamento, prosseguiu Roselle. — Inclusive junto à Polícia Técnico-Científica, que está juntado aos autos, que o kit não vem, o kit do Bluestar não contém o Hexagon e sequer a Polícia Técnico-Científica compra o Hexagon. Como que a senhora utiliza o que a Superintendência não compra?

— Eu sou uma pessoa que tenho interesse em desenvolver um bom trabalho, então eu não posso... todos nós somos funcionários públicos, sabemos das dificuldades que nós temos. Se eu sou uma cientista, se eu sou uma técnica, eu não posso ficar esperando que o instituto disponibilize todos os recursos de que eu necessito. Então, infelizmente, se a senhora perguntar aqui para vários peritos, a senhora vai saber que inclusive para participar de congressos no exterior, para eu entrar em contato com o FBI, eu tenho que usar o meu dinheiro. Então, sou uma pessoa que há muito tempo lido com congressos, congresso internacional em 1999, quando eu organizei o congresso em João Pessoa, eu tive contato com a Militaria e a Safetech. Então, eu entrei em contato por conta do congresso que estava organizando, eles estavam lá, eu falei: "Por favor, eu gostaria de ter os contatos. Vocês podem me fornecer para que eu faça testes?" Então, há dez anos atrás eu tive contato através disso, tá? Quando foi lançado o Hexagon Obti, eu já entrei em contato com a Militaria e eles me forneceram, tanto que eu tenho até hoje.

Os questionamentos direcionados à testemunha foram encerrados pelo advogado principal, Podval, que pediu que ela falasse de outros

O PIOR DOS CRIMES

pontos, como o perfil genético de Isabella que teria sido encontrado no interior do veículo. Rosangela tinha dado explicação momentos antes a pedido da Promotoria.

— Uma dúvida que ficou com a doutora Renata. Ela não soube me explicar, sendo que o doutor [Fossen] pediu para fazer a pergunta à senhora: no relatório da doutora Renata, ela diz assim, à folha 1.020: "O sangue observado na lateral esquerda da cadeirinha de transporte do bebê, que se encontrava no interior do veículo, tem perfil genético de Isabella." Ela cita aqui a folha 783, que era aquele laudo. Aí, eu questionei e ela não soube responder, sendo que eu também não entendo muito disso, mas me parece, pela explicação que a senhora deu hoje, que esta afirmativa não pode ser 100% feita. Quer dizer, é possível afirmar categoricamente que a cadeirinha tinha o sangue de Isabella?

— Da cadeirinha, sim, como eu demonstrei ali. Em oito lugares, eu vou colocar assim, nós vemos o perfil da Isabella, em oito. Mas não chegou a quinze, tá? O laboratório, ele tem que ser assim: estabeleceu-se que tem que ser coincidente nos quinze lugares para que eles possam falar: "Olha, o perfil é de João ou o perfil é do José." Isso tem que estar nos quinze, senão ele vai falar: "Tem uma mistura predominante masculina ou predominante feminina."

— Desculpa a minha pergunta — voltou o advogado. — Talvez tenha uma equívoco nela. Eu posso dizer pelo exame que há o perfil, mas eu não posso afirmar que é sangue dela, é isso? O laboratório constatou o sangue de Isabella também ou eu tenho por aquelas amostras um perfil que se coaduna com o dos familiares?

— Sim, com o dela, o que constatou a presença de sangue foi o Bluestar — reforçou a perita sobre os resultados.

— O sangue é humano, sendo que o que nós temos é uma série de perfis que poderíamos enquadrar, é isso?

— Isso, porque o laboratório de DNA não trabalha só com sangue. Ele não vai falar "é o sangue". Vai falar "é o perfil". O laboratório de DNA nunca vai sair dessa forma, "é o sangue", "é sêmen". Não, é o perfil, porque o perfil está presente nos fluidos biológicos, então pode estar no sêmen, na saliva. Então, o laboratório de DNA sempre vai estar dando o perfil.

— Então, para o laboratório de DNA constatar afirmativamente ou com 100% de certeza que esse perfil é do sangue da Isabella, eu preciso ter aqueles pontos — perguntou mais uma vez o advogado.

— Quinze lugares coincidentes com o padrão, porque ela tinha um material que pode ser sangue, osso, dente, qualquer coisa.

— Entendi, agora eu entendi. Nesse caso, não tinha?

— Não, não tinha. Tinha só oito.

Os advogados perderam a chance de fazer a perita explicar, pelos gráficos utilizados por ela minutos antes, que o perfil de Anna chega a treze pontos.

Um dos momentos em que a perita demonstrou mais dificuldades para se fazer entendida se deu quando foi questionada sobre o fato de que, na "dinâmica do crime", isto é, na demonstração de como a sequência das agressões e defenestração tinha ocorrido, não havia menção a uma mancha de sangue detectada na porta do quarto da vítima. Eram sinais de dedos aparentemente de uma criança — a perícia desconfiava ser do irmão —, mas a investigação não conseguiu dizer a quem o sangue pertencia. O filminho em 3D não tinha qualquer referência a essa marca.

O assunto tinha sido introduzido no início das perguntas da defesa feitas por Roselle, e, mais ao final, Podval retomou a questão, levando a perita para perto da maquete a fim de que mostrasse nela a mancha na porta. Momentos antes, a pedido da Promotoria, Rosangela havia atestado que a miniatura do prédio tinha sido feita por empresa privada, a pedido da polícia, mas supervisionada por ela para garantir a fidelidade alcançada, com características idênticas às do local do crime.

— Eu tenho algumas dúvidas em virtude de ser leigo — começou o advogado em tom respeitoso, mas com leve ar de ironia. — Na maquete, a senhora me reproduz uma dinâmica que parece adequada, correta. Na maquete, tem alguma marca de sangue da mão de Isabella? Está constando isso?

O PIOR DOS CRIMES

283

— Marca de sangue, não — respondeu a perita.

— Pelo que a senhora está dizendo, no quarto dela tinha sinal de sangue, isso dentro da sua dinâmica. Aqui não?

— Não, nada ficou confirmado que seria o sangue de Isabella, mesmo porque eram manchas muito pequenas. Quando nós enviamos para o laboratório, não chegou a uma conclusão, tá? Então...

— A gente pode dizer que existia a marca de sangue, que a gente não sabe dizer efetivamente de quem, na porta do quarto de Isabella?

— Sim, no batente, exatamente. É que seria difícil colocar essa marca aqui no acrílico — disse a perita diante da maquete, mostrando uma parte que reproduzia o interior do apartamento 62.

— Ela não foi colocada por falta, por dificuldade material?

— Isso, mas estavam presentes. No laudo está consignado.

— Vocês montaram essa maquete dentro dessa realidade que se mostrou. Foi uma dinâmica possível, plausível. Eu pergunto à senhora: é possível, já que nesta dinâmica não aparece esse sangue, sangue que teria nesta porta, na sua dinâmica a senhora ignora esta exposição, quer dizer, ela ter vindo até aqui. É isso?

— Olha, na minha dinâmica não teria condição de ela vir até aqui porque existiriam outras manchas, tá? Se eu tenho manchas que seguem numa sequência, gotas todas produzidas, então se ela é encaminhada para cá, transportada ou em pé, tem que existir manchas aqui. Então, isso não foi constatado nem no laudo inicial, com a utilização de reagente, tá? Isso aqui foi tudo examinado, tá? Então foge a essa...

— Dinâmica?

As questões seguem com o defensor.

— Então, eu posso desenhar outra dinâmica levando em conta que tinha uma mancha de sangue aqui. Inclusive isso nós sabemos.

— Sim.

— O que me parece estranho, se eu entendi bem, é que daqui para cá não teria mais mancha de sangue. Nesta parte do corredor não teriam sinais?

— Sim.

— Vou lá para o carro. Do carro até o elevador, toda a garagem, no piso do elevador e no hall da entrada aqui, também não tinha mancha de sangue nenhuma encontrada?

— Não. Visível, não.

Fossen tentou interromper:

— Doutor, esse negócio de pode ou não pode, nós não estamos no debate, sendo que ela está respondendo por um laudo que ela fez. A conclusão que ela fez é nesse sentido — afirmou o magistrado.

— Muito bem. Eu vou fazer a pergunta e, se eu estiver errado, o senhor me corrija. Então, a senhora me disse que estranhou não ter mancha de sangue neste corredor, é isso?

— Não, não estranhei, não foi constatado.

— Não foi constatado?

— É mancha de sangue, nesse trecho do corredor, nesse espaço.

— Como não foi constatado, a senhora teria excluído da sua dinâmica, é isso?

— Não, eu não excluí. E não excluí da minha dinâmica, mas sim que não cabia na minha dinâmica, né? Nesta dinâmica não cabia. Então, carecia do quê? De maiores informações. Agora a ciência também é limitada, tá? Então, os exames, tanto do DNA, ele precisa do quê? De um material suficiente, de uma concentração suficiente para que possa me oferecer uma resposta satisfatória. Eu não tenho também condições de explicar absolutamente tudo, né? Então, no primeiro momento, o importante era o quê? Consignar, tanto que foi consignado, pois eu não posso me furtar a consignar essa mancha aqui.

— Essa não foi consignada?

— Foi consignada sim, está no laudo. Está consignado no laudo.

— Está consignado, doutor — interveio novamente Fossen.

— Mas na maquete não? — questionou Podval.

— Na maquete, foi um problema técnico para resolver — disse ela.

# 32

# Grandes detalhes

As chances de absolvição de Alexandre e Anna eram mínimas, avaliavam os advogados, e quase todas elas estavam depositadas no desempenho de ambos nos interrogatórios daquela quinta-feira, penúltimo dia de julgamento.

Precisariam parecer sinceros o suficiente para convencer os jurados de que a versão dita por eles era a verdadeira e não aquela criada pela polícia na animação em 3D e repetida à exaustão por quase dois anos. Um jurado pode, se quiser, desprezar todas as provas existentes no processo e inocentar uma pessoa se realmente acreditar nessa inocência. Sem necessidade de se justificar.

O ponto mais importante da versão de ambos era, sem dúvida, o hiato entre a chegada do veículo ao London e a queda da menina. Ninguém, além dos dois, tinha mais condições de explicar o que aconteceu naquela noite, principalmente dentro do apartamento, onde não havia câmeras ou testemunhas.

Alexandre e Anna dariam explicações separadamente. Era uma oportunidade para demonstrarem que a história deles era uma só, por ser verdadeira, mas também corriam o risco de entrarem em contradição. Aconteceu.

A madrasta, ouvida por último, já no final daquela tarde, falaria a mesma história contada por ela desde o início das investigações. Visivelmente nervosa, chorou várias vezes e deu detalhes de quase tudo o que aconteceu desde a quarta-feira anterior ao crime. Contaria de forma tão pormenorizada que o juiz chegou a pedir que resumisse a quantidade de explicações a fim de que pudessem terminar o interrogatório ainda naquele mesmo dia. Também pediu que falasse mais devagar para que a estenotipia conseguisse acompanhá-la.

Uma das poucas mudanças perceptíveis entre os depoimentos dados por ela anteriormente — era a quarta vez que o casal falava — foi sobre o início do relacionamento com o marido: Anna havia falado antes que o namoro começara em novembro de 2002, prova da traição de Alexandre a Carol, mas aos jurados alegaria ter se confundido porque, na verdade, teria iniciado em 22 de março de 2003, quando o marido não estava mais com a "mãe biológica" de Isabella.

De resto, a versão era praticamente a mesma.

Sobre os últimos momentos de vida de Isabella, Anna contaria que a família chegou à garagem do London pouco depois das 23h30. Sua referência de horário era o próprio celular, que vibrara quando estavam próximos de casa. Como todas as crianças acabaram dormindo pelo caminho, e o casal não queria acordar nenhuma delas, o marido decidiu levar primeiro a filha. A madrasta e os dois filhos esperariam no carro a volta dele. Durante a espera, ela notou a chegada à garagem de um "carro alto", uma caminhonete, que seguiu para o segundo subsolo.

Alexandre retornou para buscá-los quase imediatamente após a passagem desse veículo e, em razão do barulho que seus ocupantes ainda faziam, aguardaram por alguns instantes para, enfim, subir com as outras crianças.

Ela pegaria Cauã no colo e o marido, Pietro.

Ao chegar ao apartamento, marco importante, Anna percebeu o marido tirar as chaves do bolso para destrancar a porta.

— Subimos, chegamos no apartamento e o Alexandre tirou a chave do bolso. Ele estava com Pietro no colo e eu com Cauã, eu continuei com a mão no rosto do Cauã. Vi ele tirando a chave do bolso, ele abriu a porta de casa. Ali eu notei que a luz da cozinha estava acesa.

O PIOR DOS CRIMES 287

— Mas ele [Alexandre] falou alguma coisa para a senhora? — perguntou o juiz Fossen sobre o fato de as luzes estarem acessas.

— Falou assim: "Cadê a Isabella?"

— Das luzes, ele falou alguma coisa?

— Não, eu acho que ele notou que estava diferente, mas ele falou: "Ué, cadê a Isabella?"

Logo que perceberam a ausência de Isabella no quarto dela, continuou Anna, foram procurar no quarto dos irmãos.

— E, assim que acendi, eu vi a gota de sangue próximo à cama do Pietro, como se fosse na mesma direção, em cima do lençol, e Alexandre na janela, ele foi, colocou a cabeça para fora, eu vi que ele colocou a cabeça para fora e depois virou para mim, branco, e falou: "Anna Carolina, a Isabella está lá embaixo." Ele falou para mim. Aí eu falei: "Não, é mentira."

Alexandre, que havia falado mais cedo, tinha uma versão muito parecida à da mulher, mas diferia em detalhes importantes.

Uma das aparentes divergências entre os dois ocorreria sobre o momento em que chegavam com os filhos ao apartamento. Anna, assim como havia dito na fase de instrução, falou das chaves sendo retiradas do bolso do marido e usadas para destrancar a porta principal. Alexandre, nessa mesma época de instrução, tinha uma sequência idêntica à da mulher sobre o trancamento.

— Cheguei no apartamento, destranquei a porta novamente, entramos, tranquei a porta. Minha esposa sempre tinha a mania de colocar o tamanco no cantinho da cozinha, e foi, colocou na cozinha.[1]

Aos jurados, naquela quinta, inicialmente disse algo parecido.

— Nós subimos de novo, eu abri a porta, entrei, minha esposa entrou com o Cauã, eu fechei a porta. Aí a minha esposa já entrou na cozinha, colocou o tamanco dela na cozinha — disse ele em resposta ao juiz.

Mas, durante as questões feitas pelo promotor, o pai de Isabella jogou dúvidas sobre isso. Parecia apresentar uma nova versão.

---

[1] Processo 0002241-66.2008.8.26.0001, p. 1.334.

— Na folha 600, o senhor também respondeu à pergunta da doutora Renata. O senhor disse o seguinte: "A única pessoa que possa ter limpado esse sangue é a mesma pessoa que afirma ter entrado em seu apartamento e jogado a sua filha. Afirma o interrogado que uma terceira pessoa — é o senhor que está afirmando — entrou em seu apartamento, sem arrombar a porta, utilizando-se de uma cópia da chave, essa mesma pessoa feriu a sua filha na testa, provocou a asfixia, cortou a tela de proteção, antes mesmo de abrir a janela do quatro, limpou o sangue, recolheu os instrumentos utilizados para cortar a tela, saiu do apartamento, trancando a porta, e tudo dentro do tempo que o senhor esteve ausente." É isso mesmo?

— Isso foi eu que falei? — Alexandre perguntou ao promotor.

— Consta do depoimento do senhor.

— Em momento algum eu falo que, quando saio, eu deixo a porta trancada, foi falado que a porta fica aberta o tempo todo.

— Folha 603, assinado pelos três advogados e pelos delegados.

— O senhor se recorda, depoimento do dia 18, se ao final o senhor leu o depoimento? — perguntou o magistrado Fossen.

— Não me recordo.

É bem provável que Alexandre estivesse se referindo apenas ao momento em que deixou o apartamento para ir atrás da filha no gramado, quando deixara realmente a porta destrancada. Mas, como se expressou, parecia estar falando também do retorno à garagem. Como ninguém pediu que explicasse melhor a frase, não é possível saber o que exatamente queria dizer, muito menos que interpretação os jurados fizeram sobre ela. Se for possível usar como termômetro, parte dos jornalistas que acompanhavam o interrogatório considerou esse trecho como uma das contradições a serem reportadas.

A mais evidente contradição entre Alexandre e Anna se daria sobre a forma como o pai olhou para a filha no gramado. Era um detalhe fundamental.

— Voltando um pouquinho para o momento dos fatos — pediu o juiz Fossen. — O senhor menciona que teria subido ao apartamento, olhou para o quarto, a luz do quarto de Isabella estava acesa. O senhor foi até o quarto dos meninos. Na hora que o senhor entra com o Pietro no colo, já vê o buraco na tela?

— Sim, eu ainda estava com o Pietro no colo.

— Eu queria que o senhor descrevesse a cena.

— Foi um desespero total, eu subi na cama...

— O senhor soltou seu filho?

— Não, ele em todo momento estava no meu colo. Eu subi na cama, tive que ficar de joelhos para poder olhar lá para baixo porque não tem como ficar em pé. Se eu subo na cama, minha altura não me deixa ficar em pé, eu tenho que ficar envergado. Em todo momento o Pietro estava no meu colo.

— Eu quero que o senhor descreva o movimento que o senhor fez para olhar para baixo — insistiu o magistrado em busca de detalhes.

— Eu cheguei a olhar para baixo, eu olhei, não dava para passar muito a cabeça, o buraco não era muito grande, eu tive que forçar um pouco com a cabeça, o Pietro estava aqui (no ombro), e olhar.

— O senhor chegou a passar o braço para fora?

— Não, não passa nem a cabeça da gente. O buraco era muito pequeno. Para olhar, tinha que encostar a cabeça na tela e forçar. Só ficava essa parte do rosto para olhar — disse Alexandre, mostrando a parte frontal do rosto — A minha cabeça não dava para passar.

Era uma divergência significativa para quem estivesse em busca de ruídos entre as versões de ambos, mas era a mesma contradição ocorrida nos interrogatórios na fase de instrução. Os dois repetiam o mesmo erro já cometido.

Isso poderia ter, em tese, duas interpretações: primeiro, algo benéfico aos dois, indicaria que o casal não tinha estudado o depoimento um do outro para azeitar uma história única, e cada um foi deixado livre pelos advogados para contar só a verdade. Essa seria, assim, apenas uma falha de memória, ou uma percepção diferente que cada um teve daquele momento de altíssimo estresse.

Por outro lado, algo incriminador, poderia indicar que os dois estavam mentindo sobre isso — que Alexandre nunca colocou a cabeça pelo buraco para ver a filha (só os braços para jogá-la) — e que não foram orientados bem o suficiente pelos seus advogados para corrigirem essa falha.

Cembranelli não deixaria de enfatizar essa divergência:

— O senhor disse agora há pouco algo que me intrigou bastante: que, quando o senhor se aproximou da tela, encostou a cabeça e o buraco não permitiu a passagem, foi isso?

— Sim, estava com o meu filho no colo.

— O senhor encostou e sua cabeça não passou pelo buraco?

— Eu encostei com o meu filho, com o Pietro, encostei e olhei.

— Não passou porque não quis ou o buraco não permitiu?

— Não consegui passar. O tamanho do buraco não permitiu, não sei se porque estava com o meu filho no colo. Não consegui passar a cabeça.

— A sua cabeça tem meio metro quase? — perguntou o promotor, irônico.

— Doutor, indeferida — interveio Fossen.

— Nós temos um laudo que mede exatamente — ignorou o promotor.

— O senhor faça a pergunta objetiva, sem ironias, senão vou tirar a palavra do senhor — disse o magistrado de forma dura.

— O laudo disse que o buraco tinha quarenta e sete centímetros.

— Faça a pergunta objetiva, doutor — voltou o juiz.

— O senhor tem conhecimento disso? — insistiu Cembranelli em direção ao pai de Isabella.

— Excelência, eu não sou perito, o senhor tem que perguntar aos peritos — respondeu Alexandre de forma provocativa.

Ao contrário da mulher, Alexandre falava de forma calma e pausadamente. Chorou algumas vezes ao falar da filha, muito quando viu a mãe, dona Cida, na plateia, acompanhando seu interrogatório, mas, no geral, parecia firme e confiante a ponto de fazer pequenos revides ao promotor.

Em um deles, chegou a reverter uma pergunta sobre o nome da professora de Isabella, quando Cembranelli queria demonstrar a ausência de Alexandre na vida da criança, levando o assunto para campo interessante à sua defesa. Alexandre respondeu a pergunta: era Fernanda. E introduziu a suposta oferta de acordo feita pela polícia — que também implicava o próprio promotor — para que confessasse o crime e respondesse por homicídio culposo (sem intenção).

— Depois de um certo tempo de interrogatório, houve uma proposta de acordo — falou Alexandre sobre o interrogatório ocorrido no dia 18 de abril. — Tudo começou pelo doutor Calixto Filho, o digníssimo promotor estava lá também. Ele queria que eu assinasse um homicídio culposo e tirasse a minha esposa do processo. Eu falei para ele que jamais faria isso. Tanto estava ele, como a delegada e o promotor. Estavam todos juntos nesse dia.

— O advogado do senhor também? — perguntou Fossen.

— Também. Eu falei que jamais faria isso. Eu não estava entendendo por que eles estavam vindo com uma proposta dessas de acordo. Eu queria descobrir a verdade, cheguei lá e eles estavam querendo fazer proposta de acordo em cima da morte da minha filha. O doutor Calixto Calil perguntou qual é a diferença de homicídio doloso para homicídio culposo...

— Doutor, qual foi a pergunta? — cortou Fossen.

— A pergunta foi se ele saberia o nome da professora de Isabella.

— Não, o senhor perguntou do dia do interrogatório — enfrentou Alexandre. — Eu estou contando para o senhor o que aconteceu no dia.

Cembranelli continuaria nesse assunto:

— Doutor [Fossen], me foi trazido um fato que me pareceu grave e eu gostaria que fosse esclarecido.

— Doutor [Cembranelli], depoimento pessoal não pode ser dado aqui — interveio o magistrado.

— Então, ele me interrompeu — continuou Alexandre sem receios. — Ficou aquele debate entre eu e ele, eu falei que jamais ia assinar um homicídio culposo. Eu falei: "Vocês podem me condenar se quiserem."

— O que o senhor quer dizer com isso? — perguntou o juiz.

— Eles me deixaram indignados com isso, excelência, porque eu fui fazer o depoimento, cheguei lá e eles me vieram com proposta de acordo e eu vi que eles não estavam querendo chegar à verdade.

As perguntas sobre o assunto continuaram, até Cembranelli chegar ao ponto que queria esclarecer inicialmente.

— Eu participei de toda essa negociação?

— O senhor estava do lado. Do lado.

— O senhor está dizendo que eu também participei disso?

— Estavam todos na sala.

Alexandre estava um pouco mais gordo do que há dois anos. Usava calça jeans, camisa verde — de listras e gola brancas —, além de óculos de grau que lhe davam um ar mais respeitável.

Até com isso Cembranelli implicou.

— O réu apareceu hoje com óculos. Ele teve algum problema nesses dois anos, problema de visão?

— Eu sempre usei óculos, não sei se o senhor...

— Eu nunca vi.

— É que o senhor não acompanha a minha vida.

— O senhor tem problemas nos olhos?

— Eu tenho sim.

— Miopia, estrabismo? — perguntou o promotor.

— De enxergar de longe, eu não consigo muito, e os meus olhos andam muito irritados — respondeu Alexandre.

— A ponto de não saírem lágrimas quando o senhor chora?

— Doutor, indeferida a pergunta — disse Fossen.

Era nítido que Cembranelli conhecia como poucos o que havia e o que não havia no processo. Também parecia ler melhor os jurados. O promotor levou os interrogatórios para além das questões técnicas, a assuntos que pretendiam diminuir Alexandre como bom pai. Um dos pontos que mais explorou, desde o depoimento da mãe biológica, foi sobre a pensão alimentícia paga por ele, em contraponto aos objetos caros que a família mantinha no apartamento.

Até por serem proibidos de se manifestarem de qualquer forma, não é possível saber exatamente o que os jurados estão pensando e, princi-

O PIOR DOS CRIMES

palmente, como vão decidir. Um dos indicativos desses pensamentos é demonstrado quando eles fazem perguntas, por meio do juiz, a testemunhas ou aos réus. Eles escrevem as questões em bilhetinhos que podem ser lidos pelo magistrado.

Aos dois, os jurados perguntaram sobre a forma como a camiseta de Alexandre tinha sido recolhida, sobre os momentos em que Anna estava na garagem esperando os barulhos pararem, sobre as facas utilizadas por ela para o almoço daquele sábado e, ainda, sobre a negativa deles para a coleta de sangue no IML.

Duas questões eram, porém, muito sintomáticas.

Para Alexandre, insistiram sobre a pensão alimentícia.

— O senhor mencionou que, antes de entrar com ação de alimentos, já pagava alguma coisa para a menina, alguma despesa, alguma coisa — perguntou o magistrado, outra pergunta feita pelos jurados.

— Sim, eu pagava.

— O que o senhor pagava? — reforçou o juiz.

— O que a Ana Carolina Cunha de Oliveira me pedia eu comprava: fralda, leite, tudo que fosse necessário para a Isabella. Eu comprava e entregava na casa dela.

A outra questão, direcionada à Anna, indicava que um dos erros cometidos pelo casal não tinha passado despercebido pelo júri.

— Gostaria que esclarecesse quando a senhora mencionou que Alexandre subiu na cama e olhou pela tela e viu que Isabella estava lá embaixo. A senhora saiu e foi olhar pelo buraco da tela? A senhora se recorda mais ou menos para especificar o tamanho do furo? A senhora se recorda com a mão? — perguntou o juiz.

— A cabeça passava inteira, tamanho de uma cabeça, eu lembro perfeitamente, ainda falei até que achei estranho o tamanho do buraco. Eu posso fazer, mas pode não ser o mesmo tamanho, assim ó, estava esgarçada como se a pessoa tivesse feito assim, mais ou menos — respondeu Anna, fazendo um círculo com a mão.

# 33

# Bonecas na cama

CEMBRANELLI MAL CONSEGUIA CONTER O SORRISO. Enquanto caminhava em direção à última entrevista, parecia deleitar-se ouvindo seu nome gritado pela multidão em frente ao Fórum de Santana, ao som de fogos de artifício e do "Tema da vitória", música imortalizada nas corridas de Ayrton Senna na Fórmula 1, reproduzida naquela noite no carro de um anônimo. Antes de se enfiar em meio aos microfones e gravadores, acenou aos "fãs" com o polegar da mão direita — o popular cumprimento de "joinha".

— A confiança era total — começou Cembranelli, dirigindo-se ao grupo de jornalistas que se espremiam para tentar captar sua voz da melhor forma.

Alexandre havia sido condenado a 31 anos, 1 mês e 10 dias de prisão, enquanto Anna pegara 26 anos e 8 meses, pelo assassinato de Isabella (com qualificadoras) e mais oito meses de detenção cada um deles pela fraude processual (por terem limpado o chão do apartamento para tentar despistar a polícia). A pena do pai era maior em razão do parentesco direto com a vítima.

Para a felicidade dos "curiosos", a decisão dos jurados pôde ser ouvida simultaneamente do lado externo do Fórum através de um sistema de som improvisado pelo Tribunal de Justiça para a ocasião. Comemoraram como se fosse um gol, em final de campeonato, quando o juiz Fossen disse que eram culpados. Parte das pessoas que acompanhavam a leitura no plenário se entreolhou, incrédula com tamanha reação, quando os gritos foram ouvidos lá dentro.

Eram os derradeiros momentos do último dia de julgamento, data marcada pelos debates entre defesa e acusação. Embate entre um promotor carismático, craque em frases de efeito, vibrante e cheio de uma certeza contagiante, e uma defesa simpática, calma, sem estratégias e convicções claras, que buscava levar os jurados para o campo das incertezas, das dúvidas.

O primeiro parecia querer a condenação a qualquer custo, como se tivesse apostado alto demais, e que, para não perder, usaria tudo o que tinha (e não tinha) à disposição. O outro lado dava ares de certa displicência na busca pela absolvição, como se a derrota não fosse tão ruim, principalmente para si mesmo, e até desperdiçaria oportunidades valiosas para fragilizar o oponente.

Cembranelli começou defendendo-se das críticas sobre sua paixão — e também dos policiais envolvidos nas investigações — pelos holofotes, afirmando que ninguém tinha interesse em imputar culpa a inocentes. Eram profissionais sérios e competentes que apenas tinham feito o trabalho deles.

Sobre o caso em si, afirmou que, ao contrário do que diziam, Alexandre e Anna viviam em constantes brigas e discussões, "quebravam o pau direto", principalmente por conta do ciúme doentio que a madrasta sentia de Carol. Usou os antigos vizinhos do Vila Real para reforçar essa tese e ressaltou o testemunho do autônomo Paulo César Colombo, que alegava ter ouvido Anna, em uma dessas discussões, dizer que Alexandre havia "ferrado a vida dela".

Isso seria prova de que a madrasta não amava a criança como falava, já que Isabella era a miniatura de Carol. Outra prova disso, sustentou Cembranelli, era o testemunho do taxista com supostos problemas psiquiátricos, que, em data incerta, teria transportado a madrasta e ouvido dela reclamações sobre a presença de Isabella: que a menina havia transformado a vida dela em um verdadeiro inferno, mas que estava disposta a resolver aquela situação.

O PIOR DOS CRIMES

A acusação sustentou que as brigas do casal não acabaram com o nascimento dos filhos, como Anna alegava. A moça continuava desequilibrada a ponto de quebrar a janela da área de serviço ao se desentender com o marido por conta de uma lista de compras. "Ela é extrema em tudo, quando xinga, quando agride. Quando ela agride, ela agride mesmo. Esta é a realidade da moça", disse o promotor.[1]

As discussões se estenderam até a noite do crime, como teriam contado os vizinhos do London, o consultor de segurança Waldir e a mulher dele. Cembranelli disse que os dois ouviram "discussões acaloradas", palavrões ditos por uma mulher, que antecederam a queda da vítima pela janela do apartamento. Também se lembrou dos gritos de "para, pai" ouvidos por vizinhos naquela noite.

Além de provas testemunhais, o promotor também se valeu das provas periciais mais comprometedoras contra o casal, com maior destaque aos horários recolhidos ao longo da investigação. Valendo-se dos dados do GPS do veículo, dos gravadores da Polícia Militar e do telefone fixo da família Nardoni, Cembranelli assegurava aos jurados que a perícia havia usado o horário de Brasília idêntico em todos eles para afirmar que, "no momento em que Isabella foi defenestrada, eles estavam dentro do apartamento".

Outra prova científica era, segundo ele, os pingos que caíram a 1,25 metro de altura, deixando um rastro, marcas de sangue humano, com DNA, encontrado no interior do apartamento. Ressaltou ainda a importância das marcas da camiseta de Alexandre. Eram pontos inquestionáveis para os quais a defesa não tinha contra-argumento, dizia o promotor:

— Vai xingar a doutora Rosangela? A doutora Norma?

Cembranelli ainda ironizou os advogados de defesa, de quem, segundo ele, se esperava um tsunami contra as provas, mas que acabaram fazendo apenas "ondas" de criança. Caçoou ainda da quantidade de testemunhas

---

[1] "Defesa do casal Nardoni argumenta, e promotor adianta que pedirá réplica." *UOL*, 26 mar. 2010.

arroladas, das quais nenhuma trouxe nada de importante para a elucidação do crime.

— Havia um repórter, que não esclareceu nada e cuja participação só vai ficar marcada no corpo da maquete, e o outro investigador, que só fez o trabalho dele — disse o promotor.[2]

O promotor se referia às duas testemunhas arroladas pela defesa chamadas ao plenário para depor, sendo eu uma delas. Das duas dezenas de nomes à disposição, Podval considerou mais relevante ouvir a mim — sobre a entrevista com o pedreiro Gabriel (e não o próprio) — e o investigador Jair Stirbulov, um dos policiais que estiveram no apartamento do casal na tarde de domingo e que teria participado da degustação dos ovos de chocolate de Isabella. Durante o depoimento, um dos momentos cômicos do julgamento, ao mostrar o local que eu considerava um dos pontos vulneráveis do edifício London, danifiquei a maquete de Cembranelli ao descolar uma das chaminés da churrasqueira ali representada.

Embora se utilizasse de testemunhos e versões fragilizados ao longo da investigação, e de provas científicas questionáveis, Cembranelli demonstrava firmeza e segurança quase inabaláveis. A rara vez em que titubeou, revelando uma das fragilidades da acusação, foi quando falou das provas produzidas pelo IML. Quando a evidência sobre a asfixia foi indicada pela acusação, Podval gritou que os médicos legistas diziam não ser possível apontar que o pescoço tinha sido apertado. Não havia autoria conhecida.

— Ahhhh... mas a asfixia existe. Se não foi ela, foi ele. Então, foi ele porque só tinham os dois lá dentro.[3]

Talvez percebendo que sua frase inocentava a madrasta da principal imputação contra ela, e que era uma contradição à própria denúncia, o promotor tentou corrigir-se imediatamente:

— Se fosse ele, olha o tamanho dele — disse apontando para Alexandre —, ele teria matado ela instantaneamente.

---

[2] Idem.

[3] Trecho publicado no blog "Caso Isabella Oliveira Nardoni", em 26 de março de 2010.

O PIOR DOS CRIMES

Era uma dedução sem lastro científico.

Como seria possível condenar a madrasta pela esganadura se nem mesmo o acusador Cembranelli tinha certeza disso?

Essa é uma questão importante no processo, mas sem uma explicação clara da Justiça. Pela sentença, não é possível saber quem, afinal, foi considerado o principal responsável pela asfixia, já que não houve na sentença a chamada "individualização de conduta", uma discrição de quem fez o que — um procedimento importante segundo especialistas em direito criminal.

Não há registros de que Podval tenha, no tempo disponível à defesa, alertado os jurados de que Colombo recuou em juízo de suas afirmações, de que o taxista tinha evidentes problemas mentais (como o próprio juiz e o membro da Promotoria pareciam concordar) e, ainda, dos erros de horário no testemunho de Waldir, que também havia recuado sobre a "acalorada" discussão.

O advogado preferiu apostar no mistério.

Uma das estratégias foi tentar comparar o assassinato de Isabella ao desaparecimento da menina inglesa Madeleine McCann, em 2007, em Portugal. Assim como nas investigações brasileiras, a polícia portuguesa também chegou a apontar os pais da criança como suspeitos de homicídio culposo e ocultação de cadáver, mas os indícios contra os dois foram considerados insuficientes para que fossem levados a julgamento. A defesa argumentou que eram casos parecidos: em ambos não havia certeza do que realmente aconteceu, já que as investigações do casal Nardoni não tinham esclarecido o que ocorreu naquela noite. Por isso, rogava ele, também deveriam ter o mesmo benefício da dúvida que teve o casal inglês.

Podval apontava como prova da deficiência da polícia a própria maquete ao centro do plenário, que, como os jurados ouviram de Rosangela Monteiro, desprezava a marca de sangue encontrada na porta do quarto da vítima. A polícia desprezava tal evidência, assim como faria no vídeo em 3D, porque a perita tinha sido chamada para fechar o caso e indicar os dois como culpados.

Outra prova disso era o próprio resultado do perfil genético da cadeirinha de transporte de bebê com apenas oito pontos coincidentes com o de Isabella, podendo ser, assim, de qualquer um daquela família. E ainda o reagente Hexagon Obti, que a perícia dizia ter usado em exames, mas sem conseguir provar que de fato existiu.

Ainda sobre a perícia, Podval contou aos jurados que ele mesmo teve contato com as provas arquivadas na perícia. Diz ter encontrado problemas nos lacres e se surpreendido ao avistar no saquinho com a tela de proteção um fio de cabelo que não foi encaminhado para análise no laboratório de DNA.

Sobre os testemunhos existentes do processo, Podval falou da reportagem sobre o pedreiro Gabriel — a respeito do portão arrombado nos fundos do London —, na qual a Polícia Militar afirmava oficialmente que nenhum de seus homens havia entrado no prédio em construção. Também lembrou da versão contada pela moradora do London, dona Rose, que ouviu à meia-noite um barulho como porta corta-fogo, como alguém fugindo.

Um dos pontos mais importantes mencionados pelo advogado, embora sem grande repercussão no resultado final, foi um estudo encartado pelo próprio IML sobre as causas de homicídio de crianças.

"A criança que chega a óbito ou é vítima de lesão muito grave decorrente de maus-tratos dentro do ambiente doméstico, quase sem exceção, já vinha sofrendo agressões anteriores de porte mais leve, que, entretanto, foram evoluindo para uma intensidade mais severa."[4]

Tudo parecia pouco para uma absolvição.

Podval agradeceu aos jurados por lhe escutarem naqueles dias e falou do desafio de tentar contar uma história diferente daquela construída ao longo de tantos meses pela TV.

— Ninguém pode voltar atrás e fazer um novo começo, mas qualquer um pode recomeçar e fazer um novo fim — afirmou o advogado, parafraseando o médium espírita Chico Xavier.

O advogado deixou o Fórum sem conceder entrevistas, dizendo que a noite era da Promotoria. O advogado receberia em sua casa um

---

[4] Processo 0002241-66.2008.8.26.0001, p. 1.209.

repórter, que descreveria seu jantar naquela noite para "brindar" o final dos trabalhos.[5]

Pouca gente entendeu por que o advogado não usou todo o tempo que tinha para rebater as provas da acusação. Poderia ter tentado desqualificar com mais eficácia, por exemplo, os testes feitos na camiseta de Alexandre.

Para o administrador de empresas Mateus Baumer Azevedo, um dos sete jurados, ao deixar de enfrentar essa prova, a defesa demonstrava que era uma evidência inquestionável. "Não teve como negar. A defesa não falou nada da telinha. Não tinha o que falar."

O mais forte indício contra o casal era, para o jurado, a foto da cama do quarto de Isabella. Não havia sinais de que a menina fora mesmo colocada ali para dormir como o pai alegava: o travesseiro estava sobre o baú da Hello Kitty e, sobre a cama, havia duas bonecas jogadas, além de uma folha de papel com o rabisco de alguma criança — talvez da própria vítima. "Todos os bichinhos estavam em cima da cama. Então, ninguém deitou na cama. Ele disse que colocou a menina para dormir. Então, não poderia ter bichinhos em cima da cama. Essa foi uma questão que eu falei: 'Ele mentiu nesse pedaço.' Como você colocou a menina para dormir, como é que tinha brinquedo em cima da cama? O brinquedo cai. Ou vai mais para baixo. Não fica em cima ali, vai para o pé."

Mateus diz que votou contra a qualificadora do meio cruel porque não tinha certeza se houve mesmo a asfixia. Foi voto vencido.

Apesar de ficar 100% convencido sobre a culpa dos dois, o administrador de empresa não se sentiu feliz com a condenação. Pelo contrário, chegou a ficar irritado com a comemoração na porta do Fórum.

"Fui para a janela [ainda no Fórum] e xinguei os caras. Fiquei puto. Comemorando o quê? Não tem o que comemorar. Foi uma tragédia. Vamos dizer que eles fossem absolvidos, o casal Nardoni. Que vida os caras iriam ter? Emprego, não iriam ter. Iam ficar dentro de casa. Seriam humilhados pelas ruas. Não tem alegria nisso. Não tem mérito nenhum. Não tem o que comemorar. É um outro ser humano como você que cometeu um erro."

---

[5] "Clamor popular definiu sentença". *O Estado de S. Paulo*, 28 mar. 2010.

Parte 6

# Condenados

# 34
# Dias de cárcere

ENTRE CAMINHÕES DE TRANSPORTE DE PRESOS e veículos da escolta da PM, o comboio com o casal Nardoni deixou o Fórum de Santana na madrugada de 27 de março de 2010 em direção ao complexo penitenciário de Tremembé, cidade localizada a 137 quilômetros da capital e que, no tupi-guarani, significa terreno pantanoso.

Parte da avenida Engenheiro Caetano Alvarez continuava tomada pela comemoração dos "curiosos", que aproveitaram a passagem dos carros para chutar, esmurrar e cuspir nos compartimentos onde estavam os presos. Homens, mulheres e crianças formavam uma espécie de corredor polonês. Até mesmo uma moça com bebê no colo foi vista participando da perseguição. Segurava o filho com um braço e, com o outro, batia no baú, em meio a berros por "Justiça".

Anna voltaria à penitenciária Santa Maria Eufrásia Pelletier, onde estava presa havia quase dois anos, desde 9 de maio de 2008. O nome do presídio presta homenagem à religiosa francesa que dedicou parte da vida à caridade, entre os séculos XVIII e XIX, especialmente na luta para reintegração de moças desviadas do caminho e crianças vítimas de maus-tratos.

A unidade faz parte do complexo conhecido por receber presos envolvidos em crimes de grande repercussão, os chamados "casos midiáticos", razão pela qual o lugar é chamado pelos jornalistas de "Presídio de Caras", alusão à ilha usada pela revista de celebridades. Presos famosos vão para

Tremembé, condenados ou não, quando há possibilidade de correrem riscos de vida ou extorsões se forem para presídios comuns. A morte de um preso de grande interesse da imprensa desgastaria muito a imagem do governo paulista.

A madrasta foi enviada após ter sofrido ameaças na penitenciária de Santana, na zona norte da capital, para onde foi após a prisão preventiva ser decretada por Fossen, em maio de 2008. As presas haviam acompanhado pela TV os noticiários sobre a avaliação do juiz. Houve protesto e uma tentativa de rebelião quando as outras detentas souberam da chegada de Anna à unidade. A quadra de esporte foi pichada com frases contra ela, como "assassina maldita". Os helicópteros de comunicação que sobrevoaram o local puderam detectar a mensagem com mais facilidade.

Como qualquer pessoa que passa a integrar o sistema prisional no estado de São Paulo, Anna, assim que chegou, foi colocada em uma cela segura, isolada do convívio com outras detentas, para um tempo de adaptação. Esse período é chamado de "regime de observação" porque os funcionários do local aproveitam para analisar os riscos de colocar o "reeducando" no convívio de outros presos ou presas daquela unidade, antes de integrá-lo à massa carcerária.

Essa avaliação é feita com a ajuda de outros presos que, ao tomarem conhecimento do novo ingresso, informam sobre a possibilidade ou não de uma convivência pacífica entre eles. Este é um procedimento quase protocolar em Tremembé por não existir, diferentemente da maioria dos presídios paulistas, prevalência de nenhuma facção criminosa. Assim, são quase nulas as chances de que seja necessária uma transferência dali para outra unidade.

Mesmo com os mínimos riscos de represálias, Anna permaneceria no "regime de observação" cinco dias além do prazo obrigatório. Seriam necessários quinze dias, mas ela acabou ficando vinte. Funcionários dizem que a madrasta chorou, sem parar, em todos os dias de isolamento e outros ainda após deixá-lo.

O início da convivência com as outras presas se daria no final de maio. Seria colocada na cela de número 1, no terceiro e último pavilhão,

O PIOR DOS CRIMES

com mais oito companheiras. Nunca pediria à direção para se mudar de "buraco", como as celas são chamadas entre as presas, e continuaria por lá até agosto de 2017, quando foi transferida para o regime semiaberto.

Sua presença não despertou nenhuma revolta das outras detentas. Isso só ocorreu uma vez. Em outubro de 2008, quando a Justiça autorizou os filhos a visitá-la na prisão, as outras presas ficaram descontentes porque essas visitas ocorriam fora dos dias e horários normais. Os encontros entre Anna e os filhos ocorriam separados das outras detentas, fora do pátio da prisão, como se fosse uma visita administrativa de um advogado.

Essa era uma imposição da Justiça para permitir os encontros, mas pareceu às colegas um privilégio conseguido em razão dos recursos financeiros da família Nardoni. Para segurança da detenta, a direção da unidade solicitou à Justiça reavaliar essa ordem. O magistrado aceitou os argumentos, e Anna passaria a receber o tratamento dado a todas as mães recolhidas na unidade: visita só aos finais de semana e todas juntas.

Ainda no seu primeiro ano de prisão, a dona de casa que tinha dificuldades para fazer um macarrão a óleo e alho passaria a ajudar na distribuição de alimentos a outras presas. Também faria, três anos depois, entre novembro e dezembro de 2011, um curso de panificação artesanal. Pessoas presentes dizem que Anna ficou emocionada ao receber, em cerimônia, seu certificado do Centro Paula Souza. Os pais e os filhos dela compareceram à cerimônia e bateram palmas pela conquista.

O trabalho na distribuição de comida durou até o início de 2009. A moça deixou a função para ocupar uma das máquinas de costura na oficina de confecção da Funap, uma fundação de apoio a presos existente no interior da própria unidade. Dedicada, iniciou como aprendiz e, embora tenha rasgado algumas peças pelo caminho, foi promovida a meio oficial e chegou ao cargo de oficial. Ajudaria a coordenar os trabalhos da oficina com uma das chefes. Uma das funções era controlar a frequência das próprias colegas ao serviço.

Esse trabalho representava oito horas diárias de dedicação. Das 7h30 às 11h30 e das 13h às 17h. No início, o serviço era tão desgastante que Anna ia dormir pouco depois das 20h. Por muito tempo, uma de suas colegas de trabalho nessa oficina foi a ex-estudante Suzane von Richthofen, moça que teve o crime inicialmente investigado pela delegada Renata Pontes.

Funcionárias da prisão dizem que Anna se relaciona muito bem com as colegas de trabalho, com as companheiras da cela onde mora e com os "funcionários de forma geral". Também é descrita pelas agentes como "pessoa educada e de disciplina irrepreensível". Uma presa exemplar.

Por um curto período, chegou a participar de eventos religiosos, como cultos evangélicos aos sábados e um grupo de rezas diárias entre presas. Isso levou às notícias de que estaria "pregando" na prisão. Abandonou todos esses encontros. Continuaria apenas com a leitura de livros espíritas.

Nesses quase dez anos de cárcere, a madrasta de Isabella não desenvolveu nenhuma doença grave, mas sua saúde não pode ser considerada perfeita. Ficou com problemas de coluna que a obrigavam a dormir em colchão especial, mais duro do que o normal, produto comprado por Antônio Nardoni. Também era o sogro que arcava com as despesas odontológicas e médicas, incluindo plano de saúde. Pelo convênio, fez consultas fora da prisão com dermatologista, ginecologista e neurologista, além de exames como ultrassom de abdômen e no punho direito, ressonância de joelho e mamografia.

Toninho também é o responsável pela compra de quase todos os produtos utilizados pela moça no seu dia a dia, desde as tinturas para o cabelo até comprimidos anticoncepcionais. O medicamento ajuda a regular sua menstruação problemática, algo que já tinha na época do crime. Anna também compra produtos com o seu salário na prisão, como frutas e guloseimas.

O pai de Anna não tem condições financeiras para ajudá-la. Nas primeiras vezes que foi entrevistado visitando a filha, chegou a pedir R$ 5 emprestado a uma repórter para poder voltar para casa.[1]

A clausura teve consequências na fisionomia de Anna. Além das mudanças provocadas pela idade, também ganhou muitos quilos. No dia a dia de oficina, enfia-se em uma larga roupa azul da prisão, prende

---

[1] "A vida atrás das grades". *Veja*, 26 nov. 2008.

O PIOR DOS CRIMES

os cabelos com um elástico e usa pequenos óculos retangulares de grau. Não parece a moça presa em 2008.

Naquele ambiente, a única beleza que se destacava era a de Suzane von Richthofen, uma das chefes dali, que, ao perceber visitantes do sexo masculino, faz caras e bocas, explora seus ângulos mais sedutores e confere pela visão periférica se está sendo observada.[2] Durante suas tarefas, Anna só olha para baixo e parece fazer força para não ser percebida.

De sinais de vaidade externos, mantém as unhas feitas. Todos os sábados, as presas têm um horário estipulado pela direção para ficarem no pátio para se cuidarem. Uma preparação para esperar a visita no dia seguinte.

Pela quantidade de cartas trocadas com o marido, Anna ainda nutre um amor incondicional. Somadas as cartas escritas por ambos, são cerca de trezentas correspondências por ano. Quase uma por dia, uma rotina ímpar no sistema penitenciário paulista iniciada desde os primeiros dias de cárcere.

Nessas cartas, os dois falam sobre suas rotinas. Anna conta de tudo: sobre a calça que destruiu num acidente de trabalho, a preocupação com a escola dos filhos, sobre as colegas de cela. Nos envelopes, envia fotos próprias para mostrar como está. Em uma carta enviada em 22 de junho de 2009, por exemplo, a madrasta de Isabella conta a Alexandre sobre a mudança nos números da balança. Anna sempre chama o marido de "amor da minha vida". "Amor, eu engordei sim. É que na foto pode não aparentar... (risos). Mas estou bem fortinha, você vai ver, quando sairmos deste pesadelo, que estou bem diferente!"[3]

Nessa mesma carta, assim como faria em outras correspondências, a madrasta fala da sensação ruim que sente quando as outras presas ficam olhando para ela como se estivessem diante de uma atração circense. "Não suporto sair no pátio, ficam todas me olhando. Porque eu só saio da cela para trabalhar, e, como tem muitas meninas novas, ficam tudo

---

[2] Durante visita do autor à prisão de Anna Carolina.
[3] "As cartas do Casal Nardoni". *IstoÉ*, 17 mar. 2010.

olhando... não gosto! Prefiro ficar na cela. Durmo, deito, descanso... quando bate o sinal às 13h, volto ao serviço!"

No mesmo período em que relatava ao marido sua preocupação com a balança, Anna seria filmada por uma equipe de TV quando caminhava pelo pátio da prisão ao lado de Suzane. A cena de poucos segundos rendeu horas de exibições em programas, sendo as duas apresentadas "como amigas de prisão".

Em uma das cartas, Alexandre manifestaria a felicidade de saber que a mulher resolveu fazer exercícios físicos, mas também certos temores das possíveis amizades da mulher na prisão. "Não quero você dando liberdade a ninguém. Me entende, né? Ninguém!"

O marido está distante cerca de 10 quilômetros da mulher, na penitenciária oficialmente batizada de Dr. José Augusto César Salgado, em homenagem ao "promotor das Américas", o ex-procurador-geral de Justiça criador do decálogo do promotor — aquele que recomenda ao profissional não converter "a desgraça alheia em pedestal para teus êxitos e cartaz para tua vaidade".

O filho de dona Cida e seu Toninho chegou ali em 16 de maio de 2008. Passou primeiro pela carceragem do 13º distrito, na Casa Verde, também na zona norte da capital, e um dos centros de detenção provisória de Guarulhos. Quem passar pelos portões daquela penitenciária não deixará de reparar na frase escrita no portal que dá acesso ao interior dos pavilhões: "Este presídio só recebe o homem. O delito e seu passado ficam nesta portaria."

Os funcionários consideraram Alexandre muito tranquilo quando chegou à prisão. Ao contrário da mulher, não chorou nem demonstrou grandes sinais de inconformismo, e ficaria em "regime de observação" no prazo normal, quinze dias. Passaria a conviver com outros presos sem conflitos.

Para um importante funcionário do sistema prisional de São Paulo, com mais de três décadas de experiência com presos, a reação de pessoas presas injustamente é bem típica. Choram por dias, afastam-se do convívio de outros presos esperando pela Justiça divina e reclamam a

O PIOR DOS CRIMES

todo tempo do que estão passando. Nenhum dos sintomas percebidos em Alexandre. Para o funcionário, transmitiu impressão de que chegava ali para "pagar" sua pena "sossegado".

Esse mesmo funcionário diz acreditar, pelo comportamento de ambos e pelas informações levantadas por ele com pessoas que visitam o casal, que Anna pode mesmo ser inocente das acusações. Só ela.

Já adaptado à prisão, o bacharel em direito que sonhava ser delegado da Polícia Federal teria seu primeiro trabalho cerca de um ano após sua chegada. Seria auxiliar na faxina interna, realizando, entre outras funções, a limpeza de banheiros utilizados pelos presos e pelos funcionários.

Alexandre só conseguiria deixar esse serviço de limpeza em fevereiro de 2010, um mês antes do início do seu julgamento, quando passou a trabalhar na lavanderia. Uma função que conseguiu desempenhar sem problemas por cerca de doze meses — até fevereiro de 2011, quando foi alvo de uma denúncia anônima.

A informação levada aos diretores da penitenciária era a de que estava recebendo privilégios de funcionários. Entre outras benesses, os agentes estariam permitindo a realização de churrasco em uma área da unidade prisional a que os outros presos não tinham acesso.

Isso levou a direção do presídio a determinar o afastamento de Alexandre e dos agentes prisionais daquele setor supostamente envolvidos nesse esquema de privilégios ilegais. Ficariam assim até o final das apurações, cerca de três meses. Nada seria comprovado e todos puderam voltar ao trabalho. A denúncia era um sinal, porém, do clima existente na prisão contra o pai de Isabella.

Em novembro de 2012, Alexandre passaria a trabalhar como ajudante-geral numa fábrica de móveis da Funap. Entre as produções da unidade, está a montagem de carteiras escolares para a própria fundação — já que ela também oferece uma série de cursos para os detentos no sistema prisional paulista, que possui mais de 230 mil pessoas encarceradas em 2017.

Com ele, na oficina de carteiras, trabalhava o motoboy Lindemberg Alves, que, em outubro de 2008, aos 22 anos, matou a ex-namorada Eloá Pimentel, adolescente de 15 anos, depois de mantê-la em cárcere privado por cerca de 100 horas no apartamento da família da moça em Santo André, na Grande São Paulo, crime acompanhando de perto pelas emissoras de TV.

A alvorada, na prisão, se dava às 5h. Assim como os outros presos, Alexandre deveria estar pronto uma hora depois para a contagem diária. Funcionários fazem a checagem para ver se não houve nenhuma fuga. Após o café da manhã, o trabalho começa às 7h e vai até as 16h. Tem uma hora de almoço, de 11h30 a 12h30. Pelo mês trabalhado, além da remissão da pena (3x1, ou seja, cada três dias de trabalho dá direito a redução de um dia no cumprimento da pena), todos os presos recebem um pagamento equivalente a ¾ do salário mínimo. É o mesmo valor recebido por Anna.

O dinheiro é depositado em conta-poupança em nome dos presos. Com esses recursos, é possível comprar material de higiene e alimentos na prisão. Alexandre raramente precisa fazer compras porque a família o abastece fartamente todas as semanas.

Depois do trabalho, Alexandre costuma participar de uma partida de futebol com outros presos no espaço destinado a atividades físicas. No lugar, é possível ver outros presos em equipamentos de musculação quase o dia inteiro. Nem todos conseguem ou querem trabalhar naquela unidade.

Os minutos de futebol não foram suficientes, porém, para evitar o ganho de peso. As mudanças no rapaz são ainda mais evidentes do que as da mulher. Além de o rosto ficar mais arredondado, e estar praticamente careca, sua barriga e nádegas se destacam à distância pelo volume adquirido. Também não existe mais aquele rapaz com certo porte atlético que desceu pelas escadas da casa dos pais de óculos escuros, em abril de 2008, e que um dia despertou tanto interesse nas mulheres.

O esporte também não conseguiu fazê-lo enturmar. Alexandre não participa de bate-papo ou rodinhas para troca de amenidades. Um de seus entraves é a própria personalidade. Também diz sentir desconforto em ser o alvo de olhares curiosos. Quando a prisão recebe visitas como de parlamentares, religiosos ou outro tipo de forasteiros, ele finca o olhar para os próprios pés como se quisesse se fazer invisível, e só pronuncia

O PIOR DOS CRIMES

alguma palavra se for provocado. Responde ao interlocutor de forma educada e se esforça em sorrir para parecer agradável, mas aparenta estar aflito para ser deixado em paz, em seu canto.[4]

Outros obstáculos para que se enturme está no perfil dos presos de Tremembé, formado em parte por policiais, agentes penitenciários e filhos desses. Embora sejam todos presidiários, há certa repulsa desses detentos contra quem se envolve na morte de pais ou filhos. Não são bem-vistos em cadeia alguma, em especial naquela.

Apesar de não ter muitos amigos na prisão, também não há registros de que tenha enfrentado problemas sérios com outros detentos. Se teve, isso não chegou a ser registrado em seu prontuário e ficou em comentários extraoficiais. Também é tido pela direção da unidade como um preso exemplar.

Entre os presos, há também aqueles que acreditam em sua inocência. Um dos colegas de prisão, companheiro de cela e ex-perito em Ribeirão Preto, chegou a fazer um parecer sobre o laudo do IML, apontando uma série de supostas falhas. Resumidamente, diz que os exames não indicam uma esganadura da criança (faltariam sinais clássicos, como a quebra do hioide), que o inchaço no lábio da menina era "claramente pelos procedimentos de ressuscitação" e que não há sinais de que "houve queda de grande altura". O trabalho não foi usado pelos advogados de Nardoni, e só serve para reforçar que poucos profissionais conseguem ver o mesmo resultado analisando o mesmo laudo.

Entre outros presos famosos que tiveram boa convivência com Alexandre, estava o médico Roger Abdelmassih, condenado por uma série de estupros de pacientes, e o juiz Nicolau dos Santos Neto, condenado pelo desvio de verbas na construção de um Fórum. Os funcionários contam que, enquanto esteve por lá, Nicolau foi um dos frequentadores mais assíduos da biblioteca da prisão. Um espaço com 6.800 livros, estando o romance erótico *50 tons de cinza* e o drama *A menina que roubava livros* entre os mais requisitados pelos detentos.

---

[4] Visita feita pelo autor à prisão de Alexandre.

Alexandre é pouco visto nesse espaço. Aparece mais para fazer doação das revistas que recebe da família. Os funcionários do lugar se lembram de ter recebido dele muitos exemplares da *Veja*, da *Carta Capital* e de sua predileta, *AutoEsporte*, especializada em veículos. Também não frequenta nenhum dos cursos disponíveis na prisão, como idiomas ou música.

Seu Toninho e dona Cida o visitam todas as semanas. Os filhos e o irmão Rafael fazem visitas geralmente a cada quinze dias. A irmã, Cristiane, vai esporadicamente. Os visitantes sempre levam bastante comida para a semana, e esta é, algumas vezes, cedida para companheiros de cela. Macarrão ao alho e óleo é algo que não pode faltar no "jumbão", apelido do carrinho de provisões levadas pelos Nardoni ao presídio.

Parte do volume não é de comida. Embora exista lavanderia na prisão, onde o próprio Alexandre trabalhou, dona Cida gosta de lavar e passar as roupas do filho, incluindo lençol e toalhas, para usar o amaciante preferido dele.

Alexandre também não desenvolveu nenhuma doença grave na prisão. Raramente recebe medicamentos. A maior enfermidade enfrentada foi uma cirurgia de apendicite realizada no início de 2017.

A maior preocupação das pessoas que o visitam é sua mudança interior. Estaria mais duro e com ideias negativas.

Nas cartas que envia à mulher, não escreve mais palavras de motivação, como fez em 2009: "Amor, precisamos continuar firmes e fortes. E ter muita calma e muita paciência, que vai dar tudo certo, vida. A verdade é nossa, amor."

# 35
# Pior dos crimes

PASSADOS QUASE DEZ ANOS DO CRIME, e oito da condenação do casal, o assassinato de Isabella ainda desperta grande interesse das pessoas em todo o país. A ausência de uma confissão dos condenados e, com ela, a falta de um esclarecimento total do crime mantêm vivos os ares de mistério.

Muitas reportagens foram produzidas nesse ínterim, prometendo "reviravoltas em um dos crimes mais conhecidos da crônica policial brasileira", como sustentava a série veiculada no final de 2014 e começo de 2015 com uma agente penitenciária (anônima) que dizia ter ouvido confissões de Anna, um "segredo guardado há mais de seis anos". A madrasta teria admitido a funcionárias da prisão — entre elas a denunciante — que teria sido o sogro, seu Toninho, quem ordenara o arremesso da criança pela janela, uma estratégia para tentar livrar o casal de responder pelo crime.

A versão da funcionária era cheia de inconsistências, a começar pela sequência narrada, que contrariava a cronologia comprovada pela polícia. Negava a visita ao apartamento dos Jatobá em Guarulhos, onde o casal ficou por mais de quatro horas. Dizia que o casal voltara direto do mercado para o apartamento, ainda nervosos porque uma compra não tinha sido aprovada pela operadora do cartão de crédito. Nesse clima, mataram a menina.

Era uma versão "fantasiosa", para usar um termo da Promotoria, até porque a compra fora realizada conforme cupons anexados ao processo. Integrantes da Secretaria da Administração Penitenciária dizem até que não há provas de que a agente tenha trabalhado no setor em que a madrasta estava, no período citado por ela. Portanto, nem é certo ter havido o contato. A cúpula da pasta suspeita que a intenção da delatora em falar do assunto com a imprensa era prejudicar a diretora da unidade: usou um tema de grande interesse midiático para denunciar supostas regalias concedidas à madrasta — como o colchão ortopédico usado por ela.

Cembranelli foi entrevistado em uma das reportagens e deu crédito à versão da funcionária, defendendo a abertura de novas investigações. Disse que o pai de Alexandre sempre esteve sob suspeita, mas que a participação dele nunca havia sido comprovada. "Durante as investigações, havia essa suspeita sim, porque houve um contato do casal com o pai em momento muito próximo ao crime. Mas nós não conseguimos na investigação trazer responsabilidade para outras pessoas. Por isso, somente o casal foi denunciado", disse o promotor. "A ligação [do casal para seu Antônio] teria sido feita logo depois que o corpo teria sido jogado. Mas nós temos que apurar se havia outro telefone, usaram outro celular... não sei. Nós teríamos que ver agora como isso foi feito", disse Cembranelli ao repórter.[1]

Isso só seria possível se Alexandre usasse um celular clandestino, registrado em nome de terceiro, para ligar para o pai. Seu Toninho, por sua vez, precisaria atender a ligação em um celular também clandestino, registrado em nome de terceiro. Só assim esse contato poderia escapar das quebras de sigilo determinadas pela Justiça em 2008. Isso indicaria uma estruturada premeditação do assassinato da menina, jamais aventada antes.

As reportagens levaram à abertura de uma investigação que, como da primeira vez, não conseguiu comprovar o envolvimento de Toninho. Pelo menos isso não tinha ocorrido até o final de 2017 e, segundo policiais

---

[1] "Novo depoimento lança suspeita sobre avô de Isabella Nardoni". *G1/Fantástico*, 7 dez. 2014.

O PIOR DOS CRIMES

me disseram, a maioria dos funcionários ouvidos no inquérito negou a versão da funcionária.

Ainda que chegasse a alguma prova, Cembranelli não poderia atuar no caso. O promotor já tinha sido promovido dois anos antes, em maio de 2012, a procurador de Justiça. Passou a atuar em processos de segunda instância.

Antes disso, chegou a percorrer o país dando palestras sobre a profissão. Era apresentado como o "grande promotor do caso Nardoni", para falar de seu trabalho na condenação do casal. Também se tornou uma espécie de garoto-propaganda do Ministério Público de São Paulo. Chegou a ser convidado, por exemplo, para atuar em processo com que jamais tivera contato, como em 2010 no júri popular que condenou um dos suspeitos de participar do assassinato do prefeito de Santo André, Celso Daniel (PT), em 2002.

O advogado Adriano Marreiro dos Santos atribuiu a condenação de seu cliente ao prestígio de Cembranelli na época. "O doutor Cembranelli é hoje um dos melhores do Estado, está com o Ibope alto, né? O Ministério Público precisava ganhar esse júri. Se fosse outra situação, teria sido absolvido ou, digo mais, o MP teria pedido a absolvição por falta de provas."[2]

O promotor também recebeu uma série de homenagens, entre elas os títulos de "Promotor do Ano" de 2010 da universidade responsável por sua formação, a FMU, e de "Cidadão Paulistano" em 2012, concedido pela Câmara Municipal de São Paulo por ser ele "referência na Justiça brasileira".

Mesmo derrotado, Podval também seria aclamado como "Advogado do Ano" pela mesma instituição de ensino, onde, por coincidência, também concluiu o curso de direito.

Em 2017, ele continuava como defensor do casal Nardoni. Sua única vitória nesses anos foi reduzir o tempo de prisão de Alexandre — de 31, um mês e dez dias para trinta anos, dois meses e vinte dias —, já que o juiz Fossen tinha errado (para mais) na dosagem da pena.

---

[2] "Advogado culpa Cembranelli por derrota em júri do caso Celso Daniel". *UOL*, 18 nov. 2010.

O advogado continuava com prestígio no meio jurídico, talvez ainda maior do que antes, e se ocupava de clientes conhecidos, como o ex--ministro José Dirceu, investigado e preso em um dos braços da Operação Lava Jato. "O casal foi condenado e eu saí com uma imagem muito boa do júri, eu diria, perante a opinião pública. Se o casal fosse absolvido, acho que seria massacrado. É engraçado como as coisas se dão. Acho que fui bem. Mostramos que era possível, num caso impossível, defender as pessoas com dignidade", disse o advogado.

Só não voltaria a atuar mais em júris.

"Talvez na história da criminalidade não tenha tido um caso de um casal ter sido condenado e ficado preso tantos anos sem nenhum ter acusado o outro. Eles mantêm a mesma história. Se forem ouvidos hoje, a história é a mesma. O que é intrigante, no mínimo", disse Podval.

Sobre a atuação do juiz, o advogado analisou, em entrevista para este livro:

"Eu achei que foi um juiz muito parcial. Uma pessoa talvez muito religiosa, muito dura. Pra mim, já tinha prejulgado a causa quando da decisão de pronúncia. A sentença foi duríssima. Com palavras duríssimas. E ainda colocar caixa de som na porta do prédio, para ler aquela sentença, foi de uma grosseria, para dizer o mínimo. Foi de uma deselegância. Foi de uma postura quase como antigamente, na Idade Média, quando cravavam nas pessoas... colocavam máscaras para mostrar que eram condenadas... marcadas... Eles foram marcados pelo juiz naquela sentença. Por conta daquilo, o caminhão que levava os presos quase que foi barrado, tentaram linchar os Nardoni. Tentaram nos linchar... Isso devido muito àquela sentença pintada duramente de sangue, colocada pelo juiz com caixa de som na rua. Isso foi de uma irresponsabilidade. Foi de uma falta de noção. E ainda depois, engraçado, ainda me disseram depois que era um juiz religioso. Veja como as pessoas podem ser tão boas e tão más."

Procurado, o juiz não quis comentar as afirmações que fizera no processo, uma vez que o caso ainda não havia transitado em julgado.

Ricardo Martins continuava como advogado, além de manter uma escola para pilotos de aeronaves e participar de programas jornalísticos de TV como comentarista jurídico, incluindo de júris importantes. Desistiu de tentar ser delegado de polícia e também do caso Nardoni, ambos por decepção, diz ele. "Eu fiquei muito triste. Me senti menosprezado — na verdade, por todos. Porque a família também tinha poder de decisão. E, vendo que eu tinha mais condições de contribuir para a defesa técnica, a família tinha que ter se posicionado. Tanto seu Nardoni quanto o Alexandre Jatobá, que é o pai da Anna. Deveriam ter se posicionado e dizer: 'Peraí, Podval, deixa ele também perguntar. Porque ele também tem condições de fazer essa defesa.' A família talvez não tenha quisto desapontar, ou desagradar, o Podval."

O colega Rogério Neres continuava como advogado criminalista e tornou-se professor universitário. Diz sentir-se feliz pela oportunidade de ter convivido com Ricardo, Levorin e Nardoni, com quem muito aprendeu. "Aprendi muito com o doutor Nardoni. Equilíbrio emocional. Tranquilidade em lidar com crises. Esse senhor é uma pessoa incrível. Sem ele, as coisas seriam ainda piores."

Diz ainda que o caso o marcou muito. Uma das cenas mais fortes, na sua opinião, foi vivida no apartamento dos Jatobá em Guarulhos, quando ocorreu a segunda prisão do casal, a definitiva. Além dos pais e dos filhos de Anna, também foram para lá dona Cida e seu Toninho, para uma espécie de despedida — já que eles decidiram se entregar. "A dona Cida sempre chorou muito. Mas, nesse momento, eu nunca tinha visto, nem em velório, tantas pessoas chorando tanto e desesperadamente. Não era um choro qualquer. Era um choro muito forte. Todo mundo chorava e não deu para proteger as crianças daquela cena. E dona Cida pedia muito aos advogados: 'Por favor, não abandonem meu filho, não deixem que nada de mal aconteça com meu filho.' As pessoas choravam muito, muito, a ponto de eu mesmo não me controlar", diz o advogado. E continua: "É um caso de injustiça. É um caso triste porque uma criança de 5 anos morreu. É um caso que não tem vencedores. De tempos em tempos, esse caso vem à minha memória, pela imagem de duas pessoas presas injustamente. Sem culpa comprovada. Juridicamente, tecnicamente. Não digo baseado numa crença, mas no processo."

Marco Polo Levorin continuava como advogado e professor universitário, mas não voltou a figurar em nenhum outro grande caso.

Além do trabalho, Cembranelli também enfrentaria mudanças em sua vida pessoal com o fim do casamento com a defensora Daniela. Essa nova condição levaria ao surgimento de especulações sobre os motivos da separação, o que incluía um suposto romance secreto com a "mãe biológica". Algo nunca confirmado. Tudo indica que tenha sido apenas fruto da imaginação de alguém sonhando com um final ainda mais surpreendente para a história, até porque a própria vida da mãe de Isabella seguiu outros rumos.

Carol, na verdade, tinha outros amores. Ainda tratada como celebridade nacional, a bancária seria alvo de reportagens sobre sua vida particular, incluindo o casamento com o administrador de empresas Vinicius Francomano, poucos anos mais novo do que ela, e da comemorada gravidez e nascimento do filho Miguel, no final de 2016. A gestação de Carol chegou a ser tema central de importante revista paulista (*Vejinha*) destinada a reportagens de interesse da cidade e de personalidades da sociedade paulista.

O número de componentes não foi o único sinal de progresso da família Oliveira. Dona Rosa e o marido, que no passado relatavam humilhações por conta de empréstimos financeiros feitos com amigos, passaram a demonstrar sucesso financeiro com a compra de veículos de luxo e aquisição de imóveis.

A preocupação mais relevante da família de Carol deveria ser com o irmão mais velho, Felipe. No final de 2016, o tio de Isabella teve expedido contra si um mandado de prisão por ter deixado de pagar a pensão alimentícia (assunto tão caro no julgamento de Alexandre) para a filha Gabriella. A menina é aquela mesma da foto com Carol ao lado do túmulo de Isabella no Dia de Finados de 2008. Segundo pessoas ligadas à família de Gabriella, até mesmo Carol renegou a criança. A bancária não telefonaria para a sobrinha nem mesmo para parabenizá-la nos aniversários.

O PIOR DOS CRIMES

Sobre a investigação aberta contra Antônio Nardoni em 2014, ela estava sendo conduzida pelo departamento de homicídios, o DHPP, sem oposição dos policiais do 9º distrito. Ainda que o inquérito fosse enviado para aquela delegacia do Carandiru, não encontraria mais nenhum dos policiais da época.

Doutor Calixto Calil, e todos os seus subordinados, foram transferidos de lá em 2011, quando surgiram fortes suspeitas de que salas do distrito estavam sendo usadas pelos policiais para manter suspeitos em cativeiro para extorsão. Um policial chegou a ser preso em flagrante após suspeita de ter participado do sequestro e cárcere privado da chinesa Yu Chien Chene e do funcionário dela, Cheng Yun Ta. Com uma viatura do 9º distrito, os policiais abordaram o veículo dos chineses, que seguia para o aeroporto de Guarulhos, e, após encontrarem seis potes de suplementos alimentares e doze guarda-chuvas, levaram a dupla para o DP alegando suspeitas de tráfico de drogas.[3]

Os próprios policiais indicaram aos "suspeitos" um advogado que sabia lidar com o caso. O profissional comunicou aos clientes que os policiais exigiam R$ 1 milhão para soltá-los sem inquérito. Com a participação de outra advogada contratada pelo marido da chinesa, também chamado ao distrito, o valor foi reduzido para R$ 300 mil. Desse total, R$ 37 mil foram entregues na hora como sinal. O restante seria pago nos dias seguintes. Ao serem libertados, porém, cerca de doze horas depois do início do sequestro, as vítimas procuraram a Corregedoria, que realizou a prisão de um dos policiais. Dois investigadores e um escrivão foram reconhecidos pelas vítimas e denunciados pela Promotoria.[4]

O caso não teve divulgação pela imprensa, nem a ONG holandesa Altus teve conhecimento do que aconteceu com a delegacia à qual concedeu prêmio.

Não há provas de que Calil tivesse conhecimento de que seus subordinados estivessem realizando tais crimes no distrito comandado por ele, mas perderia a chefia do distrito justamente por isso. Os superiores

---

[3] Referente a processo nº 0107484-41.2011.8.26.0050.
[4] Idem.

avaliaram que, como chefe, ele deveria saber o que se passava na unidade. O crime se deu numa terça-feira, quando o chefe deveria estar por lá. Assim, não foi capaz de impor respeito aos subordinados para inibir tal prática. Anos depois da troca de comando na polícia, o delegado voltaria a ser titular em outro distrito.

Quando houve a queda de Calixto Calil, Renata Pontes já tinha sido transferida para outra unidade. Não há registro de que tenha sido convidada para algum cargo importante ou para que voltasse a trabalhar no departamento de homicídios. Continuava sendo, até o final de 2017, plantonista do 27º DP (Campo Belo) e não participara de outro caso importante nos anos seguintes.

O ex-diretor do Decap, Aldo Galiano, também conseguiria deixar a "Nasa" quando houve troca de comandos na Polícia Civil, mas até 2017 não voltou a comandar a capital nem, muito menos, foi indicado a delegado-geral. O policial não quis falar comigo sobre esta obra.

Rosangela Monteiro deixou a polícia em 2014. Aposentou-se. A perita chegou a ser nomeada diretora do Núcleo de Crimes contra a Pessoa, mas saiu da instituição quase sem reconhecimento e até com certo descrédito por parte dos colegas. Além do próprio caso Nardoni, que internamente gerara inúmeras críticas pela forma como ela conduzira os trabalhos, outros episódios ajudaram na derrocada de sua imagem.

Um deles foi a realização de uma perícia "complementar" sobre o caso apelidado de "Pedra da Macumba", em referência ao local, em Mairiporã (na Grande SP), onde, em janeiro de 2012, o corpo de uma dona de casa foi encontrado com sinais de corte profundo do pescoço e ferimentos nas costas. Como o local era conhecido pelas práticas de magia negra, a polícia passou a suspeitar de sacrifício humano. Rosangela produziria um laudo para afirmar que os ferimentos, principalmente no rosto da mulher, seriam produzidos por animais, principalmente cachorros.

Isso contrariava laudo anterior que apontava sinais de instrumento cortante. Para testar sua tese em campo, a perita chegou a vestir um porco com roupas humanas. A perita foi ao açougue, comprou um animal

O PIOR DOS CRIMES

já morto e o vestiu com peças de roupa feminina, com a intenção de colocá-lo no mesmo lugar onde o corpo da vítima fora encontrado. Esperava que os animais o comessem, para, assim, provar sua tese. Há controvérsia se o teste chegou a funcionar. Rosangela diz que sim (na segunda vez), mas é certo que a imagem de um animal vestido dentro do freezer virou motivo de piada interna, o que chateou a perita.

Rosangela diz que só umas dez pessoas da polícia reconheceram seu valor. "O restante não. O restante sorri na sua frente, mas te critica depois. Falam que eu passei por cima do Serginho [no caso Nardoni]. Que fui me meter lá. Eu não fui me meter lá. Os peritos que me chamavam. Na realidade, o que é que eu ganhei com isso? Não ganhei nada. Tudo bem, teve um reconhecimento maior fora do instituto, isso é legal. Mas eu sempre lutei por isso, eu gosto do meu trabalho. Dentro da polícia e do instituto, eu dei graças a Deus de ter me aposentado. Fiquei cinco anos a mais. Deveria ter me aposentado antes. Quando acabou o caso Isabella, deveria ter dito: tchau. Porque não me trouxe nada."

Rosangela ficou ainda mais decepcionada com a instituição quando, em junho de 2012, sofreu uma tentativa de homicídio dentro da Polícia Científica. Alguém retirou parte dos parafusos de uma das rodas traseiras do carro dela, um Fiat Strada, com a intenção de provocar um acidente. O plano funcionou apenas parcialmente, não passou de um grande susto, porque a roda acabou se soltando quando o carro ainda estava no interior do pátio e em uma velocidade reduzida. No momento, a perita estava acompanhada do marido e então chefe José Antônio de Moraes, mas nenhum deles se feriu.

As suspeitas de crime aumentaram quando um funcionário do IC afirmou ter visto um homem mexendo na roda momentos antes do acidente. O perito Ricardo Averbach Rebouças, que havia discutido com Rosangela e Moraes momentos antes numa reunião geral, foi investigado, mas a perícia não encontrou provas. Ele negou a participação na remoção dos parafusos e disse que sequer chegou perto daquele carro.

Poucos dias depois do acidente de Rosangela, o próprio Ricardo seria vítima de uma tentativa de homicídio. Bandidos em uma moto, armados, fecharam a frente do veículo que ele dirigia na zona sul de São Paulo, obrigaram-no a estacionar e a descer do carro. Quando isso aconteceu, segundo conta, os criminosos jogaram combustível no perito, mandaram sentar no banco do veículo e atearam fogo.

Os suspeitos fugiram sem levar nada. O perito conseguiu escapar com o corpo em chamas e o veículo ficou totalmente destruído. Ao ser socorrido, segundo policiais que participaram da ocorrência, Ricardo teria atribuído a autoria do crime a Rosangela Monteiro. Após deixar o hospital, o policial não sustentaria mais as suspeitas contra a colega e diria não se lembrar do que disse naquela noite, quando estava em estado de choque. A investigação sobre o crime contra o perito não conseguiu chegar à autoria. Rosangela Monteiro nega qualquer participação.

Serginho, o primeiro perito, continuava na polícia, mesmo com idade para se aposentar. O salário integral ajudava na faculdade do filho. Ele chegou a ser punido pela Corregedoria nesse intervalo com afastamento de noventa dias em razão de atrasos na emissão de laudos, o que significa três meses sem salário, mas conseguiu ganhar algum dinheiro na própria polícia cobrindo plantões de colegas, com autorização, segundo ele, da chefe Rosangela. Continua carismático e muito querido pelos colegas de profissão.

Roseli Poleze foi promovida na PM a cabo e continua no Copom (Centro de Operações da Polícia Militar). "Adoro o meu trabalho, essa unidade, e pretendo me aposentar aqui."

Seu Lúcio continua morando no edifício London, embora tenha perdido boa parte dos vizinhos daquela época, que se mudaram após a depreciação do imóvel em decorrência das notícias do crime, e tenha recebido telefonemas anônimos ameaçadores nos dias seguintes ao crime. "Pra eu calar a boca."

Ainda mantém o volume da TV baixo durante a noite, agora pela lembrança da mulher Maria Ângela, que morreu em maio de 2011. "Minha esposa faleceu do coração. Ela ficou muito nervosa. Ela nunca teve nada no coração, mas lembro que nós passamos uma época foi difícil. Muito terrível. Teve um ataque cardíaco, morreu do meu lado, dormindo, e eu nem pude socorrê-la."

Também não consegue tirar da memória as imagens daquela noite de março de 2008. "Até hoje eu saio aqui na minha sacada, dá uma sensação estranha, porque parece que eu ainda vejo a menina caída ali embaixo."

Cristiane, irmã de Alexandre, casou-se com o noivo, com quem teve uma filha, Júlia, em dezembro de 2010, meses após a condenação do irmão. Tanto ela quanto a filha sofriam os efeitos da condenação de Alexandre, principalmente pelo sobrenome Nardoni. Para a festa de aniversário da menina, em 2014, a família convidou apenas as duas coleguinhas mais grudadas em Júlia, mas nenhuma compareceu. Os pais das duas não apresentaram sequer uma justificativa para a falta e trataram como se o evento não tivesse ocorrido.

Sobre o episódio, Cristiane reflete: "Eu não consigo ser muito realista com a Júlia, porque é muito criança ainda. Eu só disse que as coleguinhas não puderam ir. Ela sabe também que tinha uma prima, que a prima está no céu. Ela é muito pequena para entender muitas coisas. O que a gente tenta fazer é que eles sintam o impacto o mínimo possível."

Mesmo sem compreender toda a situação, conta o avô, a menina consegue perceber quando a família vai a restaurantes e ocupantes de outras mesas tentam expulsá-los com o olhar ou com palavras. A criança sente que algo não está bem até porque Cristiane e dona Cida, sempre tão doces, ficam bravas e esboçam interesse de revidar aos insultos. É Toninho quem desaconselha os embates.

Para evitar conflitos semelhantes, o próprio avô de Júlia abandonou as idas ao clube que frequentava. Passou a tentar manter a forma fazendo caminhadas pelas ruas do bairro — e, para não ser reconhecido, usa óculos escuros e um boné. Dona Cida não chega a ser reconhecida, mas, mesmo assim, prefere não sair de casa em razão da saúde, que se tornou muito debilitada.

Toninho também foi abandonado pelos clientes. Seus principais contratantes deixaram sua carteira pouco a pouco, até não restar nenhum.

Já em 2015, o escritório estava praticamente fechado. Toninho diz que acabou sua vontade de advogar, não pela reação dos clientes, mas pelas injustiças a que assistira durante os anos de luta pelo filho, em todos os tribunais.

"Eles condenaram dois inocentes. O Cembranelli, enquanto Ministério Púbico, tinha por obrigação realizar novas diligências. Ele tem consciência de que não havia sangue onde ele diz que havia sangue, que afirmou na televisão que tinha sangue. O doutor Fossen condenou o casal no recebimento da denúncia. Eu sei que ele tem família. Eu sei que ele tem filhos. Ele não pode ser tendencioso. Ele é juiz. Ele poderia ter dito: acho que tem os pressupostos para o recebimento da denúncia. Ele não precisava de um discurso dizendo que o casal era monstro, isso e aquilo. Eu fiquei muito decepcionado. [...] Por que morreu uma criança? Ninguém mais do que eu entende porque quem morreu foi minha neta. Queria que as pessoas se colocassem no meu lugar. Foi a minha neta que morreu. Não foi nem a neta deles. Mas eles acham que, porque foi uma criança, têm que dar uma satisfação para a imprensa, ou para a sociedade, mantendo dois inocentes presos. Ainda que tenha dúvida, eles mantêm presos porque é mais cômodo isso do que ter que dar explicação. Se eu parto do princípio de que a Justiça é isso, eu estou no país errado. Eu estou na profissão errada. Então, eu tenho vergonha de advogar neste país."

Para se manter em atividade, Nardoni abriu uma incorporadora de imóveis, mas sem nenhuma menção ao nome da família. Apenas Marc, com as iniciais da mulher, Maria Aparecida, e dos filhos, Alexandre, Rafael e Cristiane.

Fruto da relação extraconjugal de seu Antônio com a cunhada, Rafael seria reconhecido como filho e aceito por dona Cida. A avó também queria cuidar de Pietro e Cauã, mas, em razão de um acordo familiar, a guarda das crianças ficou com os pais de Anna.

Os dois são os que mais sofrem as consequências da condenação do casal. Pietro, com quase 13 anos, nunca realizou uma festa na presença de amigos — da escola ou fora dela. Suas festas contam só com parentes e amigos adultos da família. O mesmo ocorre com o irmão Cauã, que, em 2017, completou 10 anos.

Cristiane conta que, no último aniversário, eles tiveram a chance de convidar amigos da escola para comemorarem juntos, mas desistiram. "Eles optaram por não chamar com medo de ninguém aparecer. O medo da decepção é maior do que o de arriscar. Nós dissemos: chama; se vier, se nos derem a oportunidade de nos conhecer, vai ser maravilhoso. Se não vier, estaremos aqui com vocês e vamos nos divertir do mesmo jeito. Se a pessoa não vier por se incomodar com a nossa presença, a gente precisa aceitar, apesar de ser algo difícil, mas precisa entender que a pessoa não sabe quem a gente é e está nos julgando sem saber. Talvez não seja uma pessoa boa por não nos dar uma oportunidade de nos conhecer."

Os dois chegaram a ser convidados para festas de amigos da escola, mas os avós maternos não permitiram que fossem. Revelam medo de que sejam tratados como uma atração de circo, aberrações da natureza, ou, pior, que venham a ser vítimas da maldade humana. "Eu não levo. Fico com medo do que as pessoas vão falar: 'Olha, são eles...'", conta a avó Anna.

A mãe de Anna Carolina também conta sobre as preocupações de quando precisa da ajuda de outras pessoas para cuidar dos meninos, como levá-los ao médico. "No começo, eu fiquei até com medo de levá-los ao hospital. Medo, sei lá, de alguém dar uma injeção errada, fazer alguma ruindade. Eu tinha medo. Quando vou no hospital, eu sempre digo: Cauã Trotta. Pietro Trotta."

Os meninos também não colocam o nome completo nem mesmo no material escolar, como apostilas e livros, que levam etiquetas com apenas o primeiro nome e o nome do meio, Trotta, como nas fichas médicas.

Uma das poucas celeumas entre as famílias Jatobá e Nardoni se deu justamente por conta de cuidados excessivos com os meninos, quando Pietro passou a frequentar uma escola em Guarulhos. Durante visitas surpresas ao colégio, seu Toninho viu o neto isolado de outras crianças, como se fosse um criminoso perigoso ou portador de uma doença contagiosa.

Todas as crianças brincavam no pátio, menos Pietro, que assistia a tudo sem pode deixar o lugar em que estava sentado. "Fui lá umas três ou quatro vezes", disse Toninho. "Eu parava o carro e ficava do lado de fora olhando, porque dava para ver o recreio. E sempre Pietro estava sozinho. Aí, eu questionei. Um dia liguei lá para a direção, me identifiquei e disse: 'Estou preocupado. Entendo que tem que ter uma convivência dele com outras crianças.' O diretor alegou que tinha sido recomendado que tivesse muito cuidado com o Pietro. E, por causa disso, preocupado de ele se machucar, de colocá-lo com as crianças, ele ficava mais isolado."

Os avós maternos confirmam o isolamento do menino na escola, mas apontam um problema diferente. Dizem que Pietro ficava algumas vezes sozinho porque a escola realizava muitas atividades com a participação de pais e filhos, integração entre eles. Como o menino não podia contar com a presença de nenhum dos dois, a escola evitava colocá-lo nos preparativos desses eventos para que não sofresse ainda mais. Não deixava, porém, de ser um isolamento.

Um acordo entre os parentes permitiu a transferência do menino para uma escola da zona norte de São Paulo, a Sagrada Família, mesmo lugar onde Cris e Alexandre estudaram parte da vida e onde também seriam matriculados Rafael e a pequena Júlia, como crianças quase normais.

A rotina de privações de Pietro e Cauã começou logo após a prisão dos pais. Mesmo sendo um direito previsto em lei, as crianças foram impedidas pela Justiça de visitar pai e mãe na prisão. O magistrado explicou à época que sua determinação previa o resguardo "dos direitos e do bem-estar dos infantes, tidas como pessoas em desenvolvimento". Era um pedido da Promotoria, com aval de uma psicóloga consultada pelas autoridades. Para essa profissional, seria nocivo às crianças o convício delas com os pais na prisão. Não adiantou os relatos das duas famílias sobre o imenso sofrimento imposto aos meninos com a separação forçada.

Certamente as crianças poderiam pensar que os pais cometeram o pior dos crimes, já que a Justiça nunca tomou decisão parecida nem mesmo com os filhos de chefes da facção criminosa PCC, por exemplo,

O PIOR DOS CRIMES

encarcerados no presídio de segurança máxima de Presidente Venceslau,[5] no interior do estado. As visitas dos filhos de alguns condenados a mais de quatrocentos anos de prisão por uma série de crimes, inclusive pelo assassinato de um juiz, não eram consideradas tão nocivas quanto a visita dos filhos dos Nardoni.

Essa proibição teve início em maio de 2008, logo após a prisão do casal, e duraria até outubro do mesmo ano. Nesse período, as famílias combinaram que as crianças seriam informadas de que os pais estavam trabalhando.

Quando essa proibição chegou ao fim, Cauã já confundia a identidade materna. O menino que dava tanto trabalho à mãe para largar o colo passou a achar que a avó era sua genitora.

Cauã e Pietro iniciaram, naquele mês, uma rotina imposta a todos os filhos de pessoas presas no estado. Eram obrigados a ficar peladinhos durante as revistas para entrar na prisão. Essa era a regra de segurança imposta pelo governo paulista diante da grande quantidade de pessoas que usam o corpo dos próprios filhos para tentar ingressar com drogas ou outros objetos ilegais nas prisões.

A família diz que os meninos não são hostilizados por funcionários ou funcionárias nas duas unidades. Ao contrário. Na prisão de Anna, por exemplo, as carcereiras comentam sobre a beleza e a boa educação dos dois garotos e sobre as brincadeiras que faziam com eles. Quando eram bem pequenos, as agentes ofereciam de presente os gatinhos que viviam no pátio do presídio. Apaixonado por animais, Pietro pedia aos avós para que o deixassem levar os felinos, acreditando na sinceridade da oferta, mas nunca foi atendido.

Não foram raros os momentos em que funcionárias ficaram emocionadas com as despedidas entre a mãe e os filhos. Uma delas ocorreu em fevereiro de 2015, em comemoração ao aniversário de 10 anos de Pietro.

Para comemorar, Anna preparou uma pequena festinha. Comprou um bolo Pullman e o cobriu com mistura de creme de leite, chocolate em pó e chocolate granulado para deixar uma aparência mais agradável.

---

[5] Informação confirmada pela Secretaria da Administração Penitenciária.

Todos cantaram parabéns. No final do dia, na despedida obrigatória dos visitantes, Pietro começou a gritar que amava a mãe, que, em resposta, também passou a gritar no pátio que o amava. A lembrança da cena faz Alexandre Jatobá chorar tempos depois ao narrar a cena e a forma como teve que agarrar o neto para tirá-lo de lá.

No trajeto até o carro, o avô teve dificuldades de responder a uma pergunta simples feita pelo menino:

— Vovô, quando a mamãe vai para casa?

— Pietro, nós vamos chegar em casa, nós vamos orar. Eu e você. Você vai pedir a Deus, você vai conversar com o papai do céu. E Deus vai trazer a mamãe — combinou o avô para tentar acalmar o menino.

A mãe de Anna diz que, para ela, até pelo imenso amor que a filha tem pelos filhos, ela jamais acobertaria um crime do marido. "Conhecendo minha filha do jeito que eu conheço, não existe essa possibilidade. Ela iria jogar tudo no ventilador. Porque ela era muito apegada aos filhos. Ela sofreu muito. Ela ficou cinco meses sem ver os filhos."

Os avós maternos também contam que Pietro passou anos e anos com ideia fixa de querer libertar os pais. Pediu algumas vezes que a avó Anna, a quem também passaria a chamar de mãe, o levasse diante do juiz Fossen para que pudesse contar tudo o que presenciou na noite daquele crime, que os pais eram inocentes. Recebeu a explicação de que as coisas não funcionavam daquele jeito.

— Mas eu tenho que ir lá conversar com o juiz. Contar pro juiz que o papai e a mamãe não fizeram nada. Ele vai acreditar em mim. Ele não acredita no papai e na mamãe, mas em mim ele vai acreditar — Anna Lúcia repete a fala do neto.

A família conta que o menino acredita que o responsável pelo crime é um policial — não sabe qual — que teria atirado a irmã pela janela.

"Eles têm muita certeza e tranquilidade sobre a inocência do pai deles", diz Cristiane. "Eles sabem que a televisão inventa um monte de mentiras."

O PIOR DOS CRIMES

Em julho de 2017, Anna conseguiu autorização para trabalhar fora da prisão, no chamado regime semiaberto, mas que em Tremembé não significa muita liberdade. Os trabalhos continuam sendo realizados dentro do complexo prisional, sem contato com o mundo externo, como poderia ocorrer em outro lugar. Ao conceder a progressão da pena, a juíza Sueli Armani frisou em sua decisão o bom comportamento na prisão, os trabalhos desenvolvidos por ela e, ainda, o perfil psicológico avaliado por uma junta. "Ademais, foi submetida a exame criminológico e obteve resultado positivo pela unanimidade dos membros da Comissão Técnica de Classificação, os quais ressaltaram que a possibilidade de reincidência é nula atualmente, acrescentando que, embora ela não reconheça a culpa — já que não assume a responsabilidade pelo delito perpetrado e declara-se inocente —, possui percepção da gravidade do ocorrido, apresenta juízo crítico da realidade, valores éticos e morais preservados, autocrítica, tolerância à frustração e controle sobre sua agressividade ou impulsividade."[6]

Na entrevista com assistente social, Anna disse o que pretende fazer quando deixar a prisão definitivamente: "Quero estar com meus filhos. Vou morar em São Paulo ou numa cidade do litoral, trabalhar e tentar viver minha vida. Gostaria que um dia minha vida pudesse voltar ao normal. Gostaria de desenvolver o meu lado espiritual e ajudar as pessoas."[7]

Alexandre também não deve demorar para conseguir o mesmo benefício. Costuma dizer que, quando deixar a prisão, pretende tentar localizar a pessoa que matou a filha dele.

Para a polícia, esse é um comportamento que só psicólogos podem conseguir explicar: "Ele embutiu na cabeça que não foi ele. Fez uma arquitetura na cabeça dele de que não fez nada. 'Não fui eu, não fui eu.' E mantém aquilo. Às vezes um psicólogo tira mais coisas que a polícia. Coisa de cuca. Ele pôs na cabeça que não foi ele", diz o delegado Calixto Calil.

---

[6] Trecho da decisão da juíza Sueli Zeraik de Oliveira Armani, da 1ª Vara de Execuções Criminais de Taubaté.
[7] "'Não me sinto culpada, nem arrependida porque sou inocente', diz madrasta de Isabella Nardoni a perito". *G1*, 18 jun. 2017.

A irmã de Alexandre diz que ele não sabe o que fará quando deixar a prisão. Acredita não haver lugar no país onde possa trabalhar ou viver totalmente em paz. "Acabaram com a vida dele. Como ele costuma dizer: mataram minha filha, enterraram o corpo dela e me enterraram vivo junto com ela."

Cristiane diz que Alexandre tem certeza de uma coisa: "Ele fala que vai viver para saber o que houve com Isabella. Ele não tira isso da cabeça dele. Oramos a Deus para que um dia a verdade venha à tona."

# AGRADECIMENTOS

Falar do assassinato de uma criança de 5 anos não traz alegria a ninguém. Muito menos a mim, que, ao longo desses anos, vi tanta tristeza, tanto sofrimento, nas pessoas atingidas diretamente por esse crime.

Vivi, porém, ao trabalhar nesta obra, muitos momentos de satisfação pessoal, situações que me deixaram contente, como ouvir inúmeras palavras de carinho e incentivo (dentro e fora da profissão) e ainda testemunhar a grande quantidade de pessoas que decidiram efetivamente me ajudar a reproduzir os fatos da melhor maneira possível. Digo a todos vocês, do fundo do meu coração, meu muito obrigado.

Agradeço, primeiramente, a Carlos Andreazza, editor-executivo da Editora Record, por ter compreendido de imediato o propósito desta obra e a relevância jornalística dela. Sou muito grato a ele por essa parceria e por ter me concedido a melhor editora que eu poderia ter, Duda Costa, que me deixou muito feliz com tamanha dedicação e profissionalismo nesses meses de trabalho, só menores, com certeza, ao respeito demonstrado a mim, como autor e como pessoa.

Sou enormemente grato aos amigos Jairo Marques e Allan de Abreu, ambos jornalistas e brilhantes escritores, que participaram das escolhas mais importantes desta obra e me ajudaram a chegar até aqui.

Esta história não teria sido escrita se não fosse, ainda, o apoio incondicional que recebi dos meus amigos da *Folha de S.Paulo*. Devo externar meu agradecimento, em particular, ao editor de Cotidiano, Eduardo

ROGÉRIO PAGNAN

Scolese, e ao editor-executivo do jornal, Sérgio Dávila, por permanecerem sempre ao meu lado.

Quero agradecer ainda às instituições e às pessoas que me ajudaram de alguma forma na busca de respostas ou de pessoas: no Ministério Público Estadual, os colegas Benjamin Polastri, Izilda de Lima Pinto, José Francisco Pacóla e Luisa Alcalde; no Tribunal de Justiça de São Paulo, Helena Sato, Rômulo Pordeus, Cecília Abbati e Rosângela Sanches; na Polícia Militar, o major Cássio Araújo de Freitas (Rota); na Secretaria da Segurança Pública, Antonio Carlos Silver, Vera Freire, Lucas Tavares, Adriano Moneta e Vivian Göltl; na Secretaria da Administração Penitenciária, Jorge de Souza e Mariana Borges; no Palácio dos Bandeirantes, os jornalistas Felipe Neves e Márcio Aith; na comunicação da PUC de São Paulo, Thaís Polato; na comunicação da OAB-SP, Santamaria Nogueira Silveira; e a assessora parlamentar Elaine de Almeida Gomes.

Também agradeço a ajuda dos amigos da banda boa da Polícia Civil, Marilda Pansonato Pinheiro, Ruy Ferraz Fontes, Elisabete Sato, Youssef Abou Chahin, Carlos José Paschoal de Toledo e Marcos Carneiro Lima; da Polícia Científica, os peritos Norma Bonaccorso e Antonio de Carvalho Nogueira Neto; dos ex-secretários da Segurança Pública Ronaldo Marzagão e Fernando Grella Vieira; dos advogados José Luís de Oliveira Lima (Juca) e Denise Rego; do meu quase irmão Chico Penna; do deputado federal major Olímpio Gomes; dos pesquisadores Iran Alves e Eloy Lacerda; e dos jornalistas Afonso Benites, Alfredo Cesar Souza, André Monteiro, Cristina Moreno de Castro, Denise Chiarato, Eliane Trindade, Flávio Freire, Joana Cunha, Josmar Jozino, Kleber Tomaz, Laura Diniz, Marina Gama Cubas, Paula Felix, Plínio Delphino, Reynaldo Turollo Jr., Ricardo Galhardo, Robinson Cerântula, Rosanne D'Agostino, Rubens Valente, Sandro Barboza, Telma Costa Gomes e Valmir Salaro.

O meu muito obrigado, também, às dezenas de pessoas que confiaram em mim e doaram preciosas horas de suas vidas para conversar comigo, ou se empenharam para repassar informações ou documentos (muitos deles sigilosos) a mim, ainda que correndo riscos profissionais. Muitas dessas pessoas não terão o nome aqui divulgado, porque assim combinamos, mas terão minha eterna gratidão.

Este livro foi composto na tipografia Adobe
Garamond Pro, em corpo 12/16, e impresso
em papel off-set 56g/m² no Sistema Cameron da
Divisão Gráfica da Distribuidora Record.